Pays et Nations

LE MONDE EN COULEURS

TOME II

SCANDINAVIE

EUROPE CENTRALE

ITALIE

GROLIER LIMITÉE • MONTRÉAL, QUÉBEC

Tome 2

TABLE DES MATIÈRES

La Norvège *... le pays des fiords*

LA Norvège moderne demeure liée de bien des façons à la Norvège des Vikings. Ces derniers, isolés sur une terre aride, prenaient la mer à la recherche d'une existence meilleure ou en quête de biens et de richesses qui manquaient chez eux. Les Norvégiens d'aujourd'hui sont moins aventureux, il est vrai, mais les problèmes qu'ils ont à affronter demeurent les mêmes. La nature qui donne tant à la Norvège d'une part, le retire de l'autre. Les deux tiers du sol sont des terres stériles et presque inhabitables ; 4 pour cent seulement se prêtent à la culture. Face à ce handicap, la Norvège doit maintenir un commerce considérable avec l'étranger afin de conserver à son peuple un niveau de vie élevé. En un mot, afin de pouvoir payer les nombreux produits qu'il lui faut importer chaque année—carburants, matières premières, machines, fruits et sucre— la Norvège doit produire une grande quantité d'articles destinés à l'exportation. La lutte contre la nature se poursuit donc encore de nos jours.

Sous certains aspects, cette lutte a été et continue d'être couronnée de succès. Entre les années 1950 et 1960, la produc-

tion nationale (manufactures et services) a augmenté de 44 pour cent, soit une moyenne annuelle de 3.7 pour cent, la consommation de 28 à 35 pour cent, les investissements de 40 pour cent et les exportations de 60 pour cent. Les réserves de devises étrangères ont quadruplé. Ces chiffres dénotent une montée croissante du niveau de la vie, qui se maintient à la hauteur de celui des autres puissances occidentales.

La Norvège ne fait pas partie du Marché commun, mais en 1959, elle s'est jointe à l'Autriche, au Danemark, à la Grande-Bretagne, au Portugal, à la Suède et à la Suisse pour former le Marché libre ou l'Association économique des sept.

On trouve en Norvège de la houille blanche, utilisée pour produire de l'électricité à bon marché. Cette force motrice n'alimente pas seulement l'industrie; 97 pour cent des habitations jouissent de l'électricité. Les vastes forêts présentent une autre ressource naturelle. Aujourd'hui, le bois et les dérivés du bois, tels que la pulpe et le papier, fournissent de 20 à 25 pour cent des exportations de la Norvège. L'abondance de la vie maritime dans l'Atlantique et surtout dans les eaux baignant les pays du nord constitue le troisième facteur important de l'économie norvégienne. L'industrie de la pêche emploie 40,000 bateaux et la prise annuelle se chiffre à environ $100,000,000. La pêche à la baleine dans l'Antarctique rapporte presque autant.

La mer sert la Norvège d'une autre façon encore. Aujourd'hui, de même qu'avant la Deuxième Guerre mondiale, le transport de marchandises par la marine marchande compense dans une large mesure le déficit qui découle du commerce des denrées. La marine marchande a considérablement augmenté depuis les jours les plus sombres de 1946; à cette époque, les pertes causées par la guerre avaient porté le tonnage à 2,900,000 tonnes; il était de 4,800,000 tonnes en 1940. En 1960, elle atteignait 10,500,000 tonnes. Seuls, les Etats-Unis et la Grande-Bretagne ont des marines marchandes plus importantes.

Des siècles de luttes avec les forces de la nature n'ont fait que renforcer les qualités de persévérance, de hardiesse et d'indépendance que l'on a associées de tout temps au peuple norvégien. Ces luttes quotidiennes contre un sol ingrat, contre la mer et la forêt ont appris aux Norvégiens le respect du travail et leur ont révélé le

LE SOLEIL DE MINUIT, scintillant sur les vagues, silhouette le cap Nord. Cet imposant cap rocheux est le point le plus au nord de l'Europe.

5

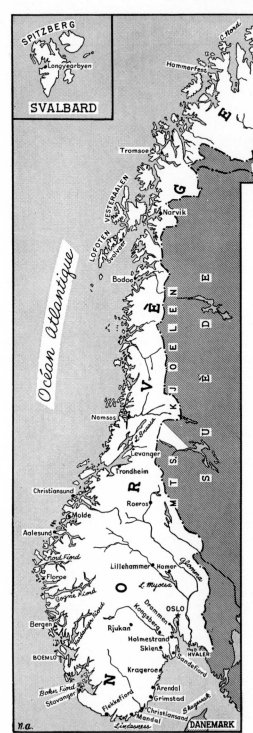

LA CÔTE DÉCHIQUETÉE DE LA NORVÈGE

sens des véritables valeurs. Le voyageur s'en rendra facilement compte. Il notera le contraste frappant qui existe entre la Norvège du sud où règne le confort, et la Norvège du nord, terre de labeur et d'effort. Il remarquera également que plus les conditions de vie sont difficiles, plus les gens sont heureux. Les conditions de vie au nord de la ligne Oslo-Bergen sont des plus ardues, il est vrai, surtout dans les régions qui se trouvent à l'intérieur du cercle arctique. On estime que les deux tiers de la population vivent presque isolés. Les écoles élémentaires de la Norvège sont souvent petites et très éloignées, car elles desservent des communautés rurales très étendues. Mais là encore, de nombreux avantages contrebalancent ces handicaps. Le milieu rural des écoles prête aux exercices et aux sports ; le programme d'études, conscient de l'importance de la santé y accorde une grande part, ce qui explique en partie la constitution robuste des Norvégiens.

Oslo, la capitale, qui se trouve au sud, est le centre culturel et politique de la Norvège. C'est là que sont prises les mesures qui maintiennent un pays pauvre en matières premières dans la voie du progrès, à une époque où la révolution technologique est en train de transformer rapidement le monde. La Norvège ne peut se permettre de demeurer en arrière. Les technologues et les industriels s'en rendent bien compte. De plus, il est à son avantage d'accroître son commerce avec l'Europe. La Norvège demeure un membre fidèle de l'OTAN, sans pour cela offenser son puissant voisin, l'URSS. Elle cherche à attirer les investissements étrangers afin de diminuer son déficit commercial. L'avenir de la Norvège dépend en grande partie du couronnement de ces efforts.

Une terre taillée par le climat

«La mer nous unit, la terre nous sépare,» est un vieux dicton norvégien. Au cours des âges, les vents, les glaciers et l'eau ont sculpté ce qu'on pourrait appeler un vaste bloc de pierre en une succession de montagnes, de plateaux et de vallées. Projetant ses longs doigts à l'intérieur du pays, la mer a creusé les fiords, et au large des côtes une chaîne de plus de 150,000 îles et îlots rocheux. C'est ainsi que fut créé un passage maritime intérieur, à l'abri des tempêtes. Depuis les temps reculés, ce passage était connu sous le nom Norvegr, ou le Passage du Nord.

La plus haute chaîne de montagnes de toute la Scandinavie s'élève sur le côté occidental; elle est connue sous le nom de monts Kjoelen. La partie de la chaîne qui marque la frontière naturelle entre la Norvège et la Suède porte le même nom. Entre les monts Kjoelen et la Gudbrandsdal se trouve une région de plateaux et de sommets arrondis appelée Dovrefjell. Au sud de la Dovre se trouve la chaîne de montagne Langfieldene.

Bien que la Norvège soit un pays étroit—la largeur varie de 4 à 275 milles, elle est longue d'environ 1,100 milles. Cependant la côte est tellement déchiquetée qu'elle mesure près de 12,000 milles. Une partie de la Norvège se trouve aussi très à l'intérieur du cercle arctique; il s'agit de l'archipel Svalbard, qui comprend le Spitzberg. Ces îles sont situées à la même latitude que le nord du Groenland. Bien qu'un tiers de la Norvège soit situé à l'intérieur du cercle arctique, le climat y est étonnamment doux. Cela est dû à la présence du Gulf Stream, qui remonte de la mer des Antilles à travers l'Atlantique.

Le voyageur qui se rend en Norvège par bateau ou par avion arrive d'habitude à Oslo. Cette ville très propre, spacieuse, possède de nombreux parcs; on n'y voit pas de quartiers pauvres. La ville s'étend depuis le port intérieur, à l'endroit où mouillent paquebots et cargos, jusque vers des collines recouvertes de pins et d'épinettes. L'hôtel de ville, un édifice carré flanqué de deux ailes élevées, domine les quais. Son aspect fait contraste avec le palais royal, un édifice en pierre blanche de style classique, qui s'élève sur une colline voisine.

Vestiges de l'époque viking

Sur la péninsule de Bygdoe, à l'ouest d'Oslo, se trouve le pittoresque musée en plein air du Folklore norvégien, où le visiteur retrouvera la Norvège du moyen âge. Parmi les anciens édifices en bois, on aperçoit une église de rondins. Sur ses portiques sont sculptés des dragons, un des motifs favoris des Vikings, qui s'en servaient pour décorer la proue de leurs navires. Dans un édifice près du musée sont exposés plusieurs navires qui rappellent des siècles d'aventures sur la haute mer. On y voit plusieurs embarcations à haute proue des Vikings et une nouvelle acquisition, le fragile radeau *Kon-Tiki,* sur lequel Thor Heyerdahl et cinq compagnons firent un voyage de quatre mille milles à travers le Pacifique.

Les comtés d'Oestfold et de Vestfold

Le fiord d'Oslo est plus large et ses pentes sont plus douces que celles des fiords de la côte ouest. La rive orientale—le comté d'Oestfeld—est une région fertile et très peuplée comprenant de vertes prairies et de vastes forêts. Le Glomma, le fleuve le plus important de la Norvège, coule à travers l'Oestfeld.

Sur la rive occidentale du fiord d'Oslo, les plages et les falaises sablonneuses du comté de Vestfold bordent les rives. Vestfold est un centre industriel important et un port commercial des plus actifs. Les plus grands baleiniers du monde viennent des ports de ce comté; la ville de Sandefiord est la principale base de la flotte des baleiniers. Holmestrand, appelée «la ville de l'aluminium,» est le centre d'une des grandes industries de la Norvège.

L'aluminium est tiré d'une argile particulière, la bauxite; pour en extraire l'aluminium, de grandes quantités d'énergie électrique sont nécessaires. En Norvège

UN ASPECT DE L'ANCIENNE NORVÈGE DANS LE TELEMARK

A côté de bien des fermes, on aperçoit encore de nos jours un *stabbur*, sorte de grange surélevée pour préserver les provisions de la famille de l'humidité et des bêtes sauvages. D'habitude, ces bâtiments avaient deux étages, avec un escalier extérieur menant à une galerie qui entourait l'étage supérieur. Certaines de ces granges ont plus de six cent ans d'existence.

le courant électrique est obtenu au moyen d'installations hydroélectriques. Les rivières qui descendent des montagnes vers la mer, les rapides et les chutes d'eau ont donné à la Norvège une plus grande quantité de force motrice en proportion de sa population qu'à n'importe quel autre pays du monde. Jusqu'à présent, seulement un cinquième de cette force environ a été capté. La Norvège ne possède pas de bauxite. Toutefois, ses nombreuses chutes d'eau et leur proximité des ports, qui ne sont jamais bloqués par les glaces, rendent l'envoi de bauxite pour être tranformé en aluminium une entreprise profitable. A son tour, la Norvège exporte l'aluminium et les articles en aluminium.

Au nord d'Oslo partent les Vallées de l'Est, parsemées de lacs et séparées les unes des autres par de hautes landes, qui s'enfoncent profondément dans les plateaux montagneux. Oesterdal, la vallée la plus au nord-est est quelquefois appelée la «vallée cachée de la Norvège.» Jadis, elle avait l'air encore bien plus éloignée que de nos jours, et peu de voyageurs pouvaient se vanter d'avoir vu ses vastes forêts de conifères tapissées de mousses touffues, piquées ça et là de lacs profonds et parcourues de rivières écumeuses, y compris

le cours supérieur de la Glomma. On peut encore y apercevoir des orignaux et de temps à autre des chevreuils. Parmi le nombreux gibier à plumes, citons le coq de bruyère, dont il est si souvent question dans les contes norvégiens.

La vallée la plus large et la plus importante est la fertile Gudbrandsdal, qui s'étend entre le Dovre et l'extrémité nord du lac Mjoesa, le plus grand lac de la Norvège. Bien qu'étroit, ce lac a presque soixante milles de longueur. La ville de Lilleshammer se trouve au bord du lac, à l'entrée de la Gudbrandsdal. Sigrid Undset, qui remporta le prix Nobel de littérature, vécut juste aux abords de cette ville. Son roman, Kristin Lavrandsdatter, est considéré comme l'œuvre marquante de la littérature norvégienne contemporaine.

La Gudbrandsdal, la «vallée des vallées» de la Norvège, ainsi que la région située entre elle et Oslo renferment la partie la plus fertile et la moins accidentée du pays, ce qui en fait le grenier de la contrée. Les montagnes et les forêts ne laissent environ que quatre pour cent de la superficie totale du pays pour la culture. Cela n'empêche qu'environ un tiers du peuple norvégien s'adonne à la culture tout en s'occupant de l'exploitation des forêts. Le long

CE MONOLITHE de 50 pieds de hauteur avec 121 figures humaines
est la pièce centrale du parc de sculptures de Vigeland, près d'Oslo.

des côtes, l'agriculteur se livre également à la pêche. L'exploitation des forêts par les agriculteurs est rendue possible du fait qu'une grande partie de celles-ci leur appartient. Il ne faut pas oublier que les fermes sont plutôt petites en Norvège; plus de 90 pour cent ont moins de 25 acres, et il n'y a environ que 40 fermes dans tout le pays qui ont 250 acres ou plus. Bien qu'une stricte économie, une grande habileté à tirer parti de tout, ainsi que l'emploi des engrais sur une grande échelle permettent un rendement supérieur des cultures, cela ne suffit pas aux besoins de la population. Ce n'est que pour les pommes de terre que le pays arrive à se suffire. Pour ne prendre que deux exemples, la Norvège doit acheter au dehors 40 pour cent de ses céréales et 15 pour cent du fourrage pour le bétail.

L'élevage en Norvège

L'élevage des animaux domestiques tient une grande place. A cela, il faut ajouter l'élevage des animaux à fourrure, surtout du renard argenté. La Norvège a développé ses propres races de chevaux et de bêtes à cornes; parmi celles-ci, il faut mentionner la vache Doele dont on fait l'élevage dans la Gudbrandsdal et l'Oesterdal. En plus des forêts, bien des fermiers possèdent en commun des pâturages en montagne où leurs vaches et moutons vont paître en été. Jadis, on fabriquait le beurre et le fromage dans les chalets de montagnes—les saeters solitaires—qui selon la légende norvégienne sont souvent hantés par les gnomes. De nos jours, on envoie le lait aux crèmeries des villes et des villages. La Norvège, comme d'ailleurs les autres pays scandinaves, fut une des premières à encourager les coopératives. Cela veut dire que tous ceux qui produisent un certain article—du lait ou du fromage—s'associent pour vendre leurs produits sans passer par un intermédiaire. En Norvège, presque tous les produits agricoles sont vendus par des coopératives.

A l'ouest du Gudbrandsdal, il y a plusieurs vallées dans le charmant district des lacs de Valdres. Une de celles-ci s'étend jusqu'aux contreforts de la chaîne de Jo-

tunheim—ce nom signifie «Demeure des Géants»—où les montagnes de la Norvège atteignent leur plus haute altitude. Ici, on aperçoit le Galdhoepiggen, dont le sommet s'élève à 8,098 pieds au-dessus du niveau de la mer. C'est la montagne la plus élevée d'Europe au nord des Carpathes. Tout près, le pic Glittertind paraît même plus haut à cause de ses neiges éternelles.

Au sud du district de Valdres se trouve la Hallingdal, dans laquelle passe le chemin de fer entre Bergen et Oslo. La voie ferrée suit un pittoresque parcours montagneux d'où l'on peut jouir d'un magnifique panorama de la Norvège. A l'est de Hallingdal se trouve la forêt peu fréquentée de Vassfaret, où l'on rencontre encore un ours de temps à autre.

La vallée la plus au sud des Vallées de l'Est est la Numedal. Kongsberg, sa ville principale, est un important centre d'exploitation de mines d'argent depuis 1800. Le métal pour les pièces de monnaie norvégienne est tiré de ces mines. Ce qui présente encore plus d'intérêt dans la Numedal de nos jours est le nombre d'églises en rondins qu'on peut encore y voir. Celle d'Uvdal est un exemple remarquable de l'art artisanal du pays.

De Stavanger à Krageroe, la côte de la Norvège est appelée Soerlandet ou la «Riviera norvégienne.» Déchiquetée par de nombreuses baies et des fiords minuscules et protégée de la pleine mer par des milliers de récifs, le Soerlandet attire tous les villégiateurs en quête d'eau et de soleil.

Vieilles maisons du Telemark

Telemark, dans la partie centrale de la Norvège méridionale, est une région de vallées onduleuses. Beaucoup de fermes présentent encore les caractéristiques de l'architecture artisanale qui date du moyen âge. Parmi les édifices en bois, ornés de sculptures, on aperçoit le *stabbur*, un grenier élevé sur des piliers.

Le pic scintillant de neige du mont Gausta domine le Telemark. La ville de Rjukan, qui est un centre important de l'industrie électrochimique de la Norvège, se trouve non loin de cette montagne. Ce sont les ressources hydroélectriques du pays qui ont permis le développement de

RJUKAN—UNE USINE DE PRODUITS CHIMIQUES DANS LA FORÊT

Ce téléférique transporte les ouvriers de l'usine au haut plateau qui l'entoure. Cette usine, où l'on extrait de l'azote de l'air, fabrique d'excellents engrais pour l'agriculture. Ce procédé d'extraction a été mis au point par des techniciens norvégiens. Il exige des quantités énormes d'électricité, qui sont fournies par les nombreux cours d'eau du pays.

11

LES CHUTES DES SEPT SŒURS dans le fiord de Geiranger présentent un spectacle enchanteur au printemps quand la fonte des neiges augmente leur débit.

UNE ROUTE MODERNE serpente dans la vallée de Romsdal, remplaçant un ancien chemin entre l'ouest et le centre de la Norvège. Au fond, le Romsdalshorn.

STAVANGER est un port actif, où l'ancien et le moderne se fondent harmonieusement. La ville est surtout connue comme centre de conserveries de poisson.

cette industrie. L'électricité à bon marché a joué un grand rôle dans la production de produits chimiques, «d'eau lourde» (employée dans les usines d'énergie atomique), et pour l'extraction de l'azote de l'air, un procédé découvert par des chimistes norvégiens. Les usines de Rjukan sont parmi les plus importantes de la Norvège et sont installées dans un décor unique, au fond d'un profond ravin entouré de forêts.

Le Telemark est aussi le grand centre du ski, le sport national, et a même donné son nom à une certaine manière d'exécuter les virages. Depuis plus de mille ans, on a fait du ski en Norvège, mais se ne fut que vers le milieu du dix-neuvième siècle qu'on le considéra comme un sport. Les enfants norvégiens apprennent à faire du ski presque en même temps qu'ils ap-

prennent à marcher. Le jour de Pâques est la fête du ski ; ce jour-là, ouvriers et employés accompagnés de leurs familles partent en montagne pour se livrer à leur sport favori.

Plus à l'ouest se trouve le pays merveilleux des fiords. Pendant l'âge glaciaire, au fur et à mesure que les glaciers creusaient les profondes Vallées de l'Est, d'autres vallées se formaient sur la côte occidentale, séparées par des chaines de montagnes arrondies s'étendant vers la mer. Après l'âge glaciaire, la côte commença à s'affaisser ; la mer envahit les vallées et forma les fiords. A la suite de cette période d'affaissement, la terre se releva légèrement, ce qui fit qu'une partie des terres s'élevèrent au-dessus des eaux dans le sud et l'ouest. Et c'est sur ces élévations de terrain que la majorité du peuple norvégien vit de nos jours. C'est à la même époque que les récifs apparurent et ils formèrent une sorte de barrière naturelle contre les assauts de la mer.

Les fiords sont extrêmement profonds. A certains endroits du fiord de Sogne, les fonds marins atteignent une profondeur de plus de 4,000 pieds. A leur entrée, les fiords sont larges et d'accès facile ; ils sont entourés de fermes, mais petit à petit ils se resserrent et leurs murs de rochers s'élèvent de plus en plus au-dessus des eaux. Dans bien des endroits ces falaises sont tellement verticales que de grands paquebots peuvent naviguer presque jusqu'au bord. Sur les pentes les plus raides, la végétation est inexistante, mais ailleurs poussent des bouquets de pins et de bouleaux où l'on voit un cerf de temps à autre.

Quelques-unes les villes les plus importantes de la Norvège sont situées à l'embouchure des fiords de l'ouest.

SCANDINAVIAN AIRLINES

DES VÊTEMENTS POUR LES SPORTS D'HIVER
Ces vêtements aux ornements de vives couleurs sont typiquement norvégiens. Les femmes les confectionnent pendant les soirées d'hiver. L'ornement étoilé que l'on aperçoit accroché à gauche est de la région de Salbu, près de Trondheim.

Stavanger, vieux port de mer très pittoresque, est un centre de navigation et de commerce fort animé, spécialisé dans la conserverie du poisson. Pendant l'été des barques y pénètrent à chaque instant avec leurs chargements d'anchois de Norvège aux reflets argentés. De Stavanger on peut naviguer vers l'intérieur des terres entre les îles Ryfylke et l'on parvient jusqu'à des fiords plus étroits. Un des plus saisissants de ceux-ci est celui de Lyse, où l'on aperçoit des fermes perchées au bord des falaises, à des centaines de pieds au-dessus de la mer. Sur ces fermes, le «cheval de fiord,» solide et au pied sûr, rend les plus grands services au cultivateur.

BURTON HOLMES—EWING GALLOWAY, N. Y.

LE QUAI HANSÉATIQUE DE BERGEN

Dans ces antiques maisons à pignon, les marchands allemands de la Ligue hanséatique venaient jadis échanger du grain contre du poisson. Bergen a été un port important depuis le moyen âge. Aujourd'hui, ses quais modernes accueillent les navires de toutes les parties du monde.

Le fiord de Hardanger, entre Stavanger et Bergen, est un des plus beaux que l'on puisse voir. Au printemps, les vergers le long des rives forment un véritable rideau de fleurs blanches. Plus à l'intérieur des terres, on aperçoit de luxuriants pâturages vert émeraude. A la partie supérieure de ce fiord, se trouve Hardangervidda, plateau émaillé de lacs et entouré de pics neigeux. Sur ses berges, les eaux du Laetefoss et du Voeringfoss (*foss* veut dire chute) ont été captées grâce à un véritable tour de force de la part des ingénieurs.

Bien que les anciens costumes et les vieilles coutumes tendent à disparaître de la vie quotidienne, le voyageur qui visite la région d'Hardanger peut avoir la chance d'assister à un mariage à l'ancienne mode. A ces noces, les femmes portent des chemisettes blanches, enserrées dans des corsages couverts de perles ou de broderies et des jupes, en grosse étoffe noire ou bleu foncé tissée à la main, qui descendent jusqu'aux genous. Les hommes ont des pantalons à plastron, des vestes couvertes de broderies et des chapeaux à larges bords, ou bien des culottes collantes, des vestes rouges à boutons d'argent et des souliers à boucles d'argent. Si la noce a lieu dans les terres, le cortège nuptial s'avance précédé par un violoneux jouant le violon d'Hardanger à huit cordes. (Quatre des cordes sont disposées au-dessous des autres et elles produisent des harmoniques très particulières.) La fiancée et le fiancé suivent, montés sur des chevaux ; la fiancée porte une couronne, tradition qui remonte au moyen âge. La couronne, en argent travaillé, est d'habitude un bijou de famille. Si le mariage a lieu près d'un fiord, le cortège se déroule en barques.

Bergen était déjà une ville importante au moyen âge, quand des marchands venant des villes de la Hanse du nord de l'Allemagne s'y établirent. Côte à côte avec les maisons à pignons, y compris l'entrepôt hanséatique qui remonte à cette époque, ainsi que d'autre souvenirs plus anciens du temps des Vikings, on y voit des

CHALET sur la route de montagne de Trollstegg,
dans la partie occidentale de la Norvège.

LE MARCHÉ AUX FLEURS d'Oslo. De juin à
septembre, il y a abondance de fleurs.

UNE ÉGLISE EN BARDEAUX, à Borgund, construite vers 1200. Les crêtes des combles sont en forme de dragons.

17

hôtels, des restaurants et des magasins modernes.

Bien que de nos jours l'industrie tienne un rôle de plus en plus important à Bergen, la ville demeure cependant un des principaux centres de la navigation en Norvège. La prospérité du pays a, de tout temps, dépendu du commerce international, et avant la deuxième guerre mondiale, la Norvège venait au quatrième rang pour la marine marchande. Pendant la lutte héroïque mais futile contre les Allemands en avril 1940, sept huitièmes de cette flotte réussirent à rejoindre les ports alliés. Pendant toute la durée de la guerre, les navires norvégiens transportèrent des hommes et du matériel dans tous les théâtres des opérations ; bien des navires furent perdus avec leurs équipages. Dès la fin du conflit, la Norvège entreprit la reconstruction de sa marine marchande. Les Norvégiens peuvent être fiers du fait qu'en 1951, leur flotte de commerce dépasse celle de 1939 ; en fait, elle se place à présent au troisième rang dans le monde.

Le plus vaste et le plus profond des fiords, celui qui a peut-être le plus de sauvage grandeur, est celui de Sogne. Il pénètre à l'intérieur des terres sur une distance de 110 milles, où il rejoint le glacier Jostedal, le plus vaste du nord de l'Europe. Les plus hautes chaînes de montagnes de la Norvège—le Lom, le Jotunheim, le Hemsedal et le Voss—forment

OLAF TRYGVESSEN SURVEILLE TOUJOURS SA BONNE VILLE DE TRONDHEIM

Le place du marché à Trondheim est dominée par la statue du roi Olaf Trygvessen, qui fonda la ville en 997. Le folklore norvégien est plein des exploits prodigieux de ce Viking audacieux. Son navire, le Long Serpent, était le plus puissant des mers du nord. Sur le point d'être fait prisonnier au cours d'un combat acharné en l'an 1000, il sauta dans les flots.

un demi-cercle autour des ramifications du fiord de Sogne.

La partie du pays où les fiords s'étendent les plus au nord comprend les districts de Moere, de Romsdal et de Trondelag. Kristiansund est la ville la plus importante de Moere et la plupart de ses habitants sont des pêcheurs. Aalesund est un centre de pêche, l'un des plus importants du monde. A l'intérieur, les ruisseaux, coupés de nombreux rapides qui s'élancent vers la mer, abondent en truites et en saumons. Sur les hautes landes, on peut chasser le lièvre et le lagopède; les orignaux se rencontrent dans les forêts qui entourent le lac Snaasa. Les forêts de cette région sont les plus importantes après celles du sud de la Norvège. Elles fournissent le bois nécessaire pour alimenter l'industrie importante de la pulpe et du papier.

La ville de Trondheim, dans le Troendelag, est presque à distance égale du nord et du sud de la Norvège. Fondée pour servir de capitale en 997 par le roi Olaf Trygvessen, elle s'appela d'abord Nivaros. Les flèches de la cathédlrale dominent toute la ville et les rois norvégiens se font encore couronner dans ce bel édifice du moyen âge.

Au pays du soleil de minuit

Au delà de Troendelag se trouve la Norvège septentrionale, le pays du soleil de minuit. La plus grande partie en est située au delà du Cercle Arctique. Au cap Nord, la pointe extrême de la Norvège, le soleil ne se couche pas depuis environ le 14 mai jusqu'au 30 juillet. En hiver, le rideau lumineux de l'aurore boréale, ou les lumières du nord, illumine la longue nuit d'une splendeur surnaturelle.

Un voyage qui vous laissera des souvenirs inoubliables est une croisière d'été sur un des navires côtiers, si confortables, qui vont de Bergen au cap Nord. Dans sa solitaire grandeur, celui-ci dresse sa muraille de rochers qui surgit des eaux glacées de l'Arctique. Le voyage aller et retour prend environ douze jours. On peut varier le plaisir en revenant par terre où l'on trouvera d'excellentes routes.

Un peu au sud du cap Nord, sur l'île de Kvaloey, se trouve Hammerfest, la ville la plus septentrionale du monde et la ville principale du Finmark, nom de cette région. Les habitants de ce district, au nombre d'environ 70,000, qui vivent sur la côte battue par la mer ou sur des fermes isolées dans les landes. Ici, pendant les quelques mois d'été, sous les longues heures de plein-jour, les plantes poussent si rapidement qu'elles grandissent, pour ainsi dire, à vue d'œil.

Les villes du nord

Au sud de Hammerfest, la ville voisine la plus importante est Tromsoe, la capitale de l'Arctique. Elle aussi est située sur une île. C'est là qu'est installé l'Observatoire des aurores boréales et non loin de là, il y a un établissement lapon. Narvik, plus au sud, est le principal port pour l'exportation du minerai de fer. La plus grande partie de ce minerai, qui est très répandu en Norvège, se trouve dans le nord du pays.

Au nord du Vest fiord, la chaîne des îles Lofoten s'égrène dans la mer comme un chapelet. Ces îles sont le centre de la grande pêche dans le nord de la Norvège. On y prend surtout la morue. Ce poisson est exporté, frais ou frigorifié, séché ou salé par centaines de tonnes. Après la morue, c'est le hareng qui se pêche le plus, et une grande partie de ce poisson est mis en conserve. Depuis que l'on a découvert la richesse de l'huile de foie de morue en vitamines A et D, cette huile est devenue un des produits les plus importants du commerce de la Norvège.

Le pays montagneux et en même temps maritime—presque insulaire en somme— a marqué le Norvégien de plusieurs manières. Le paysage est d'une grande beauté mais la terre exige de ses habitants un dur travail. La lutte avec le sol et les privations ont façonné une race forte pleine de confiance en soi; la lutte contre la mer et la montagne en ont fait un peuple d'une farouche indépendance. Depuis le début de leur histoire, les Norvégiens ont toujours montré le plus grand respect pour la loi et pour l'ordre.

D'environ 800 à 1050, les peuples établis sur les côtes du nord-ouest de l'Eu-

JEUNE NORVÉGIENNE portant le costume traditionnel, dans une demeure ancestrale aux bois patinés.

PEER GYNT, héros tourmenté du folklore nordique. Son effigie est perchée sur le toit d'une cabane à Dovre.

LE PORT DE BERGEN est encerclé par les montagnes. On peut les gravir a pied ou en prenant un funiculaire.

SVOLVAER, LE RENDEZ-VOUS DES PÊCHEURS DES LOFOTENS

De janvier au mois d'avril, des milliers de bateaux de pêche venant de tous les coins de la côte norvégienne se réunissent ici. C'est l'époque où la morue vient frayer au pied des Lofotens montagneuses. Nulle part au monde, ne trouve-t-on autant de morue dans un espace aussi restreint, aussi la prise est-elle énorme. Plus de la moitié du poisson est salée.

rope vivaient dans la crainte perpétuelle des attaques des audacieux Vikings. Toutefois, bien des hommes du nord partaient pour se livrer au commerce (déjà à cette époque, la morue séchée servait de monnaie d'échange) et à la recherche de nouveaux foyers. Des colonies nordiques furent installées en Islande, en Ecosse, sur les îles Faroe, sur la côte de France (la Normandie), ainsi qu'en Irlande. Partout ces colons apportaient avec eux le respect des lois. Le système féodal sous lequel était régie la grande majorité des peuples de l'Europe ne fut jamais instauré en Norvège. Les paysans continuèrent à vivre comme des hommes libres. Un fait curieux au cours de cette période de colonisation, c'est que l'ancienne littérature nordique—les sagas, les eddas, et les poèmes scaldiques—atteignirent leur apogée en Islande.

En 872, la Norvège fut unifiée sous un seul chef, Harald le Blond. La royauté fut encore affermie par Olaf Haraldsson (saint Olaf, 1016-29), qui introduisit le christianisme en Norvège.

Au cours des treizième et quatorzième siècles, toutefois, des colonies furent perdues; la guerre civile et la terrible peste noire emportèrent les trois quarts de la population norvégienne. Aussi en 1397, la Norvège fut-elle obligée de se soumettre à une union avec le Danemark et la Suède; cette dernière s'en détacha peu à peu. L'union de la Norvège et du Danemark dura jusqu'en 1814. Cette année-là, le parlement norvégien adopta une nouvelle constitution et vota l'union avec la Suède. Pendant toute la durée du dix-neuvième siècle, les Norvégiens cherchèrent à obtenir leur indépendance par des moyens pacifiques. Les écrivains, les compositeurs et les peintres se mirent à exalter le sentiment national dans leurs œuvres. On commença à s'intéresser à l'ancien folklore du pays. Asbjoernsen et Moe publièrent un recueil des plus complets des contes populaires qui, jusque-là, n'avaient été transmis qu'oralement. Edouard Grieg (1843-1907), le célèbre compositeur norvégien, fit grand usage des anciennes mélodies du pays.

22

L'union avec la Suède prit fin en juin 1905, et le parlement norvégien vota l'indépendance de la Norvège. Comme souverain, le peuple norvégien choisit le prince Charles du Danemark, qui devint roi sous le nom de Haakon VII.

La Norvège est régie par une monarchie constitutionnelle. Il existe plusieurs partis politiques ; le parti travailliste est le plus puissant. La Norvège a été un des premiers pays à instituer un vaste programme d'assurances sociales.

Plusieurs nations amies du progrès ont adopté le «déjeuner d'Oslo,» qui est servi à l'école avant le commencement des classes. Ce déjeuner consiste en lait, pain complet, produits riches en vitamines, fruits et légumes frais—et huile de foie de morue !

La Norvège a un excellent système d'instruction scolaire. Les enfants sont tenus dès leur septième année d'aller à l'école élémentaire pour une période de sept ans. Dans le cas des fermes éloignées et des écoles isolées, on se sert de la radio pour les maintenir en contact avec l'extérieur. Dans les deux classes supérieures des écoles élémentaires, ainsi que dans les écoles secondaires, l'anglais est enseigné comme deuxième langue. L'université d'Oslo est l'institution-mère de tous les collèges académiques de la Norvège.

La veillée de Noël est un des événements importants dans la vie des enfants norvégiens. La fête commence par le repas traditionnel de morue bouillie et de riz. A la campagne, on met un beau plat de riz dans la grange pour le nain familier qui, selon les croyances populaires, est le bon génie de chaque famille. Les oiseaux ne sont pas oubliés et on accroche pour eux une gerbe de grain au pignon. On ne s'attarde pas au repas car tout le monde est impatient de voir le splendide arbre de Noël et les nombreux cadeaux—des skis ou des patins, des gants, des écharpes ou des tricots ornés de curieux motifs millénaires. Vers la fin de la veillée, les enfants forment un cercle autour de l'arbre illuminé et chantent de vieux noëls.

NORVÈGE: RÉSUMÉ STATISTIQUE

LE PAYS

Bordé au nord et au nord-est par l'océan Arctique, à l'ouest par l'Atlantique du Nord, au-sud, par la mer du Nord et le Skagerrak, et à l'est, par la Suède, la Finlande et la Russie. La distance du nord au sud est d'environ 1,100 milles ; et la côte, y compris les fiords et les nombreuses échancrures, est d'environ 12,000 milles. La superficie totale mesure environ 126,099 milles carrés et la population atteint approximativement 3,250,000. L'archipel du Spitzberg, dans l'Arctique, qui est sous la souveraineté de la Norvège, a une superficie de 24,101 milles carrés et une population d'environ 1,300 habitants.

GOUVERNEMENT

Monarchie constitutionnelle et héréditaire, dont le pouvoir législatif est entre les mains du Storting, ou parlement, auquel les femmes sont éligibles. Le roi détient le pouvoir exécutif par l'entremise d'un cabinet. La constitution, modifiée plusieurs fois, date de 1814.

COMMERCE ET INDUSTRIES

Pays se prêtant peu à l'agriculture ; seulement 4% de toute la superficie est cultivé. Des forêts couvrent 24% de la superficie et sont une des principales ressources du pays. Pêcheries de morue, hareng, maquereau, saumon, etc. Gisements de minerai d'argent, de cuivre, de pyrites de fer ; mines de charbon au Spitzberg. Principales exportations ; pulpe de bois et papier, viandes et poissons, métaux, articles en métal, oléagineux. Importations : machines, métaux, articles en métal, carburants, textiles et céréales. L'unité monétaire est la krone (couronne).

COMMUNICATIONS

Récemment, le nombre des navires marchands, au-dessus de 100 tonnes s'élevait à 2,393, jaugeant 6,936,000 tonnes. Les navires en construction jaugent 2,000,000 de tonnes. Le réseau des chemins de fer a 2,719 milles de longeur, et appartient presque entièrement à l'état. La compagnie Scandinavian Airlines System dessert les principales villes. La radio est sous le contrôle de l'état.

RELIGION ET ÉDUCATION

L'église luthérienne évangélique est la religion nationale du pays et la seule à être subventionnée par l'État. Le clergé est nommé par le roi. Il y a liberté entière pour toutes les autres religions.

L'instruction est obligatoire et les écoles primaires sont gratuites. Il y a deux sortes d'écoles secondaires ainsi que de nombreuses écoles professionnelles et techniques. On compte deux universités, celles d'Oslo et de Bergen.

POPULATION ET VILLES PRINCIPALES

Oslo, capitale, 447,000 ; Bergen, 116,500 ; Trondhjem, 60,000 ; Stavanger, 52,000 ; Drammen, 30,000 ; Kristiansand, 26,000.

La Suède

LA Suède semble être l'enfant chéri de la Scandinavie. Dans les villes l'on voit de nombreux magasins bien achalandés, offrant quantité d'objets de luxe. Les Suédois et les Suédoises sont pour la plupart élégamment vêtus. Grâce à la mécanisation, la production agricole a augmenté de 60 pour cent. La production industrielle est des plus variées : articles en bois, bateaux, moteurs, outillage électrique, téléphones, avions, autos, camions, autobus, tissus, produits pharmaceutiques, vêtements, produits alimentaires et autres produits de consommation. La production de l'acier a battu les records au cours des dernières années. Les grands travaux de génie civil ont suivi cette progression.

Les Suédois, il va sans dire, sont bien décidés à protéger les biens qu'ils ont acquis. Aucun autre pays scandinave n'est mieux préparé contre la possibilité d'une attaque atomique. Le «projet granit» entrepris peu après la Deuxième Guerre mondiale est presque achevé.

Partout à travers le pays, des abris ont été creusés au moyen d'une nouvelle méthode de forage inventée vers la fin des années 1940. Cette méthode emploie à la

EUROPEAN

LA FONTAINE D'ORPHÉE par Carl Miles, le plus célèbre sculpteur moderne de la Suède. La gracieuse figure du musicien de la mythologie s'élève devant la salle des concerts de Stockholm.

CES MAGNIFIQUES VASES, à ornements gravés, sortent des verreries d'Orrefors. Cette maison est connue dans le monde entier pour la production d'articles d'une très grande beauté.

24

J. BARNELL

...une démocratie moderne sur des fondations anciennes

fois l'air comprimé, la dynamite et des cartouches de carbure de tungstène formant une seule foreuse. On a aussi construit des abris contre les attaques aériennes.

La neutralité suédoise

Toutes ces mesures, ainsi que les progrès réalisés en vue de l'utilisation pacifique de l'atome, aident les Suédois à conserver leur neutralité. Comme ils l'ont fait depuis 150 ans, ils évitent toute alliance étrangère. Contrairement au Danemark et à la Norvège, la Suède ne fait pas partie de l'OTAN. Sa coopération avec d'autres nations se borne à des nécessités pratiques. La Suède est co-propriétaire avec le Danemark et la Norvège de SAS, le réseau aérien scandinave. Elle coopère avec ces pays pour des tarifs réciproques ainsi que pour des paiements d'assurances sociales. La Suède appartient aussi au Conseil nordique et à l'Organisation de libre échange des sept. Cependant, la Suède préfère ne pas adhérer aux institutions internationales modernes quand cela lui est possible.

Il est difficile de critiquer une politique de ce genre. En dépit d'une balance commerciale légèrement défavorable, la Suède a atteint par ses propres efforts un niveau de vie très élevé; son système d'assurance sociale est l'un des plus avancés d'Europe.

Campagne et villes

Le Suédois, lorsqu'il est fatigué de la vie citadine, peut toujours aller se reposer dans la magnifique campagne suédoise aux paysages si variés. Les trois principales divisions de la Suède correspondent à la nature du terrain : le Gœtaland (la terre des Goths), le Svealand (la terre des Svear, qui sont devenus les Suédois), au centre, et le Norrland (la terre du Nord).

La Scanie est la province la plus méridionale du pays. Environ 11 pour cent de la population habitent cette province, qui ne couvre que 2.3 pour cent de la superficie totale du pays. La ville principale de la Scanie est Malmœ. Principale région agricole de la Suède, c'est une terre riche, dont les plaines fertiles produisent les récoltes indispensables à l'économie du pays.

Gœteborg, la deuxième ville de la Suède, est située sur la côte occidentale. Gœteborg est l'accès principal du pays à la mer et le port d'attache d'une grande partie de la marine marchande suédoise.

Dirigeons-nous maintenant vers le Svealand, en empruntant le canal de Gœta. Construit il y a plus d'un siècle, il relie les côtes est et ouest de la Suède. Il traverse 347 milles d'un paysage riant, entrecoupé de plusieurs lacs.

LE CLAIR DE LUNE et de fortes lampes électriques illuminent un quartier du port de Stockholm. Des cargos y accostent, comme le font voir les deux grandes grues.

UNE MAISON MODERNE DE RETRAITE, la cité-jardin de Stadshags à Stockholm. Cet édifice, inauguré en 1956 offre des pièces confortables et gaies, munies d'installations pratiques. La Suède est à l'avant-garde dans le domaine des soins pour les vieillards.

Le voyage prend trois jours sur de petits navires peints en blanc, construits exprès pour circuler dans le canal et ses nombreuses écluses.

Nous arrivons à Stockholm, la capitale du pays et sans aucun doute une des plus belles villes du monde. Elle se trouve sur le détroit où le lac Mælar, le troisième des grands lacs de la Suède, se jette dans la mer Baltique. «Ville sur l'eau», Stockholm est construite sur treize îles et s'étend jusque sur les rives environnantes. De la vieille ville, qui subsiste toujours au cœur de la capitale, Stockholm s'est agrandie pour devenir un centre marquant d'urbanisme. Alors que la vieille ville conserve ses rues étroites, les faubourgs ultramodernes attirent les spécialistes de l'urbanisme du monde entier.

Les vieux quartiers pittoresques rappellent l'époque où la Suède était une grande puissance internationale. Ils ont un cachet particulier. On y voit encore quelques-unes des nombreuses demeures que les seigneurs de jadis se firent construire. Aujourd'hui, ces palais servent de cours de justice ou de bureaux du gouvernement.

Un palais imposant

Le palais royal, construit au dix-huitième siècle, est la demeure la plus vaste du monde. Il fait face à l'entrée du port de Stockholm. Sur une île voisine, se dresse le célèbre hôtel de ville, dont le style soulève l'admiration des architectes. Sa tour élancée, surmontée de trois couronnes dorées—l'emblème de la Suède—monte vers le ciel.

«Venise du Nord» et «Reine du lac Mælar», tels sont les termes qui désignent avec justesse la capitale de la Suède. Plusieurs parcs bien tenus offrent des oasis de calme au milieu de l'agitation de la ville. En été, on y voit une profusion de fleurs. Le parc le plus connu est celui de Djurgården avec son musée en plein air, le Skansen. Là, on a reconstruit plusieurs des édifices les plus anciens du pays. Pendant la belle saison, on y présente des danses folkloriques et des divertissements de tous genres.

Comme de juste, Stockholm est le centre culturel du pays. Voici l'opéra royal, où l'on peut entendre Jussi Björling, Svet Svanholm et d'autres chanteurs, renommés dans le monde entier. Voilà le musée national des beaux-arts et le théâtre royal d'art dramatique, qui occupe une situation prépondérante dans le monde théâtral international. Plusieurs des pièces du dramaturge Eugene O'Neill ont eu leur première au Dramaten. C'est ainsi que les Suédois appellent ce théâtre.

Stockholm possède de nombreuses industries. On y fabrique des réfrigérateurs, des aspirateurs, des téléphones et des machines de toutes sortes.

Le cœur de la Suède

La province la plus pittoresque du Svealand est celle de Dalarna ou de Dalécarlie, qu'on a souvent appelée le cœur de la Suède. On y a en grande partie conservé les mœurs et les costumes de jadis. Ses habitants sont fiers, mais très sociables; ils sont conscients du rôle important qu'ils ont joué dans l'histoire du pays. C'est là, au seizième siècle, que Gustave Eriksson Vasa réunit ses troupes pour chasser les Danois qui régnaient sur la Suède. Dans la Dalécarlie, la tradition est reine. Les habitants ont délibérément conservé le genre de vie de leur glorieux passé. On les voit le dimanche matin traverser le coquet lac Siljan dans les grandes embarcations qui les amènent à l'église. Ils ont revêtu leurs anciens costumes, ayant chacun un dessin particulier et des couleurs différentes. Ces particularités désignent le village dont ils viennent. Des violoneux précèdent les villageois qui vont du lac à l'église.

Une des compétitions de ski les plus difficiles, la course de skis de Vasa, a lieu en Dalécarlie. Cette course de cinquante-quatre milles à travers la campagne suit le chemin que prit Gustave Vasa lorsqu'il s'enfuit en Norvège, avant d'être rappelé pour diriger la révolte des Dalécarliens contre les Danois.

Bergslagen, la région industrielle la plus ancienne de la Suède, est parsemée de mines, d'aciéries et d'usines. Plusieurs jouissent d'une grande réputation à l'étranger, entre autres Bofors, où l'on fa-

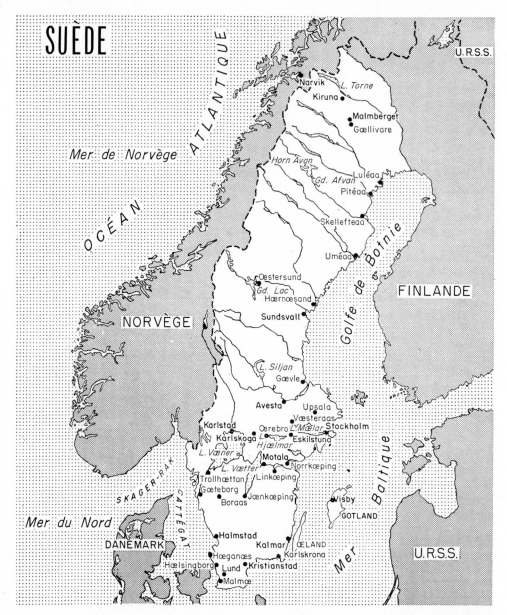

SUÈDE

OCÉAN ATLANTIQUE

Mer de Norvège

U.R.S.S.

Narvik
L. Torne
Kiruna
Malmbèrget
Gœllivare

Horn Avan
Luléaa
Gd. Afvan
Pitéaa

Skelleftea

Uméaa

Golfe de Botnie

FINLANDE

NORVÈGE

Oestersund
Gd. Lac
Hœrnœsand
Sundsvall

L. Siljan
Gœvle

Avesta
Upsala
Vœsteraas
Karlstad
Œrebro L. Mœlar Stockholm
Karlskoga L. Eskilstuna
Hjœlmar
L. Vœner Motala
L. Vœtter Norrkœping
Trollhœttan Linkœping
Gœteborg Jœnkœping
Boraas
Visby
GOTLAND

Mer du Nord

SKAGER-RAK
CATTÉGAT

DANEMARK
Halmstad
Kalmar ŒLAND
Hœganœs Karlskrona
Hœlsingborg Lund Kristianstad
Malmœ

Mer Baltique

U.R.S.S.

briquait les célèbres canons anti-aériens de la Deuxième Guerre mondiale, et Stora Kopparbergs Bergslags Aktiebolag, l'une des plus anciennes entreprises industrielles du monde. Cette dernière fut fondée vers 1280. Ses aciéries et ses fabriques de pulpe se trouvent à Bergslagen. Sa fameuse mine de cuivre n'est plus qu'une curiosité pour les touristes, mais, jadis, c'est elle qui finança les guerres menées par Gustave II Adolphe et Charles XII.

Au sud-ouest de la Dalécarlie, se trouve le Væermland, la patrie de Selma Lagerlœf, la romancière suédoise qui obtint le prix Nobel. Son *Merveilleux voyage de Nils Holgersson à travers la Suède* a enchanté les enfants de plusieurs pays. Le Væermland est une région ravissante, entrecoupée de collines boisées, de profondes vallées et de manoirs blancs. Un grand nombre de ses habitants ont émigré en Amérique du Nord, mais ils conservent encore des liens étroits avec la terre natale.

28

Pour un visiteur, toute la Suède est considérée comme étant située au nord, mais pour les Suédois, seul le Norrland est au nord. La plus vaste des trois divisions de la Suède, elle s'étend sur plus de la moitié nord du pays, jusqu'aux plaines des montagnes septentrionales, que les Lapons parcourent toujours avec leurs troupeaux de rennes.

Le Norrland est la région de Suède où existent encore de vastes ressources inexploitées—des forêts, des rivières dont les eaux n'ont pas encore été captées, des gisements de fer.

Très au nord du cercle arctique se trouve la ville de Kiruna. En étendue, c'est la plus grande ville du monde. C'est aussi probablement la seule qui puisse se vanter de posséder une montagne d'environ sept mille pieds d'altitude dans ses limites. Kiruna est une ville moderne, fondée vers 1900. C'est à cette époque qu'on entreprit l'exploitation des vastes gisements de fer de Kirunavaara. Ce sont des

LE DONJON DU CHÂTEAU DE VITTSKOVLE. Jadis un témoin des abus de la féodalité, aujourd'hui seule la brise vient agiter le feuillage et les eaux calmes des douves.

OFFICE NATIONAL DU TOURISME SUÉDOIS

LES VIEUX QUARTIERS de Stockholm conservent leur aspect moyenâgeux. Ils sont situés sur une des petites îles de la capitale. Là se trouve le palais royal et la plus ancienne église de la ville. Sa tour à horloge surmontée d'un beffroi domine cette rue étroite.

mines de surface. Au sud-est de Kiruna se trouvent Malmberget et Gallivare. On dit que le réseau de chemins de fer électriques qui passe dans les galeries des mines est plus long que celui du *tube* londonien.

De ces mines, on extrait un des minerais les plus riches de toute la terre. La production annuelle s'élève à environ sept millions de tonnes, dont la plus grande partie est exportée. Un chemin de fer électrique transporte le minerai des mines au port norvégien de Narvik, sur l'Atlantique, et au port suédois de Luleå, sur la Baltique. Grâce au Gulf Stream, Narvik est ouvert toute l'année, bien qu'il se trouve au-dessus du cercle arctique.

Comme nous l'avons dit, la Suède est une terre de forêts. Pour chaque acre de terre arable, il y en a six de forêts. La province de Svealand fournit beaucoup de bois, mais le Norrland est, de loin, le plus grand producteur. Un système de rivières et de canaux permet de faire flotter les troncs d'arbres jusqu'aux scieries.

Comme les forêts constituent la plus grande richesse naturelle de la Suède, elles sont administrées avec le plus grand soin. La coupe et la conservation des forêts sont régies par des lois et des réglements. Des techniciens veillent à leur exploitation rationnelle. Environ la moitié des forêts appartiennent a des particuliers, dont la plupart sont des fermiers; un quart à l'industrie et le dernier quart au gouvernement et aux municipalités.

En plus du fait qu'elles servent de voies navigables pour le flottage du bois, les rivières sont une source précieuse de force motrice pour les habitations et pour l'industrie. Vers le milieu des années 1950, un tiers environ de la houille blanche était utilisé. On espère que toutes les sources de force motrice seront exploitées vers 1980. Il y a près de mille installations hydro-électriques en Suède. Les deux plus importantes, Harsprånget (le Saut-du-Lièvre) et Kilforsen sont souterraines, ce qui a l'avantage d'offrir une température égale et un écoulement uniforme toute l'année. Cela protège aussi ces installations en cas d'attaque aérienne. Même pendant les attaques les plus sé-

GÖTEBORG, la deuxième ville de la Suède, est le centre de la navigation et des chantiers maritimes du pays. On y voit de belles avenues, des parcs ainsi que de beaux édifices.

vères, elles continueraient à fonctionner et le courant ne serait pas coupé. Harsprånget possède des générateurs qui ne le cèdent, quant aux dimensions, qu'a ceux du barrage de Grand Coulee aux Etats-Unis.

L'exploitation des ressources hydro-électriques en Suède était d'une nécessité absolue, car le pays ne possède pas de pétrole et n'a que quelques gisements de charbon d'une qualité inférieure.

La richesse en houille blanche a eu ses répercussions sur le système ferroviaire du pays. Aujourd'hui, les principales voies ferrées, assurant 85 pour cent de tout le trafic, sont électrifiées.

Au pays du soleil de minuit

C'est dans la Laponie suédoise, la province la plus septentrionale du Norrland, que l'on peut voir le soleil de minuit. Pendant six semaines, en juin et en juillet, le soleil ne se couche jamais. Il descend seulement près de l'horizon, illuminant tout le ciel d'une débauche de couleurs. Cette vaste solitude de montagnes majestueuses, de lacs pittoresques et de forêts infinies est le domaine des Lapons. Nomades, faisant l'élevage des rennes, ils suivent à peu près le même genre de vie que leurs ancêtres.

Un grand nombre, il est vrai, ont été assimilés dans la population suédoise et se sont établis dans les villes et villages. Il en reste néanmoins environ 6,000, qui sont demeurés nomades. Ils portent toujours un costume bariolé et vivent sous une tente de leur propre fabrication.

Ces aperçus de la Suède du sud au nord n'ont cessé de faire ressortir les liens étroits qui relient le présent au passé. Bien que la Suède soit une des nations les plus avancées du monde, sa civilisation remonte à la plus ancienne date connue dans l'histoire, celle de l'émersion de la partie méridionale du pays à la fin de la période glaciaire, environ 12,000 ans av. J.-C.

Environ deux mille ans plus tard, les premières tribus de chasseurs s'aventurèrent au nord, au fur et à mesure du retrait des glaces.

Vers l'an 3000 av. J.-C., on commença à s'occuper d'agriculture en Suède; il reste d'énormes pierres qui nous permettent de retracer la présence des premiers agriculteurs. Quelque 1,500 ans plus tard, les habitants apprirent à utiliser le cuivre et le bronze. Les musées suédois possèdent d'importantes collections d'armes datant de cette époque. Ce furent leurs voisins plus au sud qui firent connaître l'usage du fer aux premiers Suédois. Ceux-ci apprirent à l'extraire du fond des lacs et des rivières.

La première mention des peuples habitant ce qui constitue aujourd'hui la Suède, se trouve dans la *Germanie* de l'historien romain Tacite, en l'an 98 de notre ère.

La Suède fut virtuellement isolée jusqu'à ce que les Normands aient commencé à parcourir les mers. La période normande dura environ de l'an 800 de notre ère jusqu'en 1050. Au début du printemps, chaque année, les Normands des différentes régions de la péninsule scandinave et du Danemark partaient pour de longues expeditions. Ils se livraient au commerce lorsqu'ils rencontraient des peuples amis sur les terres étrangères; par contre, ils devenaient des pirates et pillaient s'ils n'étaient pas bien accueillis. C'était certes là un curieux mélange de traits contradictoires. Néanmoins, leurs bons côtés—leur courage, leur esprit d'équité, leur amour de la liberté—ont laissé une plus grande empreinte dans l'histoire que leurs défauts.

Les bastions normands

Les Normands du Danemark qui, à cette époque là, comprenait la partie méridionale de la Suède actuelle, se dirigèrent vers le sud et l'ouest de l'Europe. La majorité des Normands suédois franchirent plutôt la Baltique en allant vers la Russie. On croit que le nom Russie est d'origine suédoise. Tout le long de leurs routes maritimes, les Normands construisirent des bastions solidement fortifiés. Bientôt, ils poussèrent jusqu'à des régions où ils pouvaient commercer avec les Grecs et les Arabes. Des milliers de pièces de monnaie grecque et arabe ont été trouvées enfouies dans la terre suédoise.

LA FABRICATION DES ALLUMETTES. De ces rouleaux, les allumettes iront s'aligner en bon ordre dans des boîtes. Ce fut en 1855 qu'un inventeur suédois, J. E. Lundstrom, inventa les premières allumettes de sûreté.

L'INSPECTION DES ROULEMENTS À BILLES. Presque partout où fonctionnent des machines, ce sont les roulements à billes suédois qui diminuent les frottements et améliorent le rendement des machines.

Çà et là, dans la campagne suédoise, on trouve des pierres couvertes de caractères runiques—l'un des plus anciens alphabets scandinaves—qui racontent les exploits des Normands. Il existe environ 2,400 pierres de ce genre, dont la moitié se trouve dans la région d'Uppland.

Saint Ansgar vint évangéliser la Suède au neuvième siècle, mais les habitants n'abandonnèrent le culte de leurs dieux, Thor et Odin que plusieurs siècles plus tard. Quelques-unes des églises bâties au douzième et au treizième siècles sont toujours debout et servent encore au culte. A cette époque, le catholicisme avait été fermement établi en Suède.

Ce fut vers la même époque qu'on établit les lois pour l'élection des souverains. Un conseil, l'avant-coureur du cabinet moderne, comprenant les membres des premières familles, régissaient le pays de concert avec les rois.

La première personne suédoise célèbre dans toute l'Europe fut une femme, sainte Brigitte. Elle fonda un ordre monastique; c'est la plus grande figure religieuse du moyen âge en Suède. Elle fut canonisée en 1391.

C'est vers cette époque qu'on assista à un grand essor du commerce en Suède.

La ville de Visby, dans l'île de Gotland, dans la mer Baltique, devint un des membres les plus influents de la Ligue hanséatique. La Suède trouva ainsi des marchés pour le cuivre, le fer, les fourrures et le poisson. A cette époque, Visby était entourée d'une grande muraille, dont la plus grande partie existe toujours. Les seize églises médiévales de la ville ne sont plus que des ruines pittoresques.

En 1397, la reine Marguerite, fille d'un roi danois et veuve d'un roi norvégien, parvint à réunir la Suède, le Danemark et la Norvège sous le même sceptre et créa ainsi le plus grand royaume qui existât alors en Europe.

Le parlement suédois ou Riksdag fut créé en 1435. Fait notoire pour l'époque, les fermiers y étaient représentés. Le système féodal qui dominait alors en Europe n'avait pas été introduit en Suède.

En 1523, Gustave Eriksson Vasa fut élu roi. Deux ans plus tôt, il avait chassé les Danois du pays et avait mis fin à l'union avec le Danemark. Alors commença une des périodes les plus marquantes de l'histoire de la Suède. On a appelé Vasa le «bâtisseur de son pays». Son règne posa les fondations de la Suède moderne. A partir du milieu du seizième

UNE MOISSONNEUSE-LIEUSE au travail. Dans les plaines fertiles de l'extrémité méridionale de la Suède, les machines agricoles et les méthodes modernes donnent les meilleurs résultats. Les terres bien soignées fournissent d'abondantes récoltes de céréales.

DANS UNE ALUMINERIE les rouleaux de métal argenté sortent des presses. Bien que la Suède ne possède pas de bauxite, elle est riche en houille blanche, matière nécessaire à la production d'aluminium. Il est donc économique d'y fabriquer ce métal.

siècle—Vasa régna jusqu'à sa mort, en 1560—le trône devint héréditaire.

Gustave II Adolphe qui régna de 1611 à 1632 est considéré comme le plus grand souverain de la Suède. Il fut un des chefs de la guerre de Trente Ans. Ses campagnes militaires furent heureuses grâce à son génie politique, à ses talents militaires et à ses dons d'administrateur. Sous son règne, la Suède exerça une grande influence sur l'échiquier européen.

Une centaine d'années plus tard, on vit se dérouler la dernière grande période militaire dans l'histoire de la Suède. A cette époque, le royaume suédois était deux fois plus étendu qu'il ne l'est aujourd'hui. Charles XII fut vaincu à la bataille de Poltava en 1709 par le czar Pierre le Grand de Russie. Lorsque le conflit prit fin plusieurs années plus tard, la Suède avait perdu bien des possessions.

Sautons un siècle et nous arrivons à l'année 1810. Cette année-là, le Riksdag élut comme prince heritier, Jean-Baptiste-Jules Bernadotte, maréchal de France ayant servi sous Napoléon. Il monta sur

PHOTOS, THREE LIONS

UNE CHUTE brise l'impétuosité des flots d'un des nombreux ruisseaux qui traversent le Varmland, dans le sud de la Suède. C'est un province boisée où l'on rencontre de nombreux lacs aux eaux scintillantes ainsi que des rivières.

DES OFFICES RELIGIEUX ont toujours lieu dans cette église construite au cours de l'époque troublée du treizième siècle. Celle-ci se trouve à Mora, une ville dans la province pittoresque de la Dalécarlie, au centre de la Suède.

EN DALÉCARLIE, région sereine au milieu de l'agitation moderne, même les enfants portent encore le costume traditionnel. C'est dans cette province que le roi Vasa dirigea le soulèvement des Suédois contre les Danois en 1521.

VISBY, sur l'île de Gotland dans la Baltique, est aujourd'hui une ville paisible. Au temps de la Hanse, c'était le centre commercial du nord de l'Europe. Des murs à créneaux et des églises en ruines rappellent ce passé glorieux.

D. FORBERT

J. BARNELL

PHOTOS, OFFICE NATIONAL DU TOURISME SUÉDOIS

LE RASSEMBLEMENT DES RENNES dans le Norrland. A cette occasion, on procède à un tri comme pour le bétail. Certains animaux sont destinés à la boucherie, les jeunes sont marqués.

LES VÊTEMENTS LAPONS pour les temps rigoureux. Les hommes portent généralement des pantalons serrés et de longues tuniques bleues. Les bottes sont bourrées de paille.

le trône en 1818, sous le nom de Carl Johan, ou Charles XIV. La famille Bernadotte règne toujours en Suède.

En 1814, Bernadotte régnait sur la Norvège et la Suède. Cette union devait durer jusqu'en 1905.

La Suède resta neutre pendant les deux guerres mondiales. Cette neutralité ne l'a pas empêchée de prendre part à plusieurs activités internationales. La Suède envoya une formation sanitaire en Corée du Sud au cours de la guerre de Corée et un contingent pour servir dans les rangs des Nations Unies en Egypte en 1956–57.

Au début de 1949, la Suède fut sur le point d'abandonner sa neutralité traditionnelle pour faire partie d'une alliance scandinave. En prenant cette décision, la Suède se départissait d'une politique de longue date. Cependant, le pays se montrait disposé à assumer ses responsabilités en vue de la défense des pays scandinaves en se joignant au Danemark et à la Norvège. Les négociations échouèrent quand ces deux pays décidèrent de faire partie de l'OTAN. La Suède décida de s'en tenir à son ancienne neutralité et de ne pas se joindre à une alliance militaire avec les grandes puissances.

A cause de son importance maritime et du long littoral qu'elle doit défendre, la Suède maintient une assez forte marine. Elle a beaucoup développé son aviation et possède aujourd'hui une des forces aériennes les plus modernes d'Europe. Ses avions sont des avions à réaction et ses aérodromes sont en grande partie souterrains.

Pour beaucoup, la Suède est considérée comme le berceau des assurances sociales. Ses réalisations dans le domaine social

sont suivies avec intérêt par plusieurs autres nations. On a quelquefois comparé le programme social de la Suède à un smörgåsbord social. Il comprend peut-être trop de plats pour que d'autres nations puissent le digérer. On doit toutefois reconnaître que certains de ces plats sont tentants et on approuve le programme dans ses grandes lignes.

Certaines lois sociales datent de plusieurs siècles. Cependant, ce n'est qu'au début du vingtième siècle qu'un véritable programme social fut mis à exécution. Depuis les années 1930, de nombreux progrès ont été réalisés dans ce domaine. Le programme social n'a jamais cherché à supprimer tout l'effort individuel de se

DES FORÊTS À LA SCIERIE par des rivières rapides. Pendant le printemps et l'été, les arbres abattus dans la forêt sont flottés sur les rivières vers les grandes scieries sur la côte.

VÄLLINGBY, vraie cité dans la ville, est un centre d'urbanisme dans les faubourgs de Stockholm. On y voit de vastes espaces, des immeubles d'habitation, des centres de récréation et des magasins.

EWING KRAININ

CE TERRAIN DE JEUX à Stockholm offre des amusements de tous genres à la jeunesse. Notre photo en montre un qui ressemble à un escargot gigantesque, sans sa coquille.

LES TIMBALES résonnent et les trompettes sonnent au cours d'un défilé de la garde royale à Stockholm. Habitués à ce tintamarre, les coursiers ne bronchent pas.

LA ROUTE CIRCULAIRE DE SLUSSEN à Stockholm. Cette chaussée fut construite en 1935 pour éliminer les embouteillages. Le Slussen est une langue de terre qui relie deux des principales îles de la ville.

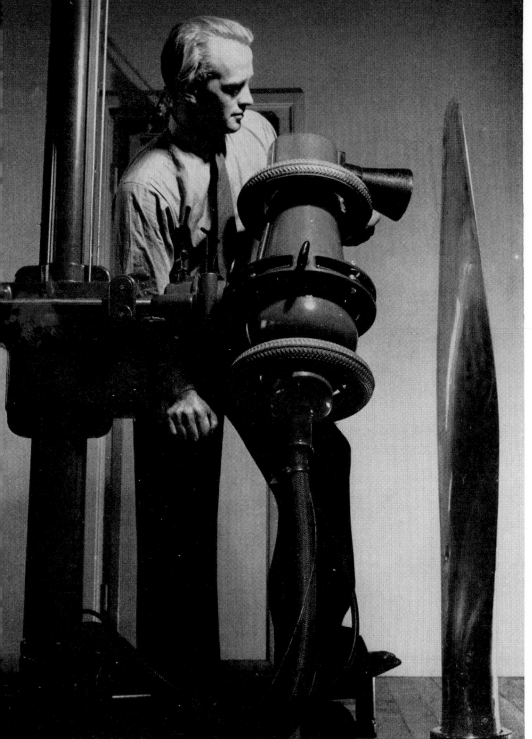

LA SCIENCE ET L'INDUSTRIE travaillent de concert. Une pale d'hélice d'avion est passée aux rayons X, qui révèleront tout défaut ou faille qu'on ne pourrait découvrir à l'œil nu. De tels procédés sont courants dans l'industrie lourde en Suède. A cause de leur qualité, les produits suédois sont très demandés sur les marchés mondiaux.

DE L'ESPACE ET DE LA LUMIÈRE pour l'étude et les jeux, telle est la règle pour les écoles. Quelle que soit leur situation de famille, les enfants reçoivent une bonne éducation.

suffire à soi-même. Il n'a d'ailleurs pas produit ce résultat. Le programme part de l'idée que les citoyens d'une nation ont droit à une certaine protection contre les hasards de la maladie, de la vieillesse et du chômage. La plupart des travailleurs ne pourraient faire face à toutes ces éventualités. Quand le gouvernement assume ses responsabilités, le peuple et la nation en profitent. C'est ainsi que la santé publique, selon cette théorie, est la préoccupation du pays tout entier.

Une grande partie du programme est consacrée au bien-être de la famille. Les soins commencent avant la naissance. Les femmes enceintes sont examinées à périodes fixes, et le pourcentage de la mortalité infantile en Suède est le plus bas du monde. Les écoliers sont aussi examinés périodiquement.

Quant aux soins donnés aux personnes âgées, ils peuvent se résumer en ce slogan: «Ajoutez de la vie aux années, et non pas seulement des années à la vie». L'opinion mondiale se montre de plus en plus disposée à suivre ce programme qui n'a cessé d'augmenter la moyenne de longévité dans les pays les plus avancés. Il a

eu pour résultat de prolonger la période d'activité laborieuse et de reculer l'âge auquel des secours doivent être donnés.

Le programme social de la Suède est très onéreux. Plus de 25 pour cent des impôts, qui sont extrêmement lourds, lui sont alloués.

La Suède jouit néanmoins d'un niveau de vie très élevé. Ce niveau se compare favorablement à celui de n'importe quelle autre nation européenne et, sous certains aspects, même à celui du Canada et des Etats-Unis. La Suède a plus d'automobiles par habitant que n'importe quel autre pays d'Europe; elle a aussi plus de téléphones et de radios.

La Suède possède aussi un excellent système scolaire. Ses fondations remontent au roi Gustave II Adolphe. L'éducation élémentaire devint obligatoire en 1842. Vers le milieu de notre siècle, les écoles suédoises se sont engagées dans une voie qui entraînera des changements radicaux vers 1975. Selon ce nouveau programme, les élèves doivent suivre un cours général d'une durée de neuf ans. A partir de la cinquième année, l'étude de l'anglais est obligatoire. En septième,

CE MAI DÉCORÉ est prêt pour le festival de la mi-été, qui tombe le ou vers le 21 juin. Bien que les mais soient d'habitude associés au mois de ce nom ils apparaissent plus tard en Suède, parce que la température est plus clémente au mois de juin. Les journées y sont plus longues.

THREE LIONS

D. FORBERT

UN PÂTURAGE sur la toundra glacée de l'extrême nord. Le Lapon et sa femme, enveloppés dans leurs fourrures, attendent tandis que leurs rennes remuent la neige pour y trouver lichens et mousses, seule végétation de a toundra.

DIMANCHE MATIN sur un lac de la Dalécarlie. Les villageois revêtent leurs plus beaux habits pour se rendre à l'église et rament à travers le lac sur de larges embarcations qui sont réservées aux fidèles allant à l'église.

L'OPÉRA DE STOCKHOLM est une preuve de l'intérêt que les Suédois portent aux arts. Derrière, on aperçoit l'église de St-Jacob, qui date du début du dix-septième siècle.

LA RELÈVE DE LA GARDE dans le square du palais royal à Stockholm. Le palais, qu'on dit être la plus vaste résidence du monde entier, s'élève sur le site d'un château médiéval.

PHOTOS, KOSTICH

l'élève peut choisir un certain nombre de sujets et ce choix augmente en neuvième. Les neufs années terminées, les élèves ont le choix entre les études professionnelles ou la préparation du gymnase (école secondaire). Ceux qui obtiennent leur diplôme du gymnase sont admis à l'université. Il y en a quatre en Suède. La plus célèbre est celle d'Upsal, fondée en 1477. Le but de ce nouveau programme d'études est de mieux départager les élèves, selon leurs aptitudes et leurs intérêts.

La Suède a une presse libre et très active. Depuis 1812, une loi qui garantit la liberté de la presse, a fait partie de la constitution suédoise.

Les Suédois aiment la vie en plein air et le sport. Le football-association est le sport national en été, le ski et le patinage, les sports de l'hiver. Les Suédois prennent une part active aux concours internationaux. Chaque anée, ils participent avec les athlètes européens à des concours de tous genres. La population entière y prend le plus vif intérêt, et la presse et la radio en donnent des comptes rendus détaillés. La Suède s'est toujours distinguée dans les Jeux Olympiques. En dépit de sa faible population, ses athlètes se sont souvent classés deuxièmes dans le total des points obtenus.

La constitution de la Suède fut rédigée en 1809. C'est donc la plus ancienne constitution écrite qui soit en vigueur en Europe. La Suède est une monarchie constitutionnelle; bien que le roi soit le chef de l'Etat et que toutes les mesures soient prises en son nom, il ne détient aucun pouvoir politique. Il se tient en dehors des partis et son rôle consiste à être le symbole de l'unité du pays et de la permanence nationale.

Le véritable chef du gouvernement est le premier ministre. Il préside le cabinet. Il est nommé par le roi, mais doit avoir l'appui de la majorité du Riksdag pour rester au pouvoir.

Les Suédois sont très attachés à la dynastie régnante. On a souvent dit que si la république devait un jour remplacer la monarchie, le roi Gustave VI Adolphe, dont le règne a commencé en 1950, serait certain d'être élu président, s'il choisissait de poser sa candidature. Il aurait de même pu devenir un historien d'art ou un archéologue distingué. Sa devise est: «Le devoir avant tout».

ARNE THORÉN

LA SUÈDE: RÉSUMÉ STATISTIQUE

LE PAYS

Limité au nord-est par la Finlande, à l'est par le golfe de Botnie et la Baltique, au sud-ouest par le Skagerrak et le Cattegat et à l'ouest par la Norvège. Superficie totale, 173,378; population, 7,290,000.

GOUVERNEMENT

Monarchie constitutionnelle. Le pouvoir exécutif est aux mains d'un Conseil d'Etat d'environ 15 ministres, dirigé par le premier ministre. Le Parlement ou Riksdag est composé de deux chambres. Les membres de la haute chambre (150) sont élus par les membres des Landstings, ou représentants provinciaux et par les électeurs de six villes qui ne sont pas représentées dans les Landstings. La chambre basse a environ 230 membres élus au suffrage universel. Hommes et femmes âgés de 21 ans ont le droit de vote.

COMMERCE ET INDUSTRIES

L'agriculture est l'occupation principale. Les récoltes comprennent le foin, les pommes de terre, les plantes fourragères, la betterave à sucre, l'avoine, le seigle, le blé et l'orge. Les ressources minérales comprennent le fer, les pyrites, le soufre, la terre réfractaire. Plus de la moitié du pays est couverte de forêts, comprenant surtout des pins, des bouleaux et des sapins. L'industrie du bois et la fabrication de la pulpe et du papier, de la fonte, de l'acier, de séparateurs de crème, d'équipement pour phares, d'appareils téléphoniques, de moteurs, de machines électriques, de porcelaine et de verre sont les principales industries. L'unité monétaire est la krona (couronne).

COMMUNICATIONS

Plus de 10,230 milles des voies ferrées sont électrifiées et appartiennent à l'Etat; 54,800 milles de routes. La marine marchande compte 1,800 navires, jaugeant 2,812,000 tonnes. La Compagnie d'aviation scandinave (S A S) dessert le pays et l'étranger.

RELIGION ET ÉDUCATION

L'Eglise luthérienne évangélique est la religion d'Etat; il y a liberté de conscience absolue. L'éducation publique élémentaire est obligatoire et gratuite pour 9 ans. Il y a deux universités nationales (Upsal et Lund) et deux universités privées (Stockholm et Gœteborg).

VILLES PRINCIPALES

Stockholm, la capitale, 786,000; Gœteborg, 380,000; Malmœ, 210,000; Norrkœping, 89,000 Hälsingborg, 74,000; Upsal, 71,000.

»

LA FABRICATION des skis est une des nombreuses industries du bois en Finlande, où les forêts sont une des principales richesses naturelles. On fabrique des skis d'excellente qualité avec le bois du frêne.

LES JEUX des petits Lapons. Rien n'est plus agréable que de posséder un bateau. Bien que les Lapons soient un peuple de nomades, les enfants vont à l'école et apprennent le finlandais et le lapon.

«

CETTE JEUNE ARTISTE d'Helsinki s'inspire d'une écharpe fleurie pour décorer de la poterie. L'Art finlandais qui joint à la fois l'utilité et la beauté jouit d'une renommée dans le monde entier.

48

La Finlande
... démocratie nordique

À **JYVASKYLA,** ville universitaire, se trouve la première école secondaire qui donna l'enseignement en finlandais.

LA Finlande est un des pays les plus au nord du monde par 60 et 70 degrés de latitude-nord et 19 et 31 degrés de longitude-est, ce qui en situe environ un tiers dans le cercle polaire. On pourrait croire que de telles conditions géographiques en font un pays rébarbatif, mais il n'en est rien; ses activités politiques, économiques et sociales sont celles d'un pays moderne. Il n'est pas moins intéressant de savoir que la Finlande est la seule nation de l'Europe qui partage une frontière très étendue avec l'Union soviétique, sans être derrière le rideau de fer. Ce n'est certes pas dû à un manque d'efforts de la part de l'URSS. Au contraire, celle-ci a essayé à quelques reprises d'envahir la Finlande : en 1939–41 et en 1941–44. Le but de ces deux tentatives était nettement de conquérir et de "soviétiser" la Finlande. Les deux essais ont échoué grâce à la fermeté des Finlandais qui étaient bien décidés à défendre leur indépendance contre une domination écrasante. Cependant, ils ont dû, à la fin, conclure des arrangements de paix très onéreux.

Depuis la fin de la Deuxième Guerre mondiale, le pays a eu l'occasion de démontrer beaucoup d'ingéniosité en réglant ses problèmes de guerre. Par exemple il a réussi à régler en peu de temps l'énorme dette de guerre que la Russie lui avait imposée (entre les années 1944 et 1952). A la même époque, environ 450,000 réfugiés finlandais qui habitaient la partie cédée à la Russie, sont venus s'installer dans la Finlande restée indépendante. Ces réfugiés n'ont eu aucun mal à s'adapter à leur nouvelle existence.

Alors que le nord du Labrador et les côtes arctiques de l'Amérique sont des terres désolées, la Finlande qui se trouve à peu près dans la même situation géographique est un pays prospère. L'industrie, l'agriculture, la vie urbaine et les différentes formes de son activité, y sont aujourd'hui très développées. Cette différence peut s'expliquer par des phénomènes climatiques. L'océan Atlantique et la mer Baltique tempèrent en effet toute cette

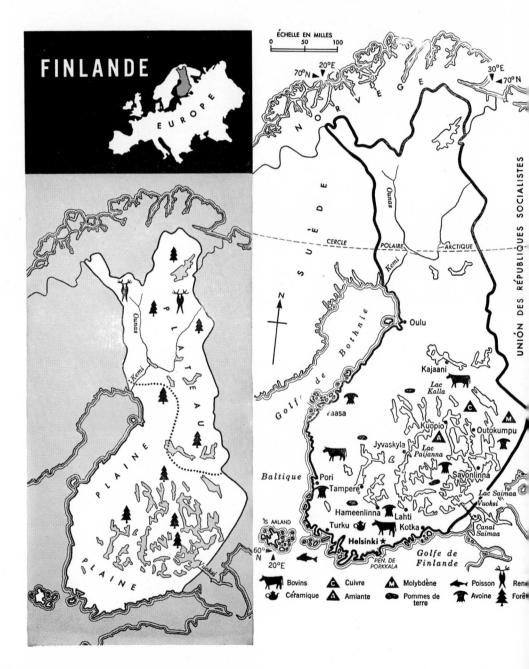

région; d'autre part, des vents du sud-ouest rendent généralement les saisons plus clémentes.

La Finlande est le pays du soleil de minuit et de la nuit polaire. Dans le sud, par exemple durant le mois de juin, le soleil brille journellement environ 18 heures, tandis que les nuits restent très claires. En plein été, aux environs du cercle polaire, il fait presque constamment jour. Plus au nord, il fait clair pendant 73 jours et 73 nuits d'été. Pendant l'hiver, dans cette même région, l'obscurité est presque totale pendant 51 jours et 51 nuits. Les températures moyennes du sud de la Finlande sont de l'ordre de 52 à 57 degrés F. en juillet, contre 12 à 23 degrés F. en février. En Laponie, la moyenne pour le mois de juillet est de 52 à 57 degrés F., contre 5 à 12 degrés en février. Il n'y a pas de neiges éternelles, ce qui explique que l'agriculture soit une des ressources principales de l'économie finlandaise.

Terre des lacs et des îles

Il existe en Finlande 60,000 lacs qui recouvrent environ 8 pour cent de la superficie totale du pays; on compte également 700 milles de côtes très découpées sur le golfe de Bothnie et le golfe de Finlande. Il y a environ 30,000 îles le long de ces côtes. Les nombreuses rivières qui coulent en Finlande jouent un rôle important dans la vie économique du pays; ce sont des voies de communications et des sources d'énergie hydroélectrique.

Un des phénomènes géographiques les plus curieux est la constante élévation des terres qui se poursuit depuis l'époque glaciaire. Le pays semble sortir régulièrement de la mer au rythme de trois pieds environ, tous les cent ans. Lentement, le tracé des côtes se modifie en donnant tout naturellement de nouvelles terres au pays.

Les langues nationales

Il y a en Finlande deux langues nationales reconnues par la constitution, le finlandais ou finnois et le suédois. Le groupe parlant suédois représente 8 pour cent environ de la population, tandis que le groupe finnois en représente les 91.1 pour cent; 2,500 Finlandais parlent lapon.

La constitution prévoit qu'il appartient à l'État de faire respecter la liberté linguistique en veillant aux besoins éducatifs et culturels des deux groupes. S'il n'en a pas toujours été ainsi, il n'y a pas aujourd'hui de complexe minoritaire pour ceux qui parlent suédois, d'autant que la règle générale, dans les villes en particulier, et dans les milieux de niveau éducatif élevé, est de parler les deux langues.

Origines de la population

Comme presque toujours pour les populations européennes, il est extrêmement complexe d'essayer de remonter aux origines du peuple finlandais. L'étude du langage étant un des moyens qui permettent de retrouver les parentés existant entre les peuples, il convient donc de faire avant tout la différence entre le groupe parlant finnois et celui parlant suédois. Au dix-neuvième siècle, les recherches philologiques étaient très en vogue. Un Finlandais, M. A. Castren, maître en la matière, entreprit de longues recherches pour tenter de retrouver les origines du peuple de son pays. Le finnois étant une langue non-germanique, sans affinité avec les principaux groupes linguistiques européens, il en arriva à la conclusion que les Finlandais étaient apparentés à au moins un septième des peuples de la terre, car ils faisaient partie, prétendait-il, du groupe ouralo-asiatique, qui comprend entre autres les Turcs et les Tartares. Ces théories ont été abandonnées depuis fort longtemps, car s'il est vrai qui le finnois a quelques relations originelles avec le hongrois, il n'en reste pas moins vrai, comme l'ont fait remarquer les philologues qui ont refuté les théories de M. A. Castren, que le finnois et le hongrois se ressemblent aussi peu que l'anglais et le persan. La seule parenté sérieuse de la Finlande est l'Estonie. Si les origines de ce peuple restent obscures, il n'en demeure pas moins qu'il a depuis toujours fait partie intégrante de l'histoire de l'Europe.

Les problèmes linguistiques au dix-neuvième siècle

Si aujourd'hui le finnois et le suédois sont à égalité «langue nationale», il n'en a pas toujours été ainsi. En effet, la Finlande ayant fait partie de la Suède pendant des siècles, la langue officielle était tout naturellement le suédois. Lorsqu'en 1809 la Finlande fut cédée à la Russie, dont le tsar prit le titre de Grand Duc de Finlande, il y eut une campagne pour demander une autonomie linguistique, qui ferait du finnois la langue nationale. Ces revendications n'aboutirent qu'en 1863. A ce moment le groupe parlant suédois eut le sentiment d'avoir été frustré et mena une contre-campagne. Ces luttes linguistiques furent si violentes qu'elles menacèrent un moment l'unité du pays. Cependant lorsque les Finlandais eurent à faire face à des difficultés internationales, ils oublièrent leurs querelles intestines, et réalisèrent une unité qui ne s'est pas démentie depuis. Quarante pour cent de la population est urbaine ; il convient de préciser ici que le mot ville s'applique davantage à la forme administrative d'une communauté, qu'à la densité de la population ; en effet, certains centres industriels ou ruraux sont plus importants que certaines localités classées comme villes. Pour donner une image plus précise de la structure du pays, il faut préciser que 40 pour cent de la population vit de l'agriculture et des industries forestières, dont 6.8 pour cent pour ces dernières. L'industrie, le commerce et toutes les formes de professions libérales représentent les deux tiers des activités de la nation. On a retrouvé des vestiges qui permettent d'établir avec certitude que le pays était habité plusieurs siècles avant l'ère chrétienne.

Cependant, ce n'est que vers le troisième et le quatrième siècle de notre ère, que les ancêtres des Finlandais d'aujourd'hui commencèrent à s'installer dans le pays.

La Finlande suédoise

L'histoire finlandaise ne commence vraiment qu'au moyen âge, au moment ou les pays nordiques s'intégrèrent à la civilisations européenne. Le premier événement capital fut la christianisation au douzième siècle. Suédois et Finlandais furent pendant plus de six siècles les sujets d'une même couronne. Ils ont en commun un passé historique, politique et culturel, ce qui explique leur similitude actuelle. C'est en 1808–1809 que s'arrête l'histoire commune des deux pays. A la suite d'un traité de paix, la Suède céda alors la Finlande à la Russie. Mais la Finlande ne fut jamais à proprement parler une province de la Russie. Elle conserva la même constitution, la même structure administrative et les mêmes lois que sous la tutelle suédoise. Cette autonomie donnait au peuple, par l'entremise de la Diète, la possibilité de promulguer des lois, de décider la levée de nouveaux impôts, en un mot de régir ses propres affaires. La religion d'État resta celle de l'église luthérienne. Quant au tsar, il régnait comme un monarque constitutionnel. A Helsinki siégeait un conseil gouvernemental finlandais, tandis que dans la capitale russe, un secrétariat d'Etat finlandais était conseiller du tsar pour l'administration du pays.

L'indépendance

La Finlande fit partie de l'empire russe jusqu'en 1917, date de la révolution soviétique. A cette époque, les Finlandais proclamèrent leur indépendance. Ils étaient préparés depuis longtemps à cette évolution. Après 1860, en effet, leur autonomie n'avait cessé de s'intensifier. La Diète avait eu une part plus importante dans les affaires de l'État. En 1865, on instaura un système monétaire autonome. En 1906 enfin, il y eut de grandes réformes politiques, qui donnèrent aux femmes le droit de vote, à égalité avec les hommes. Ce fut aussi à cette date l'entrée en fonction de la chambre unique.

Parallèlement à ces réformes politiques, l'agriculture se développait rapidement, l'installation des chemins de fer et l'industrialisation transformaient la vie du pays. Un système éducatif moderne était inauguré dès 1866. Enfin la navigation à vapeur, le télégraphe et le téléphone firent leur apparition. La Finlande suivait l'évolution qui transformait le monde.

Cette autonomie, malgré l'appartenance à l'empire russe, avait créé un esprit nationaliste qui s'accommodait mal des initiatives du tsar concernant la vie du pays. C'est ainsi que lorsque prit fin le régime tsariste en 1917, les Finlandais proclamè-

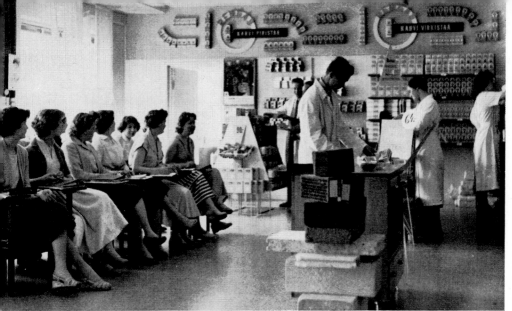

CETTE BELLE ÉPICERIE sert de salle de classe pour les étudiants qui étudient les méthodes de vente et de publicité d'une coopérative. Ces cours sont donnés aux employés des diverses coopératives.

rent la république le 6 décembre. Mais indépendance proclamée et indépendance réalisée sont deux choses différentes. Si le gouvernement révolutionnaire russe fut le premier à reconnaître la nouvelle république, il n'en essaya pas moins de lui faire partager son idéologie qui visait à l'établissement d'une forme de gouvernement à conception socialiste. Mais les Finlandais étaient trop nationalistes et ils avaient un désir si grand de conserver entière une indépendance toute nouvelle, qu'ils établirent en juillet 1919 une constitution républicaine qui les protégeait du risque d'intégration au groupe de l'Union des nouvelles républiques socialistes.

Les progrès

La réalisation de l'indépendance réclamait la réorganisation du pays. Dès 1935, on mit en vigueur une réforme agraire, qui permit l'établissement de 100,000 exploitations agricoles nouvelles. Le gouvernement fit de simples ouvriers des exploitants qui eurent à cœur de développer ce capital. En même temps, la production industrielle doublait.

L'établissement des coopératives permettait à l'économie de faire des progrès considérables. A côté de la révolution politique, l'instauration de ces méthodes fut à proprement parler une révolution sociale aux conséquences immenses.

Il serait enfantin de croire que de tels événements puissent se dérouler sans fièvre et sans agitations. La Finlande entreprit l'éducation politique de son peuple, tout en renforçant l'autorité gouvernementale de la république. Elle jugea indispensable d'assurer une stabilité qui ne serait pas compromise par des extrémistes ; à cette fin, elle déclara en 1930 que le parti communiste était hors la loi. La majorité des cabinets gouvernementaux était composée de sociaux démocrates et de paysans.

Jusqu'à la seconde guerre mondiale, la politique étrangère finlandaise visait à maintenir des relations pacifiques avec tous les pays. Elle entendait respecter les accords internationaux, mais désirait conserver une neutralité absolue, en cas de conflit. Cependant, les événements qui allaient conduire à la seconde guerre mondiale n'allaient pas épargner la Finlande.

Les ressources naturelles

Les ressources naturelles de la Finlande sont modestes. Si l'agriculture tient une place importante dans la vie du pays, ce

LA PREMIÈRE TÂCHE des pêcheurs le matin est de relever leurs filets. Comme on peut s'y attendre d'un pays ayant de si vastes étendues d'eau, le poisson abonde. Presque toute la prise est consommée sur place. La cuisine finlandaise compte d'excellents plats de poisson.

LE PRINTEMPS approche et les travaux des champs commencent. Comme le tracteur l'indique, la Finlande emploie des méthodes modernes de culture.

«L'OR VERT», tel est le nom que les Finlandais donnent au bois, leur principale ressource naturelle. Le climat étant plutôt froid, les arbres croissent lentement, ce qui donne un bois sans noeuds, égal et droit de fil.

54

Travail et procédés modernes

LE LAIT arrive dans de grands récipients à une coopérative. De là, il sera distribué dans des magasins.

LES FINLANDAISES font des travaux généralement réservés aux hommes. Au port d'Oulou, ces femmes surveillent le déchargement d'un cargo. Situé sur le golfe de Bothnie, Oulou est à la fois un centre ferroviaire et un port de mer des plus actifs.

n'est pas que le sol soit d'une fertilité exceptionnelle, bien au contraire, mais il oblige le peuple finlandais à tirer le meilleur parti possible de son sol, car les terrains profonds et riches sont rares. Environ 13 pour cent seulement du pays est cultivable. Il a fallu aux prix d'immenses efforts, défricher et assécher forêts et marais. Les nouveaux exploitants qu'a créés la réforme agraire de 1935 ont amélioré les terres qu'on leur avait données à un tel point, que la production alimentaire suffit presque aujourd'hui à couvrir les besoins du pays. Par cette même réforme, on a créé 100,000 nouvelles exploitations. Les fermes sont donc petites, et quelques-unes seulement dépassent 250 acres.

Le climat ne facilite pas l'agriculture. La pomme de terre est la seule culture qui soit possible jusqu'au grand nord. On a développé une qualité de céréales, seigle, avoine, orge et blé, qui pousse et mûrit malgré la courte saison. Depuis le début du siècle, on a un peu délaissé la culture des céréales au profit du développement des produits laitiers qui en 1930 représentaient la moitié des revenus agricoles.

Si le climat permet la culture de légumes comme la betterave, la carotte, les choux, le navet, les épinards et les salades, il restreint considérablement celle des fruits. La pomme pourtant résiste à la rigueur du climat. Dans le sud on a réussi à faire pousser des poires, des cerises et des prunes. Dans tout le pays on trouve des petits fruits sauvages. En dépit de ces handicaps la production agricole alimentaire n'a cessé d'augmenter. C'est ainsi par exemple, que vers 1920 la production finlandaise en céréales panifiables permettait de satisfaire la moitié des besoins. En 1938 elle couvrait environ les neuf dizièmes des besoins (le blé pouvait assurer aux trois quarts la demande). Après la guerre ces conditions ont été modifiées par la cession à la Russie d'environ un dizième des terres de culture.

Les richesses en bois

Les forêts qui couvrent 71 pour cent de la superficie du pays en sont sa richesse principale. Les arbres les plus communs sont le pin, l'épinette et le bouleau. La sylviculture a aidé au développement des espèces qui ont dû s'adapter aux conditions particulières du climat.

Les fermes possèdent généralement un peu de forêt, ce qui est une source de revenus supplémentaires pour le fermier. Environ 72 pour cent de l'ensemble des forêts appartiennent à des particuliers, pour la plupart agriculteurs ; l'État en possède 16 pour cent, les entreprises de l'industrie du bois 9 pour cent, et les communautés 2.5 pour cent.

La Finlande n'a ni charbon ni pétrole. Il y bien quelques gisements de fer, mais ils sont en quantité nettement insuffisante. Cependant, des métaux comme le cuivre, l'or, le zinc, le nickel, l'amiante, le quartz, les graphites etc. existent en quantité satisfaisante, puisque la production annuelle est de l'ordre de 600,000 tonnes. Le gisement de cuivre d'Outokumpu est le plus important du pays.

S'il n'y a ni charbon ni pétrole, ce manque de source d'énergie est compensé par les installations hydroélectriques dont la production annuelle s'élève à 5,000,000,-000 de KWH. Lors du traité de paix avec la Russie, la Finlande a perdu les installations qui se trouvaient sur le territoire annexé par l'Union soviétique en 1945.

Industries diverses

L'industrialisation qui avait commencé il y a un siècle, ne s'est vraiment developpée qu'à partir de l'indépendance de 1917. C'est le bois qui est la principale branche de l'industrie. Des scieries, des fabriques de contre-plaqué, des usines de pâte à papier, de papier et de cartonnages divers, l'ameublement, les maisons préfabriquées, en un mot le bois et toutes ses utilisations, représentent 75 pour cent des exportations finlandaises. Les autres industries sont très variées : jouets, sucre, tracteurs, ciment, chaussures, électricité, tissus, tabac, ganterie, confiserie, fabrication de locomotives, production du coke, allumettes, etc.

Les coopératives qui firent leur apparition peu après 1900, sont aujourd'hui très prospères. Il y a environ 5,500 coopératives qui sont soit agricoles, de crédit, de vente en gros de produits fermiers comme les engrais et les semences, ou bien encore d'exportation. La formule coopérative représente environ un tiers du commerce de détail du pays. Plus de 2,000,000 de Finlandais sont membres des coopératives. La moitié sont membres des 500 magasins coopératifs de détail, qui ont un chiffre d'affaires annuel de 560,000,000 de dollars.

Libre entreprise et propriété d'État

L'économie finlandaise est basée sur le principe de la libre entreprise et de la propriété privée. C'est une organisation capitaliste, néanmoins, dans certains domaines, la part de l'État est considérable. Les chemins de fer, une partie des téléphones, les télégraphes, la vente des boissons alcoolisées, par exemple, sont des monopoles d'État. L'Etat est aussi majoritaire et par conséquent contrôle, certaines usines et exploitations minières. Pour l'ensemble de l'industrie nationale, la part de l'État est supérieure à 10 pour cent.

Les entreprises d'État ne jouissent pas de privilèges ; elles sont en compétition avec les entreprises privées pour l'embauche, les matières premières et les marchés. Elles ne bénificient d'aucune réduction d'impôts et ne reçoivent pas de subventions spéciales. Administrées comme des entreprises privées, leur échec ou leur réussite dépend de leur habilité à soutenir la concurrence avec la production nationale et étrangère. C'est en quelque sorte une organisation socialiste gérée selon des méthodes capitalistes.

Commerce maritime

De part sa position géographique, le commerce de la Finlande se fait surtout par mer. En 1939, il représentait 95 pour cent du commerce total. Depuis la dernière guerre mondiale, ce pourcentage a diminué en raison des échanges commerciaux avec l'Union soviétique.

Pourtant le commerce maritime représente encore aujourd'hui 85 pour cent de la balance commerciale. Depuis 1950, les exportations ont augmenté d'un tiers, du fait de la conclusion d'accords commerciaux avec l'URSS qui est un des meilleurs clients de la Finlande. En 1939, la Russie représentait 2 pour cent du marché finlandais ; depuis 1945, cette proportion a augmenté de 9 à 19 pour cent. L'Angleterre reste le client numéro un avec de 19 à 22 pour cent, l'Allemagne de l'Ouest représente de 7 à 10 pour cent, les pays scandinaves moins de 10 pour cent, les Etats-Unis enfin de 6 à 7 pour cent. Les échanges commerciaux de la Finlande se font donc en grande partie avec l'Occident.

Les principales exportations sont la pulpe, le papier journal, le bois et ses dérivés, les produits laitiers, et des articles de luxe et d'artisanat comme la verrerie, la céramique et les tissus précieux. La Finlande importe entre autres, des céréales, du café, de l'équipement industriel, du charbon, des engrais, du coton, de la laine, du fer et de l'acier.

Le commerce extérieur après la guerre

De 1944 à 1952, le commerce extérieur de la Finlande s'est surtout limité aux règlements des dommages de guerre. Pendant ces huit années, elle livra à la Russie, des bateaux, des machines, des locomotives et des usines préfabriquées pour l'industrie du papier et du bois. Le montant des dommages de guerre avait été fixé à 300,000,000 de dollars ; cette somme fut réduite en 1948 de quelque 50,000,-000 de dollars. Cependant, le montant réel de cette convention fut bien supérieur, car la valeur de base choisie était le dollar-or américain de 1938. Bien que pour certaines livraisons on appliqua une majoration de 10 à 15 pour cent sur les prix de 1938, on a estimé que le montant direct et indirect de l'ensemble des dommages de guerre payés par la Finlande à la Russie, représente à peu près 900,000,000 de dollars. Ce fut là une très rude épreuve pour l'économie finlandaise.

La constitution de 1919 donne au peuple finlandais un pouvoir politique, puisqu'il élit au suffrage universel une chambre composée de 200 membres dont le mandat est de quatre ans. Le président est à la tête du pouvoir exécutif, il est élu par un collège électoral composé de 300 membres désignés au suffrage, par le peuple. Le mandat du président est de 6 ans.

Les pouvoirs exécutifs sont aux mains

CHEZ LES LAPONS, à l'extrême nord de la Finlande, les traîneaux à rennes remplacent les trains et les autos. Les seules routes sont des champs de neige.

La vie journalière en Finlande

UN FERMIER et son petit-fils regardent les terres dont le garçon héritera un jour. Elles se trouvent à Porkkala, autrefois aux mains des Russes.

À CE MARCHÉ de poissons très animé de Helsinki, les ménagères affluent pour y faire leurs provisions de hareng frais.

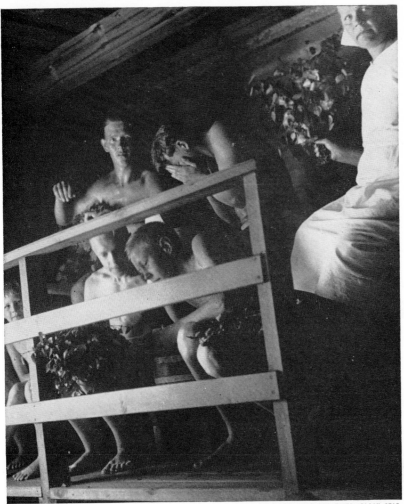

LE SAUNA, ou bain finlandais. La vapeur monte de pierres chauffées à blanc et les baigneurs activent leur circulation en se frappant avec des branches de bouleau. Pour terminer, le baigneur plonge dans un lac voisin ou se roule dans la neige.

EN SOULEVANT une énorme charge de foin, cette fermière fait preuve de sa force.

59

d'un cabinet, ayant à sa tête un premier ministre élu. Les pouvoirs et fonctions judiciaires sont indépendants du gouvernement. Depuis 1906, hommes et femmes agés de plus de 21 ans ont le droit de vote. La constitution définit et garantit l'égalité devant la loi pour tous les citoyens : protection de sa vie, de ses biens et de son honneur, liberté du travail, de la religion, droit de tenir des réunions publiques, de s'exprimer par la parole ou par la presse, en un mot respect des droits civiques de chacun.

La vie politique

Depuis 1860, les partis politiques ont été établis de telle sorte qu'en 1914, on comptait cinq partis principaux : sociaux-démocrates, paysans, libéraux, conservateurs et le parti suédo-finlandais. Cette structure politique à laquelle il faut ajouter le parti communiste qui fut créé en 1918, est restée la même jusqu'à nos jours, bien que le nom des partis ait souvent changé. Le parti communiste fut interdit en 1930, mais à la suite de son traité de paix avec la Russie, la Finlande a dû en accepter la reconstitution. Depuis 1945, il a pris le nom de Union démocratique du peuple finlandais.

Un des aspects les plus frappants de la politique finlandaise est sa stabilité, qui a été presque constante depuis 1918. L'organisation démocrate de la république a permis la mise en œuvre des réformes fondamentales qu'ont été la législation sociale et la réforme agraire.

Depuis 1945, les partis non-communistes occupent plus de 75 pour cent des sièges de la Diète. De 1945 à 1948, les communistes ont occupé des postes du gouvernement, qu'ils n'ont pas repris depuis. En 1958, le parti communiste était le parti le plus important de tous les partis politiques finlandais, à la suite de désaccords au sein du parti social-démocrate.

Lois sociales

Les premiers éléments de législation sociale sont entrés en vigueur en 1900 ; cependant, ce n'est qu'après la révolution de 1917 que de réels progrès furent accom-

plis dans ce domaine. A la suite de la seconde guerre mondiale, la Finlande fut obligée de promulguer de nouvelles lois sociales, bien plus développées que celles qui étaient en vigeur depuis 1939. Ces mesures se sont appliquées aux assurances maladies et accidents, et plus particulièrement à la maternité et à l'enfance. En effet, la Finlande a adopté dès 1937 une politique familiale qui avait pour but de venir en aide à la mère et à l'enfant en accordant entre autres, des secours en espèces et en vêtements. Récemment, au cours d'une même année, 642,750 familles finlandaises ont reçu sans distinction de niveau social des subsides pour chaque enfant au-dessous de 16 ans. Chaque année, l'État octroie une aide de 12 à 15 dollars pour chaque enfant âgé de moins de 16 ans.

Il est bien évident que de telles lois demandent de gros capitaux. L'État assume environ 45 pour cent des frais, les entreprises 30 pour cent, les villes et les communautés 16 pour cent ; le reste est payé par le salarié lui-même, sous forme de taxes prélevées sur son salaire comme contributions aux lois sociales. Les lois d'aide à la famille absorbent environ un tiers des crédits consacrés aux lois sociales. C'est en 1917 que l'on instaura en Finlande la journée de travail de huit heures. Depuis 1946, la semaine de travail a été ramenée à 47 heures. Dès 1920, les travailleurs ont bénificié des congés payés, qui sont de 12 jours pour ceux qui ont été employés un an par la même compagnie. Ceux qui ont 5 ans de service ou plus ont droit à 18 jours de congés par an. Les rapports entre employeurs et employés sont aisés ; il y a une cour d'arbitrage et des médiateurs officiels. Des accords collectifs ont été passés, ce qui ne veut pas dire que l'on a privé les ouvriers du droit de grève ; ils en usent pour réclamer des solutions à leurs problèmes.

L'éducation pour tous

L'école primaire date de 1866, et le système éducationnel n'a cessé d'être amélioré depuis. C'est ainsi que depuis 1921, l'école est obligatoire. Depuis cette époque, il n'y a plus d'analphabètes en Finlande. Le nombre des écoles secondaires a aussi augmenté. Ces dernières sont soit des écoles d'État, soit des écoles municipales, ou bien encore des institutions privées. Chaque année, environ 6,000 élèves sortant des écoles demandent à être admis dans des écoles supérieures; la moyenne d'admission à la suite des examens est de 80 pour cent. Il y a aussi un grand nombre d'écoles techniques spécialisées. Pour les adultes, il existe un système éducatif qui comprend des écoles secondaires et une académie des travailleurs; l'ensemble groupe quelque 65,000 étudiants. Il existe 14 institutions de niveau universitaire, dont plusieurs sont consacrées à l'enseignement technique (commerce, travaux publics, ainsi que des écoles d'enseignement). L'université d'Helsinki est la plus importante de Finlande; elle a été créée en 1640. L'ensemble de ces 14 institutions compte plus de 18,000 étudiants. Ces établissements sont quelquefois subventionnés par des particuliers, comme par exemple Abo Akademi et l'université de Turku; cependant les institutions d'État prédominent.

La Finlande et les Etats-Unis ont passé un accord éducatif. Le congrès américain a voté en 1949 une loi stipulant que le montant des dommages de guerre que la Finlande devait verser aux Etats-Unis serait employé pour les échanges éducatifs. Les premiers crédits furent disponibles en 1949 lorsque la Finlande fit son premier versement. En 1952, les programmes d'échange promus par le sénateur William Fulbright furent étendus à la Finlande. Chaque année, soixante à soixante-dix étudiants finlandais viennent aux Etats-Unis grâce aux accords de règlement des dommages de guerre, auxquels se joignent les bénéficiaires des bourses Fulbright.

La religion luthérienne est majoritaire en Finlande. Cette forme de protestantisme fut introduite en Suède et en Finlande au seizième siècle; jusqu'en 1923, elle a été la religion d'État. A cette époque, on vota l'entière liberté du culte. Si de nos jours les Luthériens représentent 95 pour cent environ de la population, l'église orthodoxe grecque compte près de 70,000 fidèles, l'église catholique environ 1,200 et le groupe judaïque quelque 1,500. Il existe d'autres confessions religieuses: baptistes, méthodistes, adventistes, etc., qui groupent 13,000 fidèles.

Arts et littérature

En littérature en particulier et dans le domaine des arts en général, les influences occidentales sont prédominantes en Finlande. Les résultats de statistiques récentes ont montré que sur 2,264 livres publiés en un an, 538 étaient des traductions de livres étrangers: 286 anglais et américains, 117 scandinaves, enfin 135 étaient traduits du français, de l'allemand, du russe et autres. Plus de la moitié des traductions sont celles d'œuvres anglo-saxonnes; dans le domaine littéraire, c'est donc une des influences prédominantes.

Les 31 théâtres principaux de Finlande ont donné en une année, 5,160 représentations, dont 3,700 étaient des œuvres étrangères: 589 représentations d'auteurs américains, anglais 584, français 475, allemands 372, scandinaves 251, russes 54. Ce fait prouve une fois de plus l'importance des influences occidentales dans le domaine culturel.

Relations internationales

De 1920 à 1939, la politique étrangère de la Finlande resta essentiellement neutraliste. Cependant, en 1939, à la suite de contestations sur les revendications territoriales de la Russie, auxquelles la Finlande ne voulut pas céder, le pacte de non-agression russo-finlandais fut rompu. Ce fut la guerre. En 1940, les Finlandais capitulèrent et par le traité de Moscou cédèrent à l'URSS les territoires qui avaient été cause du conflit. En 1941, les Finlandais se joignirent à l'Allemagne pour combattre les Russes. Bien qu'ils aient prétendu ne s'être joints à l'Allemagne que pour tenter de reprendre les terres finlandaises cédées par le traité de Moscou, cette attitude fut un acte regrettable de la politique finlandaise. En 1944, la Finlande capitulait et le 10 février 1947, elle signait un traité de paix avec l'Union soviétique.

Depuis cette époque, la Finlande s'attache à reprendre une ligne politique basée sur le neutralisme. Elle est aujourd'-

UN BAPTISTÈRE finement sculpté et une mosaïque derrière l'autel ornent l'église d'Enontekio.

LES PILIERS ET LES VOÛTES sont joliment décorés dans l'église du quatorzième siècle de Lohja.

Styles divers en architecture

L'ÉGLISE D'IISALMI frappe par ses lignes à la fois gracieuses et très simples. Cet effet est encore rehaussé par son emplacement sur un site ouvert.

UN VESTIGE de la conquête russe au XIXᵉ siècle—l'église orthodoxe russe à Tampere.

DES SCUPTURES amusantes ornent l'hôpital des enfants à Helsinki. Dans le domaine des allocations familiales, la Finlande se montre très généreuse envers les enfants et les mères

RAUTATIETORI—la place de la gare à Helsinki. A gauche, on voit le théâtre national. La statue au centre est celle d'Aleksis Kivi, romancier du dix-neuvième siècle qui a fait du finlandais une langue littéraire. Souvent appelée la Ville Blanche du nord, Helsinki possède beaucoup d'édifices en granit gris pâle.

hui membre de l'ONU. En 1956, elle s'est jointe au groupe du Conseil nordique, qui renforce la coopération entre les pays scandinaves.

Les relations finlando-américaines étaient cordiales jusqu'à ce que la Finlande se joignit à l'Allemagne pour combattre la Russie. C'était, après Pearl Harbor, aider les ennemis des Etats-Unis en se joignant à eux. Cette situation amena la rupture des relations diplomatiques entre les deux pays le 30 juin 1944. C'était la fin de relations amicales qui s'étaient renforcées lorsqu'en 1929, au moment de la grande crise américaine, la Finlande paya régulièrement les dettes qu'elle avait contractées à la suite des accords de 1919, qui lui accordait un emprunt de 8,281,926 dollars pour l'achat de produits alimentaires. De tous les pays débiteurs, elle fut le seul à tenir ponctuellement ses engagements.

Les relations diplomatiques ont été renouées en 1945. Dès lors, les échanges ont repris entre les deux pays, et les Etats-Unis ont accordé de nouveaux emprunts. Le règlement des dommages de guerre s'est fait comme nous l'avons signalé par des échanges culturels. Les relations russo-finlandaises sont plus délicates. En effet par deux fois lors de la seconde guerre mondiale ces deux pays se sont affrontés. Vaincue deux fois, la Finlande a dû accepter les conditions de paix imposées par l'Union soviétique. La plus dure de ces conditions fut bien sûr la rectification de ses frontières. C'était là les causes de la guerre. Elle perdait sans recours ce pour quoi elle avait combattu. Pour son économie, ce fut une lourde perte, qui s'ag-

grava encore par les dommages de guerre qu'elle avait à payer. Elle dut également pourvoir au reclassement de 450,000 Finlandais qui ne voulurent pas vivre sur leurs terres, en devenant citoyens de l'Union soviétique. Aux termes de ce traité, la Russie demanda des garanties politiques : le parti communiste finlandais a été reconstitué. En 1948, un pacte d'assistance mutuelle a été signé pour 10 ans ; il a été renouvelé pour 20 ans en 1955. Il stipule que la Finlande devra s'opposer de toutes ses forces à l'entrée sur son territoire de l'Allemagne, ou de toute autre puissance alliée à celle-ci, qui serait en guerre contre l'URSS. Ce traité de défense n'empêche pas la Finlande de rester en relations étroites avec les puissances occidentales car elle entend maintenir après les orages de la seconde guerre mondiale une politique de neutralité qui lui permettra de se développer selon son propre concept.

JOHN H. WUORINEN

LA FINLANDE: RÉSUMÉ STATISTIQUE

LE PAYS

Borné au nord par la Norvège, à l'ouest par la Suède et le golfe de Botnie, au sud par le golfe de Finlande et à l'est par la Russie. La dixième partie de la superficie est couverte de lacs, dont la plupart se trouvent au sud du pays. Superficie : 130,085 milles carrés, y compris 12,190 milles carrés de lacs intérieurs. Population, 4,413,000 habitants.

GOUVERNEMENT

Une république depuis 1919. Le président est élu pour un mandat de six ans, et la Chambre de représentants de 200 membres pour trois ans. Il y a 16 districts électoraux. Tous les citoyens âgés de 21 ans ont le droit de vote. Le système électoral est basé sur la représentation proportionnelle.

COMMERCE ET INDUSTRIES

Environ 40 pour cent de la population s'occupent d'agriculture ou de l'industrie du bois ; 13 pour cent de la terre est arable. Les principales récoltes sont le foin, l'avoine, l'orge, le seigle et la pomme de terre et les produits laitiers. La pêche est importante. Les principales exportations sont le bois, le papier et la

pulpe de papier, le beurre ; importations : tissus, céréales, métaux et machines. L'Unité monétaire est le markka.

COMMUNICATIONS

Réseau ferroviaire, 3,221 milles ; routes, 40,-000 milles. Lacs reliés entre eux et avec le golfe de Finlande par des canaux. Marine marchande, 770,000 tonnes ; 102,000 autos ; services aériens. Il y a 500,000 téléphones et 101 journaux quotidiens.

RELIGION ET EDUCATION

L'église nationale est l'Eglise luthérienne, mais il y a liberté absolue de conscience. Un très bon système scolaire, qui comprend 5,500 écoles primaires, ayant 622,000 élèves et quelque 200 écoles professionnelles. L'Université d'Helsinki a environ 750 professeurs et 10,000 étudiants ; il y a 14 autres collèges.

VILLES PRINCIPALES

Helsinki, la capitale, a une population de 440,000 ; Turku, 132,000 ; Tampere, 125,000 ; Lahti, 67,000 ; Pori, 55,000 ; Oulu, 53,000 ; Vaasa, 44,000 ; Kuopio, 44,000 ; Jyvaskyla, 38,-000 ; Kotka, 29,000.

UN SPECTACLE LUNAIRE en Islande. Ce cratère a été formé par de la lave chaude.

L'Islande et le Groenland

... îles de feu et de glace

LE Groenland se trouve presque entièrement situé à l'intérieur du cercle polaire, tandis que l'Islande, elle, se trouve juste en-dessous. Pendant des siècles, la situation géographique de ces pays les a tenus en dehors des affaires mondiales. Aujourd'hui, les lignes aériennes entre l'Europe et l'Amérique passent par le pôle, ce qui confère une importance stratégique aux bases du Groenland et de l'Islande. Le traité de l'OTAN, signé en 1949, a accordé aux Etats-Unis le droit d'établir une base militaire en Islande. Plus tard, les Américains et les Danois ont établi à Thulé au nord du Groenland une immense base militaire qui a été terminée en 1953. Cette base sert aujourd'hui à l'aviation commerciale et militaire. Il n'est pas exagéré de dire que le pôle est devenu une des plaques tournantes de notre civilisation, puisqu'il est maintenant une voie de communications entre les divers continents.

Le Groenland se transforme

Cette transformation géographique n'est pas le seul changement qui ait affecté la vie du pays. Depuis 1950, en effet, le Groenland a subi des transformations administratives et politiques très importantes. Alors que pendant de longues années la seule forme de gouvernement ait été le conseil des chasseurs à Thulé et dans le Groenland de l'est, il existe aujourd'hui un conseil national élu. Les conseils des chasseurs sont remplacés par des conseils coloniaux. Le gouvernement danois consulte pour tout ce qui regarde le Groenland le conseil national qui représente véritablement le pays puisqu'il est élu au suffrage universel. Depuis 1953, le Groenland s'est vu octroyer par la constitution danoise un statut égal à celui des autres territoires du royaume. Il a deux représentants à Copenhague.

L'économie du Groenland se développe petit à petit. L'exploitation des mines de plomb et de zinc, les usines de conserves et la pêche tendent à détourner les Esquimaux de leur mode de vie traditionnel, la chasse. Les méthodes sanitaires importées par les Danois ont permis de doubler la population du Groenland depuis la Deuxième Guerre mondiale.

Cependant, malgré ces divers développements, le Groenland n'en demeure pas moins un pays désolé. Il est difficile d'y imaginer avant longtemps une vie qui s'apparente à celle des pays modernes, avec leurs grands centres urbains.

SUR LA CÔTE DU GROENLAND, un brise-glace glisse dangereusement près d'une banquise. Seul un huitième de la banquise d'une hauteur de 640 pieds dépasse l'eau.

L'Islande, une ancienne civilisation

Il n'en est pas de même pour l'Islande. Non sans raison, les Islandais considèrent leur pays comme étant une des plus anciennes petites nations civilisées. Les Normands qui débarquèrent dans l'île vers l'an 850 y trouvèrent une petite colonie d'Irlandais. En 930, ils constituèrent un parlement, l'Althing, qui est une des plus anciennes assemblées élues du monde. Si les Islandais ont quelques raisons d'être fiers de leur passé politique, ils tiennent davantage encore à leur héritage culturel. Les sagas, légendes transmises oralement de générations en générations et recueillies par écrit aux douzième et treizième siècles, constituent encore aujourd'hui un des éléments importants de leur patrimoine national. Comme la langue islandaise a peu changé depuis des siècles, les écoliers lisent les sagas dans leur forme originale. La vie intellectuelle islandaise est très développée. On publie en Islande plus de livres par habitant que dans aucun autre pays du monde.

La ressource principale du pays

Un des handicaps majeurs du pays est la nature du sol, improductif à près de 85 pour cent. La pêche demeure la ressource principale des habitants. Grâce à l'aide américaine, il a été possible d'en développer l'équipement, au point de lui donner une place enviable sur le marché mondial. Les fabriques de conserves sont très florissantes.

L'Organisation européenne de coopération économique (OECE) a estimé que le niveau de vie de l'Islandais est le plus élevé d'Europe. C'est de la mer que vient cette prospérité, puisque les exportations de poissons représentent environ 95 pour cent de la balance commerciale du pays.

Ceci explique la susceptibilité islandaise en ce qui concerne la protection de ses eaux de pêche. Le gouvernement craint qui si tous les pays viennent y pêcher sans restriction, la quantité de poissons diminuera rapidement, privant ainsi le pays de sa ressource vitale. L'Islande a revendiqué le droit exclusif de la pêche bien au delà des trois milles autour de ses côtes. Cette extension de ce qui avait été accordé, à savoir les trois milles autour des côtes, n'a pas manqué de créer des incidents avec certains pays dont l'Angleterre qui, tout en étant un des meilleurs clients de l'Islande, voulait pêcher au large de ses côtes. La Russie s'est opposée à l'Angleterre dans cette discussion.

Le peuple islandais

Ces querelles constituent un des principaux sujets de conversation des Islandais. C'est un peuple franc qui aime à s'exprimer ouvertement et qui adore les discussions politiques. Il n'existe pratiquement pas de différence entre les classes sociales.

Les progrès techniques permettent peu à peu de surmonter les handicaps naturels de l'Islande et du Groenland. Les moyens de transport et de communication modernes ont placé ces deux pays dans une position internationale que ne semblait pas devoir leur permettre leur situation géographique.

La route de l'indépendance

L'Islande a toujours été caractérisée par son esprit démocratique. Dans les premières années de sa colonisation, elle n'eut pas à proprement parler à supporter de domination étrangère. L'Islandais, même alors, était très indépendant. Le *Landnama-bok* que l'on peut traduire par le livre de la colonisation, rapporte l'établissement du peuple islandais. Au treizième siècle, l'Islande s'unit à la Norvège, tout en conservant ses propres lois. A la fin de ce siècle, la Norvège et l'Islande passèrent sous la domination danoise qui y imposa sa religion, le luthéranisme, et prit possession du monopole commercial. Au dix-huitième siècle, l'Islande était un pays entièrement soumis. Cependant, en 1845, Jon Sigurdsson parvint à rétablir l'Althing, après quoi il obtint, en 1847, une nouvelle constitution qui renforçait l'indépendance. Ce fut un des grands hommes du pays et l'un des précurseurs du développement commercial international de l'Islande. En 1903, vingt-quatre ans après sa mort, le ministre danois pour l'Islande fut remplacé par un premier ministre islandais. En 1918, le Danemark et l'Islande signèrent un acte d'union. Enfin, l'indépendance totale fut proclamée en 1941.

Volcans et sources chaudes

Les volcans ont toujours représenté un danger pour l'Islande. L'éruption de 1783 causa près de 9,000 morts. Le plus grand volcan, l'Hekla, se trouve dans le sud. Ses retombées de cendres et ses coulées de lave intermittentes ont transformé la campagne environnante en un véritable désert. La dernière grande éruption de l'Hekla remonte à 1845. Sur son plateau intérieur se trouvent de nombreux geysers ; le plus grand mesure 16 pieds de large et il lance de temps à autre une colonne d'eau bouillante à plus de cent pieds de hauteur.

L'Islande étant une île située à moins de 600 milles au nord-ouest du continent européen, il est possible qu'elle ait été formée par une éruption volcanique le long de la crevasse de l'écorce terrestre qui passe par les îles Féroé. Bien qu'elle touche au cercle polaire, au nord, le sud-ouest du pays est tempéré par le Gulf Stream. Dans le sud se trouve le Vatnajokull, champ de glace qui atteint jusqu'à 6,000 pieds à certains endroits.

Les oiseaux

Il y a le long des côtes islandaises un très grand nombre d'îles. Les habitants des îles Vestmannaeeyjar tirent leur subsistance de la capture des oiseaux qui viennent se poser sur les falaises. Ces dernières appartiennent au gouvernement qui les loue aux Islandais. Les macareux sont attrapés à l'aide d'un grand filet qui ressemble à un filet pour la chasse aux papillons. Une autre espèce d'oiseaux très répandue est l'eider, sorte de gros canard dont on utilise le duvet. Ces oiseaux sont si peu farouches que lorsqu'ils sont dans leurs nids, ils se laissent facilement caresser. Pour faire leur nid, ils s'arrachent leur duvet ; il suffit à l'homme de venir le chercher pour le vendre et aux oiseaux de remplacer le duvet qui leur a été volé.

Reykjavik, la capitale

Reykjavik est une capitale très animée. Elle est située sur le fjord de Flaxa, qui est un important centre commercial où les fermiers viennent vendre leur laine chaque année. Reykjavik a une cathédrale, une université, un grand hôpital, un central téléphonique et une station de radio. Son port moderne reçoit la demi

douzaine de bateaux-postes qui desservent l'Islande. Un des plus grands sculpteurs du monde, Einar Jonsson, est né à Reykjavik. Pendant la seconde guerre mondiale, les Etats-Unis établirent une base militaire à Reykjavik; des forces militaires y stationnèrent jusqu'en 1959.

La pêche se pratique à l'aide de chalutiers à vapeur ou de vedettes automobiles. Les principales exportations de poissons sont le hareng et l'huile de poisson.

L'industrie laitière et l'élevage des moutons sont importants. Les principales importations sont le charbon, le pétrole, l'équipement industriel et les textiles.

On trouve un peu d'or en Islande, mais en quantité insuffisante pour qu'on puisse l'exploiter sur une grande échelle. On exporte également du spath, cristal à double réflexion, utilisé pour les instruments d'optique.

Les cours d'eau fournissent l'énergie hydroélectrique nécessaire aux centres urbains et industriels. Pour l'instant, seule une partie de l'énergie naturelle fournie par les cours d'eau est exploitée. La population s'accroît. Un peu plus de la moitié des Islandais vivent à Reykjavik, la capitale, et le reste dans les villes et villages à travers le pays. En plus de l'université, on trouve dans la capitale des écoles primaires et secondaires ainsi que des écoles techniques. L'enseignement est obligatoire pour les enfants de sept à quinze ans. Les assurances sociales donnent les soins médicaux et fournissent des indemnités de chômage.

La vie rurale

Les fermes islandaises sont éparpillées sur des étendues désertiques et sans routes. La ferme typique est à toit de chaume, entourée de la grange et des communs. Les fenêtres sont hermétiquement closes pendant l'hiver, avec une petite ouverture permettant la ventilation. On s'éclaire au pétrole, et la tourbe sert de combustible. Toute la famille dort dans une grande pièce au premier étage, où l'on a aménagé des alcôves; le matelas est fait d'algues séchées. Il n'y a pas de gens plus hospitaliers que ces paysans islandais. Ils offrent toujours à leurs hôtes ce qu'ils ont

69

SUKKERTOPPEN, UN VILLAGE SUR LE TOIT DU MONDE

Ce village esquimau au bord du cercle arctique a moins de mille habitants. Il est situé à l'extrémité méridionale de l'île Sukkertoppen dans le détroit de Davis, au large de la côte sud-ouest du Groenland. Sukkertoppen possède une station météorologique et radiophonique ainsi qu'un hôpital et un sanatorium. On y élève le renne, on chasse la baleine et le phoque.

UNE CHAUMIERE DE TERRE ET DE PIERRE DANS LA RÉGION DE THULÉ

Les Esquimaux de Thulé et d'autres établissements du nord sont demeurés fidèles à la mode de construction de leurs ancêtres. Leurs maisons sont faites de mottes de terre et de pierre, une combinaison qui donne des habitations remarquablement chaudes, imperméables et saines pour le climat de l'Arctique. Il n'y a qu'un perfectionnement—les murs intérieurs sont en bois.

UN HÔPITAL MODERNE SUR LA CÔTE ARIDE DU GROENLAND

Il y a peu d'habitants au Groenland et ceux qui y vivent mènent une existence hasardeuse, pêchant et chassant dans les eaux glacées et sur des champs de neige. Ce bel hôpital moderne se trouve à Umanak, village de 1,400 habitants sur la côte occidentale du Groenland. Tous les établissements du pays sont situés sur la côte, le seul endroit où l'on voit de la verdure.

de meilleur. Le plat favori est le «skyr,» crème caillée que l'on mange avec du sucre. Il y a aussi le saumon frais. Lorsqu'un visiteur se lève après son repas, qui est toujours accompagné d'un café délicieux, il dit: «Merci pour le repas.» On répond invariablement: «Grand bien vous fasse.» Leur langue est le «norse» que parlaient les Scandinaves d'il y a un millier d'années. Au physique les Islandais sont robustes et virils.

Le cultivateur obtient le meilleur rendement possible d'un sol pauvre qui lui donne des navets, des pommes de terre et du foin. Le fermier s'occupe surtout de l'élevage de brebis et de poneys. Les troupeaux près de la côte mangent des algues, et quelquefois dans leur faim ils mangent ce qui leur vient sous la dent. Un agneau choyé a plus de chance, car on lui donne l'herbe des toits de chaume.

Les poneys jouent un rôle important à la campagne, car les routes en Islande sont peu nombreuses et mauvaises. Ces animaux sont le principal moyen de transport; dans le pays, il y a un poney pour deux personnes. Lorsque les routes le permettent on emploie, en hiver, des sleighs. Cependant, dans le sud de l'Islande l'on construit de bonnes routes et des ponts, et l'automobile est en train de s'y répandre.

L'on rencontrera souvent une jeune fille conduisant une caravane de poneys portant chacun deux bidons de lait. Ils doivent marcher lentement de peur de baratter le lait en beurre.

UN BRELAN DE JEUNES CHIENS ESQUIMAUX

Ce jeune Groenlandais est fort heureux de poser avec ses trois petits chiens esquimaux. La population de l'île se compose de quelques centaines d'Européens, dont la plupart sont des Danois, et
d'indigènes qui sont des Groenlandais proprement dits. On rencontre des Esquimaux de sang
pur dans les districts éloignés, mais la majorité des indigènes sont d'origine mixte.

BUREAU D'INFORMATION DANOIS

UNE CLASSE DE GÉOGRAPHIE AU GROENLAND

Les écoles du Groenland sont, pour la plupart, confessionnelles. Le ministre du Culte du Danemark nomme les missionnaires danois et moraves qui s'occupent de l'enseignement et leur verse un traitement. L'enseignement est donné dans la langue esquimau. A droite, on voit la photo d'un kayac, embarcation faite en peau de phoque par les Esquimaux pour la pêche.

BLACK STAR

LE JOURNAL SORT DES PRESSES

On prépare la distribution d'un journal groenlandais, écrit en langue esquimau. Depuis 1861, plusieurs périodiques ont déjà paru, bien que d'une façon irrégulière. Des manuels scolaires, brochures, circulaires et même des livres ont été imprimés sur les presses de ce journal. Une littérature indigène s'élabore lentement: sujets religieux et livres d'intérêt général.

Ces poneys sont petits et endurants. Leur poil et leur queue sont plus longs que ceux du cheval. Au cours d'une tempête ils tourneront le dos au vent et se serviront de leur queue comme de protection naturelle en la déployant sur leurs flancs. Ces poneys ont le pied sûr et portent leurs fardeaux à travers les champs de lave avec une adresse que pourrait envier même une mule. Lorsqu'un visiteur s'arrête à une ferme, il ne laissera jamais brouter ses poneys autour des bâtisses, ce qui serait considéré comme une manque de délicatesse, vu que chaque brin d'herbe est précieux dans ce pays aride.

Les jeunes Islandais de la génération actuelle sont plus ambitieux et ils émigrent assez nombreux en Amérique.

Pour les Esquimaux du Groënland les chiens «huskys» sont indispensables pour les traîneaux. En hiver, ils sont attelés à leurs traîneaux, non pas en ligne, mais de front, de crainte qu'ils ne cassent la croûte de surface et que le traîneau ne s'enfonce dans la neige molle du dessous.

Histoires d'Esquimaux

Au cours des nuits d'hiver, les Esquimaux s'occupent d'une façon pratique, fabriquant leurs vêtements et leurs armes avec les matériaux disponibles. En travaillant ils se content des histoires. En voici une qui a beaucoup de vogue : Un jour une vieille femme était en train de gratter une peau de loup pour la nettoyer. Un étranger s'approcha d'elle et lui demanda quelle sorte de peau elle nettoyait. Lorsqu'elle lui répondit que c'était une peau de loup il fit entendre un hurlement et se sauva «à quatre pattes,» car c'était un homme-loup. Le lendemain la vieille femme vit autour de sa hutte un grand rassemblement de loups, de renards et d'ours qui grognaient avec férocité. «Ah !» s'écria-t-elle, «entrez tous. Je suis en train de faire des confitures. Si vous voulez bien entrer dans ma hutte, vous pourrez y goûter.»

Cependant elle les trompa. Elle mit d'abord un pot d'eau à bouillir sur le feu. Ensuite elle mit du bois mouillé sur le brasier et boucha la cheminée de sa hutte de sorte que celle-ci fut bientôt remplie de fumée. Les animaux, aveuglés, toussant et étouffant, cherchaient dans leur affolement la porte de sortie. La vieille en profita pour saisir le harpon de son mari et les tuer l'un après l'autre. Elle obtint ainsi leurs peaux qui étaient d'une grande valeur.

Où le Soleil ne se Couche Pas

Le Groënland est une île vaste et inhospitalière, un désert de glaciers et de plateaux couverts de neige, dont la population, composée surtout d'Esquimaux, dépasse à peine 16,000. L'île a 800 milles de largeur par 1,700 de longueur, et est séparée, au nord-ouest, de la Terre de Grant, de la Terre de Grinnell et de la Terre d'Ellesmere par un mince détroit.

En hiver, lorsque la nuit arctique est descendue sur le nord, le Groënland devient une terre de silence, sauf pour le hurlement des vents sur les étendues désertiques. Mais pendant le court été de deux mois, même les régions dénuées d'arbres se transforment en tapis de fleurs sauvages dont il se peut que les graines aient été apportées par des oiseaux. Le soleil fait le tour du ciel sans jamais descendre au-dessous de l'horizon pendant 130 nuits.

A mi-chemin en bas de la côte occidentale, en face de la péninsule de Nugsuak, le touriste qui s'approche sur le bateau est charmé par le tableau que présentent les montagnes bleues s'élevant abruptement de la mer, tandis que les rochers de la côte se nuancent de rose, avec des striures de lichen gris-verdâtre où l'eider et l'hirondelle font leur résidence d'été. Au dessous, sur la mer agitée, des montagnes de glace détachées de la calotte intérieure flottent, verdâtres et étincelantes, entièrement submergées sauf pour leurs pics. De temps à autres les icebergs s'entrechoquent avec un tonnerre retentissant qui effraie les mouettes criardes. Les phoques, reluquant de gauche à droite, avec leur tête de petit chien, se reposent sur les rochers.

Champ de Glace Frangé de Fleurs

Ce n'est que sur la côte du sud que l'on trouve ce qu'on pourrait appeler des arbres. L'été la température atteint jusqu'à 46° au-dessus de zéro, et la terre dégèle sur une épaisseur de plusieurs pieds. Des bouleaux nains et des saules font un tapis vert et les coquelicots jaunes de l'Arctique brodent la lande moussue jusqu'à la calotte de glaces éternelles de l'intérieur.

Chose curieuse, la côte nord-ouest, de la Terre de Peary à la Terre de Washington, présente une large nappe d'eau presque entièrement libre de glaces flottantes, pendant l'été. Cependant les eaux de la côte est sont tellement agitées par des courants opposés que les icebergs s'entrechoquant menacent les vaisseaux.

La meilleure partie du Groenland est composée de quelques-unes des roches les plus anciennes que connaisse la science. A travers les époques géologiques, les invasions de la mer ont laissé des dépôts sur les bords submergés de l'ancien plateau. Dans ces sables et ces boues de divers âges, maintenant pétrifiés, nous lisons l'histoire des temps passés. En atteignant la côte les glaciers se fractionnent, formant les icebergs si redoutés des marins. Les plus gros peuvent s'élever jusqu'à quatre cents pieds au-dessus de la surface de l'eau, bien que les huit-neuvièmes en restent submergés. Au soleil ils apparaissent comme d'immenses vaisseaux de verre taillé, mais à mesure qu'ils approchent du golfe St-Laurent ils s'évanouissent peu à peu sous l'influence des mers plus chaudes.

Les Esquimaux du Groenland se trouvent surtout sur la côte. C'est une peuplade mongole, joyeuse et sympathique,

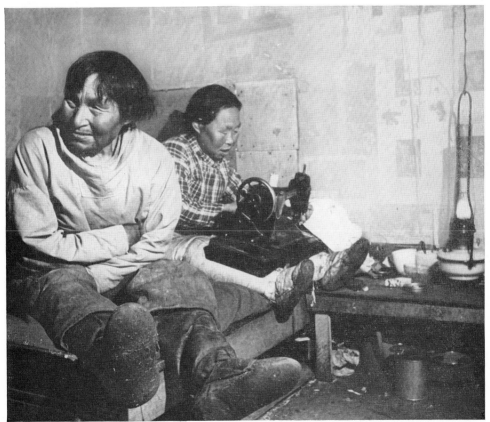

SERVICES D'INFORMATION DU DANEMARK

UNE MACHINE À COUDRE PORTATIVE REND SERVICE À CETTE MÉNAGÈRE
Les Esquimaux possèdent peu de confort, aussi une machine à coudre est-elle des plus appréciées. Pour cette femme, sa machine représente probablement sa possession la plus précieuse.

dont les hommes ont à peine plus de cinq pieds de taille. Leurs vêtements sont des fourrures et ils pêchent le phoque au moyen de harpons. Ils se nourrissent du gras de baleine et ils s'en enduisent le visage pour l'empêcher de geler.

La vie de l'Esquimau est une lutte constante pour obtenir de la nourriture. Il ne peut exister que là où il y a du gibier, et lorsqu'il en a tué autant qu'il peut en trouver dans une région, il s'en ira ailleurs. Au printemps les peuplades voyagent de place en place, chassant le phoque, le renne, les ours, les eiders, et à la venue de l'hiver arctique, elles s'en retournent à leur village. Leurs cases sont d'ordinaire bâties de pierres, et les murs en sont tendus de peaux de phoque. Un banc de pierre sert de lit, de l'herbe sèche de matelas, et des peaux servent de couvertures. Pour les fenêtres ils utilisent des membranes de phoque desséchées.

Les Esquimaux ont deux sortes de bateaux, l'un et l'autre fait avec des peaux de phoque tendues sur une charpente de bois. Le kayak est le bateau du chasseur, une embarcation gracieuse qu'il fait avancer avec un aviron à palette double. L'umiak, le bateau des femmes, est employé pour le transport des possessions domestiques à l'occasion des migrations printanières. Il faut le graisser tous les deux jours pour le conserver étanche.

Les Esquimaux comptent sur les phoques pour un grand nombre de choses, et les chassent avec beaucoup d'adresse. Lorsque la glace d'hiver se forme sur la mer, les phoques y pratiquent des trous pour respirer. L'Esquimau, ayant trouvé un de ces trous, attend patiemment avec sa lance que le phoque y reparaisse. L'attente dure souvent plusieurs jours, car il se peut que le phoque ait un grand nombre de ces trous disséminés sur une grande étendue. Mais tôt ou tard il revient, et dès qu'il apparaît l'Esquimau le perce de sa lance.

Au printemps la chasse se fait autre-

MONKMEYER

UN TABLEAU DIGNE DE ROSA BONHEUR

Les poneys islandais appartiennent à une race réputée, de lignée celtique, semblable à celle que l'on trouvait autrefois dans le nord de l'Irlande et dans les Nouvelles-Hébrides. Petits, mais vigoureux, ils sont ordinairement d'un jaune terne. On les emploie le plus souvent au transport des marchandises dans ces terres accidentées.

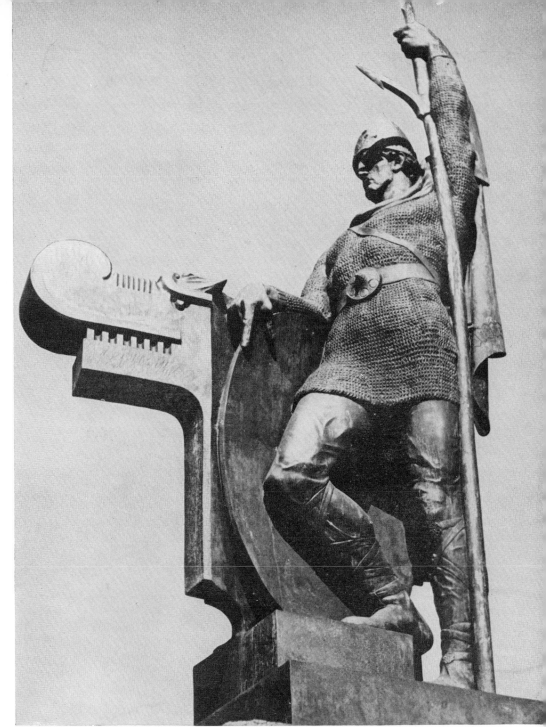

LA STATUE D'UN HARDI NAVIGATEUR NORVÉGIEN

A Reykjavik, la capitale de l'Islande, s'élève la statue colossale de Leif Ericson, fils d'Eric le Rouge, découvreur du Groenland. Se dirigeant vers l'ouest, Leif aurait découvert, au commencement du XIe siècle, le continent nord-américain, à un endroit qu'il nomma «Terre des vignes» à cause de la profusion de vignes qu'il y trouva.

UN PORT DE PÊCHE EN ISLANDE

La pêche est une des principales industries en Islande, où une grande partie de la population en tire sa subsistance. La morue et le hareng constituent les principales prises, et on produit une grande quantité d'huile de hareng. Les Islandais fabriquent les agrès de pêche et les caisses et barils qui servent à l'expédition des produits de pêcheries.

DES SERRES CHAUFFÉES SANS FRAIS

L'activité volcanique joue une part importante dans l'histoire et le progrès de l'Islande. L'île est parsemée de geysers et de sources d'eau chaude, et bien qu'une grande partie de l'énergie hydraulique ne soit pas encore captée, les serres sont chauffées par les eaux souterraines. On y cultive aujourd'hui fleurs, fruits et légumes, inconnus autrefois dans cette région.

UNE JEUNE FIANCÉE ISLANDAISE

La robe de noce de cette jeune Islandaise a de délicates broderies en fils d'or, qui s'harmonisent avec sa ceinture et son bracelet serti de pierres fines. La jeune épouse ne porte pas le nom de son mari comme c'est l'usage dans la plupart des pays. En effet, les noms patronymiquesn' ont pas en Islande la même importance que dans les autres contrées.

ment, car les phoques viennent dormir sur la glace. Cependant ils craignent tellement les ours blancs qu'ils ballotteront longtemps sur l'eau avant de monter sur la glace pour y dormir. C'est alors que l'Esquimau se met à l'œuvre. A plat ventre, sa lance dissimulée, il rampe vers sa proie. Le phoque soupçonneux dresse la tête. Aussitôt le chasseur imite les mouvements d'un phoque avançant sur la glace, et si son imitation est bonne, il réussira à tromper l'animal et s'en approcher suffisamment pour le transpercer de sa lance.

Les vêtements des Esquimaux sont faits avec les peaux de divers animaux, et les femmes comme les hommes portent des pantalons de peau de phoque. Dans les districts plus civilisés les femmes portent de longues blouses d'étoffe importée. Elles portent leurs bébés dans des capuchons suspendus à l'arrière de leur tunique.

La Plaie des Moustiques

La grande plaie du Groënland, en été, ce n'est ni les loups ni les ours, mais les moustiques qui s'élèvent en nuées des marais pour torturer hommes et bêtes. Un jour les hurlements d'un ours attirèrent l'attention d'un groupe de chasseurs. Ils constatèrent que le museau, les yeux et les oreilles de l'animal avaient été piqués à tel point par ces insectes qu'il lui fallait ouvrir la bouche pour respirer. Il eut alors la langue et la gorge si sévèrement attaquées qu'elles enflèrent et l'ours mourut suffoqué. Les blancs portent sur la tête une gaze fine pour se protéger le visage.

Le Groënland fut probablement découvert aux environs de 900, et son parlement date de 1000. Lorsque Eric le Roux, qui s'y rendit de l'Islande, en vit l'éphémère végétation estivale, il décida un groupe de ses compatriotes à y amener des bestiaux et y établir une colonie, en 985 ou 986. (L'on voit encore les ruines de cette colonie, qui dura 400 ans.) En 1261 la République du Groënland s'annexa volontairement au royaume, alors puissant, de la Norvège, mais les premiers colons avaient péri. Ces intrépides hommes du Nord avaient établi plusieurs villes, et à Harjolfsnes, l'une des plus importantes agglomérations, il y avait une cathédrale et

plusieurs monastères. Les colonies faisaient un commerce florissant avec l'Europe, et il est rapporté qu'elles fournirent une grande quantité d'ivoire de morse aux Croisés.

Hommes du Nord au Groënland

Toutefois, vers 1300, le Groënland semble avoir subi des changements climatériques. Le pays devint plus froid et les glaces de la côte se firent plus épaisses. En même temps le trafic maritime de la Norvège déclinait. Dès le début du XVe siècle les établissements furent abandonnés à leur sort. Les Esquimaux descendaient vers le sud à la suite des phoques, et les blancs furent maintes fois en conflit avec ces nouveaux venus.

L'on a trouvé, dans les tombeaux de Harjolfsnes, une grande quantité de vêtements dont aucun ne date plus tard que du XVe siècle, ce qui semble indiquer que cette période marque la fin des colonies norses du Groënland. On ne sait rien de la façon dont elles disparurent, mais à la lumière des faits connus l'on peut conjecturer que les groupements de plus en plus faibles finirent par être écrasés.

Relations avec le Danemark

En 1721, un missionnaire danois, Hans Egede, amena au Groënland un groupe de colons du Danemark qui s'établirent en villages le long de la côte occidentale et firent le commerce avec leur pays d'origine. Le Groënland est aujourd'hui la seule possession coloniale du Danemark. Les premières données dont on se servit pour faire la carte de la côte septentrionale furent fournies par l'explorateur danois Knud Rasmussen et par l'amiral Peary de la Marine américaine. En 1888 Fridtjof Nansen explora les glaces intérieures en raquettes. Il fut le premier à réussir cet exploit. Aujourd'hui les aviateurs peuvent obtenir une vue à vol d'oiseau de régions intérieures que l'on franchissait auparavant par étapes pénibles avec traîneaux et chiens. En somme, c'est un pays inhospitalier, et le groupement le plus considérable, Sydproven, a moins de mille habitants.

Le Groënland a été le théâtre de maintes expéditions scientifiques. L'expédition du

UNE VESSIE GONFLÉE, attachée à un harpon, fait flotter un phoque mort.

UNE ÉGLISE MODERNE pour les Esquimaux à Kanak, Groenland.

HOLSTEINSBORG, port de pêche du Groenland sur le détroit de Davis. La ville est aussi un centre de construction navale de petits vaisseaux.

UNE CAPITALE AU SOMMET DU MONDE

La ville côtière de Reykjavik, la capitale de l'Islande, est située sur la Faxafloi. Bien que près du cercle arctique, Reykjavik jouit d'une température moyenne d'environ 40° F. Le grand nombre de sources volcaniques compensent le manque de combustible. L'eau bouillante est amenée par des conduites jusqu'à la ville pour chauffer les maisons, les bureaux et les serres.

UN CHAMP RECOUVERT DE POISSON SÉCHÉ

On se sert des champs aux abords de Reykjavik pour faire sécher le poisson et le saler. La pêche à la morue est une des principales industries du pays. Les hommes pêchent et les femmes préparent le poisson. Elles l'ouvrent, le nettoient et le font sécher au soleil. Le soir, elles le remettent en tas, le couvrent et le remettent à sécher le lendemain.

UNE PLACE QUI A VU PASSER BIEN DES GÉNÉRATIONS

Ce petit square de Reykjavik présente une étude des mœurs changeantes de l'Islande. Le costume de la femme au premier plan est typique des anciennes générations; il présente un contraste frappant avec celui sans façon de la femme plus au fond. Plus d'un tiers de la population de l'Islande habite Reykjavik, qui fut fondée dès 877 par des Vikings norvégiens. Jusqu'à l'Union de Kalmar en 1397, l'Islande resta soumise à la Norvège et devint ensuite possession danoise.

LE THINGVELLIR, la plaine du Parlement, près de Reykjavik. Là, en 930 se réunit l'Althing (Parlement) et, en 1944, fut proclamée la république.

PAR UN BEL APRÈS-MIDI, filles et garçons de Reykjavik se livrent au patinage. Le nom de la ville veut dire: baie des fumées, à cause de sources chaudes.

84

LA SKAGAFOSS. Foss signifie cascade. Les torrents, nombreux en Islande, sont souvent interrompus par des cascades d'un grand effet scénique.

SEYDISFIORDUR, VILLAGE DU NORD-EST DE L'ISLANDE, SE TROUVE A L'ENTRÉE DU FIORD DE SEYDIS

Ce minuscule port de pêche est le point terminus du câble qui relie l'Islande et le Danemark. Le village, qui se trouve dans une région peu habitée, a moins de mille habitants. Il est situé près du cercle arctique et la venue de l'été apporte trois mois de jours sans nuits. L'hiver, à son tour, amène trois mois d'obscurité complète. Des toits de fer ondulé préservent les habitations du froid pendant les longs mois d'hiver lorsque la neige ne fond jamais. A ce moment-là, presque tout le trafic est arrêté, en dehors de quelques traîneaux qui affrontent la neige épaisse.

Lady Franklin Bay périt de faim au cap Sabine au printemps de 1884 parce que le navire de ravitaillement avait été écrasé par les glaces. L'expédition arctique Macmillan de 1923–24 y érigea un monument commémoratif.

Le Danois L. Mylius-Ericksen explora, en 1907, 800 milles de côte, atteignant le Cap Nord-Est, d'où il se rendit ensuite vers l'ouest, à ce qui est aujourd'hui le fiord du Danemark, et au-delà, en passant par le chenal qui fait de la terre de Peary une île. Par suite de la faim et des ténèbres, il périt après avoir parcouru 160 milles sur la glace pour se rendre à son vaisseau, comme le prouve son journal qu'on retrouva par la suite.

La possibilité d'une guerre globale a rehaussé encore l'importance du Groenland au cours des dernières années. Par avion, le chemin le plus court de New-York au nord de l'Europe touche cette grande île. Les fiords du Groenland, lorsqu'ils sont libres de glaces, forment d'excellents refuges pour les bâtiments patrouilleurs. Pendant la deuxième guerre mondiale, les Etats-Unis envoyèrent des troupes au Groenland pour y parer à toute possibilité d'attaque, et pour rechercher les aviateurs en détresse. Ils y établirent aussi des stations météorologiques et des pistes d'aterrissage.

Suivant les clauses du traité conclu avec le Danemark en 1941, les Etats-Unis lui rendirent le Groenland à la fin de la guerre. Par suite de l'accord de 1951, les bases établies par les Etats-Unis ont été rendues au Danemark mais en cas de guerre les membres du Pacte de l'Atlantique sont chargés de leur défense. Le brouillard et les icebergs n'empêchent plus les navires et les avions d'accéder à l'Islande et au Groenland. Ces deux contrées sont aujourd'hui des étapes normales entre les deux continents, des sentinelles dans le nord de l'Atlantique.

L'ISLANDE ET LE GROENLAND: RÉSUMÉ STATISTIQUE

L'ISLANDE

Ile de l'Atlantique nord; une des régions les plus volcaniques du monde. 298 milles de long sur une largeur de 194 milles; périmètre 3,730 milles. Superficie, 39,770 milles carrés; population, 155,000. Par l'Acte de l'Union, l'indépendance de l'Islande fut reconnue en 1918. Le Danemark et l'Islande restaient unis par les liens de «l'Union personnelle» et le Roi de Danemark exerçait de pouvoir exécutif. En 1944, à la suite d'un referendum, l'Islande se détacha entièrement du Danemark, et le 17 juin de la même année, la république fut officiellement proclamée. L'Islande possède un Conseil de ministres. Son parlement de deux chambres, l'Althing, compte 52 membres, élus au suffrage universel. Existant depuis plus de mille ans, l'Althing est la plus ancienne assemblée parlementaire du monde. Les hommes et femmes âgés de 21 ans ont le droit de vote.

Les six-septièmes du pays sont improductifs et moins d'un quart pour cent est cultivé. Les récoltes sont le foin, les pommes de terre et les navets. L'industrie principale est la pêche. La filature et le tissage de laine sont importants. Les exportations sont le bétail, la laine, les produits de la pêche (morue, huile de poisson, hareng et saumon), le duvet et les articles de laine; les importations sont les céréales, la farine, le café, le sucre, la bière, les vins, le tabac, les articles manufacturés, les objets en fer et en métal, le bois, le sel et le charbon. Il n'y a pas de chemin de fer mais il y a 3,800 milles de routes carrossables et un aérodrome à Keflavik desservi par les compagnies internationales. Unité monétaire: le krona. L'Eglise luthérienne est la religion d'Etat. L'éducation est obligatoire de 7 à 15 ans. Il y a une université à Reykjavik et plusieurs écoles professionnelles. Reykjavik, la capitale, 60,000; Akureyri, 7,000; Hafnarfjordur, 5,500; Vestmannaeyjar, 4,000.

LE GROENLAND

Possession coloniale du Danemark, presque entièrement au dedans du Cercle Arctique. Sa superficie est de 840,000 milles carrés, dont seuls 122,036 milles carrés ne sont pas recouverts par les glaces pendant toute l'année. La population est de 24,800 hab., pour la plupart des Esquimaux. Elle est administrée par un gouverneur qui préside un conseil colonial. Le commerce est un monopole du Danemark. Principales exportations: morue salée, huiles de baleine et de poisson, peaux. Il y a des gisements de plomb, de cuivre, d'uranium et de graphite. Les plus importants gisements de cryolite, dont on se sert pour faire l'aluminium, sont dans le Groenland. Capitale: Godthaab, population environ 1,000 habitants.

LES ENSEIGNES des boutiques représentent un des arts du
peuple danois. Si vous aimez
la pâtisserie, cherchez une enseigne qui montre un gâteau
surmonté d'une couronne.

DES ÉTUDIANTS prennent
des croquis d'une statue à la
Glyptothèque Ny Carlsberg,
à Copenhague. On y voit une
belle collection des œuvres de
Rodin, grand sculpteur francais.

EWING KRAININ
D. FORBERT

LES SPECTACLES du Ballet Royal du Danemark sont reçus partout avec enthousiasme. Doués d'une technique superbe, ces danseurs donnent à chaque représentation un caractère particulier.

PAYS de contes de fée—une boutique pittoresque près de l'endroit où naquit Hans Christian Andersen, à Odense. Dans ce quartier, on se croit transporté dans un lieu enchanteur.

89

Le Danemark

*...le plus ancien
royaume d'Europe*

LE Danemark moderne s'intègre de plus en plus à la communauté européenne. Comme beaucoup d'autres pays, les Danois ont découvert qu'un nationalisme étroit constituait un handicap. L'Europe occidentale, divisée en plusieurs petites unités, a besoin d'un transit libre des marchandises, des matières premières à travers les frontières nationales. Les Danois, peuple hardi, bien organisé et versé dans les arcanes de la politique européenne l'ont

HENRI CARTIER-BRESSON, MAGNUM

DANS LE PARC DE TIVOLI, à Copenhague, cet artiste des rues a un nombreux public qui le regarde faire le portrait d'un client.

ge, la Suède et la Finlande sont encore plus étroits. Entre ces pays, il y a liberté entière d'accès ; on n'exige aucun passeport. Un citoyen d'un de ces pays peut travailler dans un autre sans difficulté. Un Danois peut même toucher sa pension à Stockholm s'il le faut, les systèmes d'assurances sociales entre les quatre pays étant réciproques. Le Conseil nordique se réunit annuellement pour la mise au point d'entreprises scandinaves conjointes—financières, culturelles ou politiques. Un exemple marquant de cette étroite collaboration est le SAS (la Compagnie aérienne scandinave), qui se classe parmi les cinq compagnies aériennes les plus importantes au monde.

Au Danemark, les lois sociales déjà très avancées, ont encore été élargies. En 1957, un des systèmes d'allocations les plus généreux au monde fut mis en vigueur, en faveur des personnes âgées. Depuis lors, le gouvernement alloue de 10 à 15 pour cent du budget national aux services de la santé publique et du bien-être social. Une Danoise malade a droit aux services d'une bonne. Le gouvernement paye de 50 à 75 pour cent du loyer d'un ouvrier peu rémunéré qui habite une maison subventionnée. Le Danemark a ainsi assuré ses citoyens contre les hasards de la vie. Tous, cependant, n'approuvent pas cette politique. «Il semble maintenant que la vie soit une préparation à la vieillesse», a déclaré le rédacteur en chef d'un journal. Mais ceci n'empêche pas les Danois d'être gais comme par le passé.

Copenhague est une métropole dynamique et animée d'effervescence intellectuelle. Elle possède huit théâtres privés et deux subventionnés. Ces derniers offrent des spectacles les plus variés : opéra, théatre, ballet, etc. . . . Les Danois sont très fiers de leur Ballet royal qui jouit d'une réputation internationale.

Les écrivains danois font aussi l'orgueil du pays. Hans Christian Andersen est un héros national ; il est célèbre dans le mon-

compris. Le Danemark fait donc partie de l'OTAN et de l'OECE (Organisation européenne de coopération économique) depuis la Deuxième Guerre mondiale. Il fait aussi partie de l'Organisation européenne d'énergie nucléaire, d'Eurovision (le réseau européen de télévision) et du Marché libre, le groupe des sept qui comprend le Royaume-Uni, la Norvège, la Suède, l'Autriche, la Suisse et le Portugal.

Les liens du Danemark avec la Norvè-

PRÉPARATION DES MEULES DE FOIN à Fyn (Funen), deuxième des îles danoises par sa grandeur, île basse et fertile qui produit du beurre et du fromage.

JARDIN DE BANLIEUE. Les citadins possèdent très souvent un petit cottage entouré d'un gentil jardin à la campagne et ils vont y passer l'été.

LA RÉCOLTE des betteraves. Recouvertes de terre, elles seront conservées jusqu'à l'hiver quand elles serviront de nourriture au bétail.

ATELIER DE POTERIE.
La poterie de grès de Saxbo est un bel exemple de l'industrie des céramiques au Danemark. On y voit des dessins anciens à côté des plus modernes, créés par des artisans réputés.

93

de entier. Plusieurs autres écrivains, dont plusieurs ont remporté le prix Nobel, jouissent d'une grande notoriété. Isak Dinesen est renommée pour ses nouvelles des plus subtiles.

La culture tient une place importante dans la vie nationale. Le système éducatif, surtout dans les écoles secondaires, met l'emphase sur l'enseignement humaniste. Deux des brasseries les plus célèbres du Danemark—Tuborg et Carlsberg—appartiennent en partie à des institutions qui utilisent une grande part de leurs bénéfices à la subvention de travaux artistiques et scientifiques, tels que ceux de Niels Bohr, le physicien titulaire du prix Nobel.

L'habileté des Danois dans les travaux d'artisanat trouve maintenant son emploi dans l'industrie. En raison de la dimension de leur pays, les Danois ne peuvent espérer faire concurrence aux grands trusts industriels anglais et américains. C'est pourquoi ils se spécialisent dans certaines industries, telles que les instruments chirurgicaux et scientifiques, les accessoires de radio et de télévision, les produits pharmaceutiques. Ces industries insufflent une vie nouvelle à l'économie.

Les Danois, d'excellents fermiers

L'agriculture joue un rôle important au Danemark. Considérés depuis longtemps comme les fermiers les plus efficaces du monde, les Danois se surpassent eux-mêmes. Une mécanisation intensifiée et des recherches profondes ont accru le rendement de la production agricole. La production de la viande, du bacon et des œufs a progressé de 15 à 20 pour cent au cours des derniers vingt ans. La prospérité danoise demeure néanmoins instable, puisqu'elle dépend des conditions économiques à l'étranger. Le prix des matières premières que les Danois doivent importer pour leurs nouvelles industries doit demeurer bas, de même que les tarifs étrangers sur les exportations agricoles du Danemark. Ces exportations jouent un rôle de premier plan, c'est pourquoi les Danois travaillent toujours avec un œil fixé sur la politique de tarifs de Londres et de Washington. Jusqu'à présent, les Danois n'ont pas trop mal réussi.

Le Danemark a les paysages les plus souriants de tous les pays scandinaves. Des vaches brunes ou pie, des fermes blanches et rouges, des églises blanchies à la chaux égayent sa verdoyante campagne; ses coquets jardins, ses bosquets au bord des anses bleues et des plages sablonneuses caressées par la brise créent une atmosphère de contes de fées et d'harmonieuse quiétude.

De nombreuses découvertes et fouilles indiquent que le Danemark a été habité depuis au moins quatre ou cinq mille ans et peut-être depuis beaucoup plus longtemps. La position géographique du pays à l'entrée de la mer Baltique, une des plus anciennes voies commerciales de l'Europe, remontant aux temps préhistoriques, y favorisa une colonisation rapide. Le Danemark est l'état le plus ancien de l'Europe; il formait déjà un royaume au huitième siècle de notre ère.

Le Danemark comprend une péninsule et 493 îles et îlots au relief assez plat. La colline la plus élevée n'a que six cents pieds d'altitude. La mer est le lien naturel entre les différentes parties du pays, ce qui explique que les Danois furent des navigateurs dès le début de leur histoire. Ils parcoururent les mers et conquirent les pays environnants. Les Angles et les Saxons, qui colonisèrent l'Angleterre jadis, étaient originaires d'Angeln qui était alors la région la plus méridionale du Danemark.

La lutte pour la Baltique

La Baltique était presque un véritable lac danois au treizième siècle. Toutefois, peu après, la suprématie danoise fut disputée tout d'abord par les villes allemandes de la Ligue hanséatique et plus tard par les Hollandais et les Suédois. La lutte avec la Suède pour la domination des pays scandinaves se poursuivit par intermittence pendant plusieurs siècles. Elle amena la perte définitive de l'emprise danoise sur la péninsule scandinave—les provinces de Skaane, Halland et Blekinge —qui constituent aujourd'hui l'extrémité sud de la Suède, mais qui firent partie du Danemark jusqu'en 1658.

Le Danemark n'est plus une puissance navale, mais les Danois demeurent un peuple de marins. Les détroits danois sont parmi les routes maritimes les plus fréquentées du monde. Environ la moitié du commerce extérieur du Danemark, qui est le plus considérable du monde par rapport à la population, s'effectue sur des navires danois. Presque tout le trafic entre les différentes parties du Danemark et des pays voisins se fait sur des bateaux à vapeur ou à moteur et des traversiers transbordeurs. Le Danemark possède aussi d'excellents réseaux ferroviaire et routier. Le véhicule national est la bicyclette. Cependant, par rapport à sa population, le Danemark possède plus d'autos par capita que tout autre pays d'Europe, exception faite de l'Angleterre et de la France. Au Danemark se trouvent deux des plus longs ponts du monde—un de 10,534 pieds, qui va de Zélande à Falster, l'autre de 3,860 pieds, qui franchit le détroit du Petit Belt et relie le Jutland à l'île de Funen.

Une ville aux tours magnifiques

La plupart des voyageurs qui se rendent au Danemark arrivent à Copenhague par bateau, par avion, par train ou par traversier. Copenhague, la capitale, est la plus grande ville des pays scandinaves. A cause de son havre bien abrité, situé sur un petit détroit entre les îles de Zélande (Sjaelland en danois) et d'Amager, elle devint rapidement le centre de navigation le plus important de toute la région de la Baltique. Ce n'est pas sans raison que son nom (Kobenhavn en danois) signifie «le havre des marchands». L'aéroport de Kastrup est l'un des centres aériens les plus actifs du continent.

Les Danois appellent leur capitale la ville «aux belles tours». Toutefois, les gracieux clochers de style Renaissance hollandaise et autres styles ne sont pas sa seule beauté. Copenhague est une ville exceptionnellement intéressante. C'est un véritable musée des architectures les plus diverses, depuis l'édifice de la Bourse construit entre 1619 et 1640, avec sa tour curieuse formée par les queues entrelacées de quatre dragons se tenant sur la tête, jusqu'à l'édifice moderne de la radiodiffusion. La vieille ville a de nombreuses rues étroites et des canaux pittoresques; aux abords on voit d'intéressants essais d'urbanisme du vingtième siècle. Copenhague possède de nombreux parcs et dans chacun d'entre eux se trouve une exposition permanente de sculpture. La petite sirène d'Eriksson, qui représente un personnage des contes d'Andersen, est une des plus jolies statues. Située dans le parc de Langelinje, sur une roche au bord de la mer, elle contemple le va-et-vient des navires. Tivoli, le célèbre parc d'attractions, attire les visiteurs de toute la Scandinavie.

On appelle souvent Copenhague le Paris du Nord et elle est sans doute la ville la plus gaie de la Scandinavie. De tous les pays voisins, les visiteurs viennent pour assister à son opéra, voir ses célèbres ballets, entendre ses concerts et ses pièces de théâtre. Les Danois savent jouir de la vie et à Copenhague on les verra s'adonner à un art qu'ils possèdent à fond—celui de se distraire pendant de longues heures de loisir tout en maintenant un certain degré de decorum. Copenhague offre également aux gastronomes d'innombrables occasions de

LES JARDINS DE TIVOLI au cœur de Copenhague. Ils ont été inaugurés en 1843. On y donne des concerts, de la pantomime et des ballets. On y trouve aussi des restaurants et des buvettes.

déguster les spécialités du pays notamment les tartines ou *smorrebrod* qui plaisent à l'œil autant qu'au palais et dont un restaurant réputé offre 172 variétés.

Fondée au douzième siècle, Copenhague est la résidence royale et la capitale nationale depuis plus de cinq cents ans. C'est aussi la plus grande ville industrielle de la Scandinavie; quarante-trois pour cent de sa population active est employée dans l'industrie ou dans les travaux d'artisanat. Les principales industries sont celles de l'acier, des machines, de la construction maritime, des textiles, de la confection et de l'alimentation. Ces industries fournissent non seulement les deux tiers des produits nécessaires à la consommation intérieure mais produisent aussi pour l'exportation, employant des matières premières et des produits mi-ouvrés importés. Le commerce d'exportation si prospère du Danemark est dû en partie à l'excellente qualité des produits danois et en partie aux avantages qu'offre le port de Copenhague. Celui-ci est en effet le plus grand et le plus moderne de toute la Scandinavie et de la Baltique; c'est un port libre de vingt et un acres et demi. C'est ainsi que le Danemark se défendit contre la concurrence que lui faisait la construction du canal de Kiel.

Le Danemark se remet au travail

Après la deuxième guerre mondiale, l'industrie danoise fut rapidement rétablie grâce au fait que la reddition allemande eut lieu avant que les Allemands ne puissent détruire les usines danoises. Aussitôt que les matières premières arrivèrent de l'étranger, les usines danoises se remirent au travail. La production industrielle qui, en mai 1945, était à 23 pour cent du niveau d'avant-guerre, s'éleva à 100 pour cent en mai 1945 et à 168 pour cent en octobre 1951.

Bien que Copenhague soit la seule grande ville, il y a plusieurs autres villes de caractère original et pittoresque sur l'île de Zélande. La plus connue à l'étranger est Elseneure (Helsingor en danois) rendue célèbre par Shakespeare. Ici, sur le site même où il a situé le drame d'Hamlet, on représente chaque année la vie tragique du sombre prince danois. Le spectacle en plein air a lieu dans les murs mêmes du château de Kronborg que l'on dit hanté par le fantôme du père d'Hamlet. Ce joyau d'architecture de la Renaissance hollandaise est aujourd'hui un musée du glorieux passé du Danemark. Mais pendant quatre siècles, de 1425 à 1855, c'est dans ce lieu que les Danois percevaient les droits de passage des navires qui franchissaient les détroits. A ce point, le détroit est à peine plus large qu'un fleuve, et autrefois, selon la tradition en usage, ces droits étaient levés sur le passage dans les eaux territoriales danoises. Lorsque les rives orientales du détroit firent partie de la Suède en 1658, le passage devint moitié danois et moitié suédois. Cependant les Danois continuèrent pendant deux cents ans à percevoir ces droits qui représentaient le revenu le plus important de

LA PETITE SIRÈNE

De son rocher, la petite sirène, personnage d'un conte d'Andersen, contemple la mer.

la couronne danoise. Finalement les compagnies de navigation américaines déclarèrent qu'elles n'accepteraient plus cette intrusion d'un autre âge à la liberté des mers, et les droits de passage furent définitivement abolis par une convention internationale.

En se dirigeant à l'ouest de Zélande, on franchit un autre détroit danois. De grands traversiers transbordent les trains rapides de Copenhague au Jutland et au continent à travers le Grand Belt (Storebaelt en danois) en moins d'une heure et quart. Après avoir quitté la Zélande, on traverse l'île de Funen (Fyn en danois) qui est encore plus féerique que le reste du pays. On y voit des châteaux du moyen âge et de la Renaissance, des villes de contes de fées et des villages aux maisons basses, aux chaumières blanchies à la chaux où des cigognes nichent sur les toits de chaume, et aux rues pavées et tortueuses. Hans Christian Andersen naquit à Odense sur cette île. La maison où il vécut est conservée intacte et sert de musée ; c'est un des endroits les plus

DU POISSON FRAIS! UNE MARCHANDE DE MARÉE À COPENHAGUE

Copenhague, jadis un simple village de pêcheurs, conserve son aspect d'autrefois au marché au poisson qui se tient sur la Gammel Strand. Au fond, on aperçoit le beffroi de l'église Saint-Nicolas.

LA DEMEURE D'UN PRINCE DE LA TRAGÉDIE

Le château de Kronberg, où Shakespeare a situé son «Hamlet,» se trouve à Elseneure, port de l'île danoise de Seeland. Cet édifice de style gothique et byzantin remonte à l'année 1508.

visités par les touristes. Le nom de la ville indique qu'elle existait déjà à l'époque du paganisme car il y avait un autel dédié à Odin. Aujourd'hui, cette ville qui a conservé un grand nombre des vestiges des temps passés est devenue la troisième ville du Danemark. Son développement est dû en grande partie à ses importants chantiers maritimes. Bien qu'elle se trouve à l'intérieur des terres, un canal de 15 milles la relie à la mer.

Le troisième détroit, le Petit Belt (Lillebaelt), à peine plus large qu'une rivière moyenne, sépare ce «jardin du Danemark» de la péninsule déchiquetée du Jutland. Le Jutland est en un sens l'épine dorsale de la nation; il se projette dans la mer comme une barrière naturelle protégeant les îles danoises contre les ouragans de l'ouest et des grosses vagues de la mer du Nord.

On trouve aussi des villes pittoresques sur le Jutland, comme Aebeltoft et Ribe, localités qui paraissent sommeiller depuis des siècles. Par contre, la ville moderne d'Esbjerg, la plus jeune du Danemark, est une preuve vivante de la ténacité des Jutlandais. Esbjerg, le seul port sur l'inhospitalière côte occidentale, fut construit

après que les duchés de Schleswig et de Holstein furent annexés par l'Allemagne en 1864 et que le port méridional de Husum sur la mer du Nord fut devenu territoire étranger. Aujourd'hui, avec ses quatre milles de quais, Esbjerg est le principal centre d'exportation du Danemark. C'est ici que les cargos viennent charger le beurre, le lard, les œufs et le fromage des fermes plantureuses du Jutland pour les transporter en Angleterre en France et aux marchés d'outre-mer. Esbjerg est également le centre de la flotte de pêche de haute mer qui, par un service de camionnage, fournit le poisson frais aux grandes villes du nord de l'Allemagne.

C'est sur la côte orientale du Jutland, plus accueillante et plus typiquement danoise, que se trouvent les ports d'Aarhus et d'Aalborg. Tous les deux sont des centres commerciaux et industriels importants qui ont toutefois conservé les monuments et les traditions de leur passé historique. Aarhus est la deuxième ville du Danemark. Elle possède un musée unique au monde, la soi-disant «Vieille Ville» avec ses curieux édifices anciens. Certains se trouvent sur leur site d'origine et d'autres ont été transportés à Aarhus de tous les

LES FOURS OÙ SE CUIT LA PORCELAINE DANOISE

Les vases et les figurines de porcelaine que produisent les céramistes danois sont connus dans le monde entier. Leur fini impeccable est le résultat de l'expérience acquise par des générations d'artisans. La Manufacture royale de porcelaine a été fondée en 1775. Les couleurs de la porcelaine danoise se tiennent dans les bleus gris et les blancs crème.

SERVICES D'INFORMATION DU DANEMARK

LA PRODUCTION DU FROMAGE AU DANEMARK

Bien qu'un petit pays, le Danemark est un des plus grands producteurs du monde de produits laitiers; sa production annuelle de lait est énorme. On en fait un beurre renommé qui est une des principales exportations du pays. On fabrique également du fromage, mais on en exporte moins. Les Danois sont eux-mêmes friands de fromage et en font une grande consommation.

coins du pays et reconstruits de telle façon que l'atmosphère d'un ancien centre urbain a été fidèlement conservé. A Lyngby, près de Copenhague, il existe un musée semblable où l'on voit d'anciennes fermes.

Comme bien d'autres régions le Jutland avait souffert du déboisement pendant le moyen âge, lorsque les rois danois avaient besoin de flottes importantes pour assurer leur suprématie navale sur la Baltique. Lentement, mais de manière irrésistible, les forêts de chênes majestueux firent place aux landes couvertes de bruyère pendant que les vents d'est, qui prédominent dans la région, en arrachaient la couche arable. Au XIXe siècle, la lande menaçait d'envahir les terres en culture et même les villes. Lorsque les provinces si riches du Schleswig et du Holstein furent enlevées au Danemark en 1864, on songea au conseil d'E. Dalgas: «Il faut trouver sur nos propres terres ce que nous avons perdu à l'étranger.» A partir de 1866, on commença sur une grande échelle à enrayer les empiétements de la lande, à reboiser et à remettre en culture les régions incultes. C'était un travail d'Hercule car on ne connaissait pas encore les exca-

vateurs, les tracteurs, les extirpateurs et les nivelleuses. Pour entamer la croûte d'argile durcie, il fallait utiliser la pelle et la pioche. Cependant, tous ces efforts ne furent pas vains. Plus d'un million et demi d'acres furent remis en état et reboisés pour rendre à la terre un peu de son humus. Ces terrains furent ensuite convertis en pâturages ou en cultures.

Là et ailleurs, le Danemark a offert à ses cultivateurs des terrains plus pauvres que la moyenne mais, en quelques générations, ils ont posé sur cette terre ingrate les bases d'une exploitation agricole comme il y en a peu au monde.

Pendant l'hiver de 1881-82, plusieurs cultivateurs étaient réunis dans l'auberge d'Olgod, à vingt milles au nord d'Esbjerg, pour y délibérer sur leur situation. Il y avait à peine dix ans, l'expédition régulière de blé en Angleterre leur fournissait les moyens de bien vivre. Cette période débuta en 1846 quand l'Angleterre abrogea ses lois de protection sur le commerce des céréales. Depuis quelques années, les progrès dans les moyens de transports, océaniques et chemins de fer, permettaient à l'Angleterre d'importer des Etats-Unis,

LA MAISON D'ANDERSEN

Odense est célèbre comme le lieu de naissance d'Hans Christian Andersen, immortalisé par ses contes de fées. La maison où il est né est à présent un musée consacré à son souvenir.

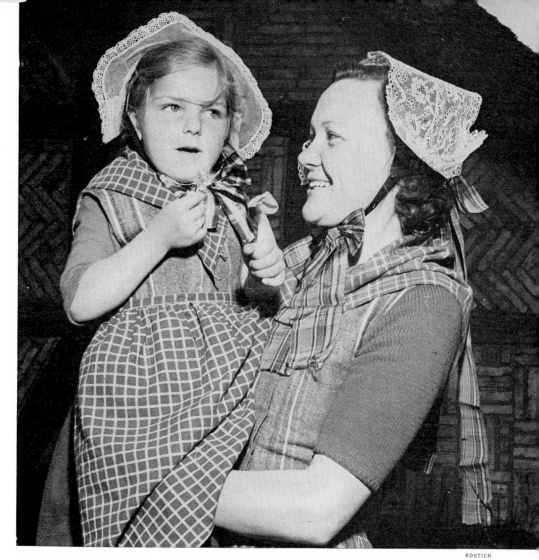

LES COSTUMES D'AUTREFOIS

Au musée en plein air de Lyngby, près de Copenhague cette jeune fille et cette enfant posent pour les visiteurs. Elles portent les pittoresques costumes danois d'une époque révolue.

de l'Argentine et de la Russie des céréales à bon marché. Les prix étaient tombés et l'agriculture danoise, basée sur un seul produit, était menacée de la ruine. Pendant cette soirée d'hiver à l'auberge d'Olgod, un jeune homme prit la parole et tous l'écoutèrent. Ce jeune employé de laiterie avait eu l'idée suivante: «Si l'on ne peut plus vendre de céréales aux Anglais avec profit, dit-il, pourquoi ne pas essayer un autre produit, tel le beurre par exemple.» Il avait imaginé une méthode d'exploitation qui permettait au petit producteur de vendre ses denrées sur le marché international tout comme les grandes laiteries. Il suffisait que les petites laiteries s'associent pour exporter leur beurre à l'étranger. Une autre laitier fit alors une heureuse suggestion. Au lieu de porter leur beurre à un centre d'expédition appartenant à leur groupe, les petits producteurs apporteraient leur lait à une laiterie centrale qui fabriquerait le beurre et l'expédierait, comme font les grandes exploitations. Cette laiterie serait la propriété de tous les membres du groupe.

UN NID DE CIGOGNES SUR UNE VIEILLE MAISON DE RIBE

Ribe, dans le Jutland du sud-ouest, est la plus vieille ville du Danemark et probablement de la Scandinavie. Les cigognes semblent préférer ses toits pour y faire leur nid.

Le principe était celui de l'entr'aide mutuelle, comme dans les coopératives de consommateurs qui commençaient à se multiplier. Le riche et le pauvre, le propriétaire de trente vaches et celui qui n'en avait qu'une auraient également voix au chapitre. Les profits seraient distribués selon ce que chacun aurait apporté.

Telle fut l'origine de la première laiterie coopérative danois. Le succès fut immédiat et l'idée se propagea comme une trainée de poudre. Cinq ans plus tard, il y avait 350 laiteries coopératives au Danemark. Aujourd'hui, on en compte près de 1,500 dans lesquelles passent 90% du lait des fermes danoises.

L'un des avantages de ce mode d'exploitation est que le petit-lait revient au producteur qui s'en sert pour nourrir ses porcs. De là naquit une autre idée. Les cultivateurs s'associèrent pour monter des coopératives afin de tirer profit de cet élevage. Soumis à un régime standardisé, les porcs, lorsqu'ils ont atteint l'âge, la taille et le poids voulu, sont menés aux abattoirs coopératifs leur lard et leurs jambons sont préparés à la coopérative même pour être expédiés en Angleterre. Le succès de ces dernières coopératives fut phénoménal. Aujourd'hui, 61 coopératives préparent les produits de 85% des porcs que l'on élève au Danemark. La première a été établie en 1887, cinq ans seulement après la première laiterie coopérative.

Un peu plus tard, on mit en opération des coopératives qui récoltaient les œufs. Les cultivateurs danois laissaient à leurs concurrents d'outre-mer le soin d'assurer le pain pour le petit déjeuner des Anglais, se chargeant de fournir tout le reste. Le peu de distance qui sépare le Danemark de l'Angleterre lui a donné un grand avantage jusqu'à ce que les méthodes modernes de réfrigération permettent à la Nouvelle-Zélande et à quelques autres pays du Commonwealth d'expédier leurs produits à Londres en bonne condition. Cependant, dans l'intervalle, les produits danois s'étaient acquis la réputation de produits de

d'esprit était dû, en partie, à la grande expansion d'une institution bien danoise : les écoles secondaires populaires.

Ces écoles sont des établissements d'enseignement supérieur non-professionnel pour la jeunesse rurale des deux sexes. Les élèves, âgés de dix-huit ans au moins, ont quitté les écoles primaires à quatorze ou quinze ans et ont exercé pendant plusieurs années une profession agricole. Le régime est l'internat ; il tend à développer

SCÈNE D'UN VILLAGE DANOIS

Le visiteur se sent attiré par le calme de la campagne danoise. Ce petit village du Jutland a encore son moulin à vent, mais ceux-ci sont en train de disparaître rapidement dans le pays.

haute qualité qui continue à leur assurer une vente excellente. La qualité des produits danois est garantie par le gouvernement dont les services contrôlent périodiquement les produits destinés à l'exportation.

Les paysans sont des gens prudents. Il est très difficile de leur faire changer leur routine. L'idée même des coopératives n'aurait pas pris au Danemark si ce pays n'avait eu, pour l'époque, une population rurale remarquablement éclairée et amie du progrès. Il lui fallut peu de temps pour voir où se trouvait son intérêt. Cet état

chez les élèves le sens des devoirs civiques et sociaux. Les principaux sujets que l'on enseigne sont l'histoire, la philosophie, l'histoire des religions, l'instruction civique et la littérature. On y donne aussi des cours ayant des rapports avec la vie rurale : élevage, jardinage, analyse chimique du sol, utilisation des engrais, comptabilité. L'enseignement est oral et prend la forme de conférences et de débats auxquels tous prennent part. Il n'y a ni examens, ni concours, ni diplômes. La première école de ce genre fut ouverte à Rodding dans le duché de Schleswig en 1844 mais elles ne se multiplièrent qu'après la perte du Schleswig et du Holstein vingt ans plus tard. Le gouvernement a aujourd'hui 58 écoles secondaires populaires où étudient chaque année plus de 6,000 élèves. Les frais de scolarité et de pension sont très réduits : soit environ $20 par mois. On estime que près d'un tiers de la population rurale a suivi à un

tuite et obligatoire l'instruction primaire (1814) et à instituer un système de pensions pour les vieillards (1891). Après 1930, une succession de ministères travaillistes effectuèrent des réformes sociales importantes que soutinrent d'ailleurs activement la plupart des autres partis. Parmi ces réformes, l'une des plus originales est ce qu'on a appelé les «vacances

L'ATELIER D'UN ORFÈVRE CÉLÈBRE

L'atelier de Georg Jensen, où l'on exécute l'argenterie connue dans le monde entier. Les modèles de la saucière et du pot (à gauche) se trouvent au musée des Arts industriels de Copenhague.

moment ou l'autre les cours de ces écoles.

Comme les autres pays scandinaves, le Danemark est un des pays les plus avancés au monde au point de vue de la législation sociale. Les Scandinaves, en général, ne sont pas opposés à la contribution du gouvernement au bien-être social. Le Danemark a été le premier pays à abolir la traite des noirs (1798), à rendre gra-

danoises.» Une association coopérative offre à ses membres pour une somme fort modique, des projets de vacances qui permettent à ces membres et à leurs familles de profiter pleinement du congé annuel de douze jours payés. Ce congé est assuré à chaque Danois, même s'il change plusieurs fois d'emploi au cours de l'année. L'état, les syndicats et les associations de patrons en supportent les frais.

On peut également citer, comme autres mesures de la législation sociale gratuite, l'assistance aux femmes en couches, les gardes-malades et les servantes que fournissent les municipalités aux mères de famille en cas de maladie. Au point de vue médical, le Danemark est un pays très avancé. Les médecins y sont excellents et leurs honoraires modérés les rendent accessibles à tous.

Depuis le XVIIIᵉ siècle, le Danemark a tenté, sans toujours y réussir, de se tenir à l'écart des guerres qui désolaient les pays voisins. A l'époque de Napoléon, Copenhague fut bombardé et la flotte danoise fut capturée par les Anglais. La Suède lui enleva la Norvège.

En 1864, les duchés de Schleswig, de Holstein et de Lauenburg furent cédés à la Prusse et à l'Autriche. La partie nord du Schleswig (Nordslesvig en danois) redevint danoise en 1920 à la suite d'un plébiscite.

Pendant la Première Guerre mondiale, le Danemark réussit à conserver sa neutralité. Il n'y parvint pas lors de la deuxième : le Danemark fut envahi par les Allemands le 9 avril 1940. Pendant l'occupation allemande, le Danemark a fait montre d'un esprit de résistance acharné. Les Alliés lui ont gardé pour cette raison le titre de belligérant et d'allié. Le Danemark ne souffrit pas de faits de guerre, mais ses ressources de tous genres furent accaparées par les Allemands. L'économie nationale se remit fort vite de ses pertes, surtout avec l'aide du plan Marshall. Pendant la «guerre froide», le Danemark se sentit en danger, par suite de sa position à l'entrée d'une mer dont les Russes auraient bien voulu faire un lac soviétique. Les Russes ont un intérêt très grand dans ces «Dardanelles du Nord», par lesquelles devrait passer leur flotte de sous-marins s'il y avait un nouveau conflit mondial. C'est pourquoi les Danois ont enfin rejeté leur neutralité traditionnelle et qu'ils sont membres de l'OTAN.

GUNNAR LEISTIKOW

DANEMARK: RÉSUMÉ STATISTIQUE

LE PAYS

La superficie totale du Danemark est de 16,576 milles carrés et la population est de 4,547,000 h. Les territoires suivants appartiennent au Danemark : les iles Féroé (540 milles carrés : population : 30,000) au nord des iles Shetland, entre la Norvège et l'Islande ; et le Groenland (840,-000 milles carrés ; population : 21,000). Les iles Féroé ont un gouvernement autonome et une assemblée législative. En 1951, des réformes administratives donnèrent aux Groenlandais une plus grande part dans le gouvernement de leur pays.

GOUVERNEMENT

Le Danemark est un royaume dont la constitution limite considérablement les pouvoirs du roi. En juin 1953, une nouvelle constitution fut adoptée. Elle permet aux femmes d'accéder au trône, et remplace l'ancien Rigsdag (parlement) de deux chambres par le Folketing, un parlement à chambre unique, composé de 179 membres. La nouvelle constitution a abaissé l'âge des votants de 25 à 23 ans et a changé le statut du Groenland. De colonie, ce territoire est devenu un membre du Commonwealth danois et a ses représentants au parlement.

COMMERCE ET INDUSTRIES

L'occupation la plus générale est l'agriculture, mais l'industrie et l'artisanat emploient plus de main-d'œuvre. La ferme danoise a rarement plus de 40 acres et elle se spécialise dans la production intensive des produits laitiers, des porcs et des œufs pour l'exportation. Bien que la majorité des exportations soient d'origine agricole, les produits industriels y figurent pour plus de 25%. Les principaux de ces derniers sont : les constructions navales, les moteurs diesel, les machines agricoles, les conserves alimentaires, la bière, les liqueurs et le ciment. L'unité monétaire est le Krone (corronne.)

COMMUNICATIONS

Chemins de fer, 2,831 milles ; routes, 33,794 milles ; 500,000 véhicules à moteurs ; 1,000,000 de téléphones ; 1,889,000 radios ; 63,000 postes récepteurs de télévision ; flotte marchande : plus de 2,052,000 tonnes longues.

RELIGION ET ÉDUCATION

La religion nationale est le luthéranisme, qui est celle du roi, mais la liberté de conscience est complète. L'instruction primaire est obligatoire de 7 à 14 ans. Il y a deux universités : Copenhague et Aarhus qui ont respectivement 5,000 et 3,000 élèves. A Copenhague se trouvent également l'Institut technologique et le Collège agronomique.

VILLES PRINCIPALES

Copenhague, la capitale, 1,168,400 ; Aarhus, 118,493 ; Odense, 106,000 ; Aalborg, 85,000.

L'Allemagne ...*au cœur de l'Europe*

DEPUIS la Deuxième Guerre mondiale, la division de l'Allemagne met aux prises le monde communiste et le monde libre. L'Allemagne de l'Ouest est étroitement liée à l'Occident tandis que l'Allemagne de l'Est est liée à la Russie et administrée par un gouvernement que les puissances occidentales refusent de reconnaître.

La division de l'Allemagne est aujourd'hui telle qu'il semble que ni l'Occident ni l'Est ne désirent faire les frais d'une réunification.

L'Allemagne de l'Ouest est également étroitement liée à l'OTAN, organisation créée pour contrebalancer les effets de l'expansion soviétique, et à d'autres organismes qui tendent à l'unification de l'Europe occidentale. Ceux-ci comprennent le pool charbon-acier, le Marché commun et l'EURATOM. Jour après jour, l'économie de l'Allemagne de l'Ouest s'intègre de plus en plus à celles de la France, de la Belgique, des Pays-Bas, du Luxembourg et de l'Italie. Les hommes d'affaires de ces six nations ont même créé l'UNCIE, une association d'industriels. L'Allemagne de l'Ouest prête et investit aussi à l'étranger.

Le redressement économique et industriel de l'Allemagne de l'Ouest est un exemple pour l'Europe. Son niveau de vie ne cesse de monter. En 1953, on comptait 2 refrigérateurs, 9 lessiveuses et 26 aspirateurs pour chaque centaine de familles allemandes. Dernièrement, le pourcentage de ces ustensiles de ménage dans les familles étaient respectivement 21, 20 et 52.

Bien que l'agriculture ait toujours occupé une place importante dans l'Allemagne de l'Est, le pays était déjà fortement industrialisé avant le deuxième conflit mondial. Cette industrialisation a été considérablement développée pour servir aux besoins de l'URSS et de ses satellites. Vers la fin des années 1950, les conditions de vie se sont un peu améliorées. Le rationnement des produits alimentaires a été supprimé et on trouve plus d'articles de consommation courante dans les magasins.

Les deux Allemagnes s'intéressent à la culture et aux arts. Probablement aucun autre peuple au monde n'est aussi passionné de théâtre et de musique que le peuple allemand. L'Opéra d'Etat de Berlin-Est est un lieu de prédilection pour tous les Allemands, quelles que soient leurs opinions politiques; il en est de même d'ailleurs du Berliner Ensemble, fondé par l'auteur dramatique et metteur en scène bien connu, Bertold Brecht. Les théâtres de l'Allemagne de l'Ouest présentent surtout des pièces de dramaturges occidentaux. Les tournées théâtrales de l'Allemagne de l'Est vont jusqu'en Chine communiste. Le public en Allemagne de l'Ouest est élégamment vêtu; celui de l'Est s'habille plus modestement. Les programmes de télévision de l'Allemagne de l'Est sont appréciés des deux côtés du rideau de fer.

L'état d'esprit des deux Allemagnes présente un contraste frappant. A l'Ouest, les habitants ne s'intéressent guère à la politique. La plupart des Allemands de l'Ouest sont surtout occupés à gagner de l'argent et à acquérir les conforts de l'existence. Comme un marchand de Cologne le disait à un journaliste: «Que les hommes politiques discutent, c'est ce qu'ils aiment faire. S'ils sont incapables de résoudre les problèmes dans leurs bureaux somptueux, comment serai-je capable de le faire au milieu de mes miroirs et de mes cadres?» Contrebalançant cette attitude, il existe une petite minorité d'intellectuels et de journalistes très versés dans la politique. La presse de l'Allemagne de l'Ouest s'efforce de faire comprendre au peuple les intérêts en jeu dans la position internationale de leur pays.

Quant aux Allemands de l'Est, le nombre de personnes qui ont tout quitté pour chercher refuge dans l'Allemagne de l'Ouest prouve de façon évidente leur désaffection pour le régime communiste. Fait alarmant pour le gouvernement de l'Allemagne de l'Est, ces réfugiés qui se chiffrent par plusieurs millions depuis la fin du deuxième conflit mondial se comptent surtout parmi ceux exerçant des professions libérales.

Cet exode avait même atteint de telles proportions qu'en 1961, les autorités de l'Allemagne de l'Est décidèrent d'arrêter le flot des réfugiés en établissant des murs et des barbelés entre les deux secteurs de Berlin. C'est en effet par Berlin que la fuite s'avérait la plus facile, les Allemands de l'Est n'ayant qu'à prendre le métro pour passer dans le secteur occidental. Ce fait suffirait à montrer la faillite du communisme auprès de ceux qui sont forcés à le subir.

A mesure que l'Est et l'Ouest suivent des routes différentes, la réunification des deux Allemagnes paraît de plus en plus lointaine et problématique. Cependant, ce pays, anormalement divisé, demeure un laboratoire d'essai pour le monde libre et l'Union soviétique.

Les frontières allemandes ont été tellement modifiées depuis 1850 qu'il est difficile de dire quelles sont les régions vraiment allemandes et celles qui ne le

UNE ACIÉRIE à Düsseldorf qui produit des tubes en acier sans soudure. Düsseldorf, dans la Ruhr, est le centre de la métallurgie dans l'Allemagne de l'Ouest.

MER BALTIQUE

DANEMARK

MER DU NORD

Kiel

Lübeck

Rostock

Hambourg

Wilhelmshaven

Brême

ALLEMAGNE

BERLIN

POLOGNE

Hanovre

Braunschweig

Potsdam

Magdebourg

DE

Bielefeld

Münster

Dessau

L'EST

Dortmund

Halle

Essen

Dresde

Düsseldorf

Leipzig

Wuppertal

Cassel

Cologne

Aix-la-Ch^{lle}

Erfurt

BONN

A L L E M A G N E

Plauen

LUXEMBOURG

Moselle

Francfort

Main

PRAGUE

Darmstadt

Wurzbourg

TCHÉCOSLOVAQUIE

Ludwigshafen

Mannheim

Nuremberg

Saarebruck

ALLEMAGNE

DE L'OUEST

BELGIQUE PAYS-BAS

Carlsruhe

Danube

Strasbourg

Stuttgart

Augsbourg

Linz

FRANCE

Fribourg

Munich

Bâle

Zurich

LIECHTENSTEIN

AUTRICHE

Berne

SUISSE

YOUGO-SLAVIE

Genève

ITALIE

TRIESTE

Milan

G. de Venise

L'ALLEMAGNE DIVISÉE A DEUX CAPITALES, BONN ET BERLIN

sont pas. Une carte de l'Allemagne qui aurait été dressée vers 1850, quand elle était une fédération lâche d'Etats indépendants, ne ressemblerait en rien à une carte de l'Empire allemand, établie vingt ans plus tard seulement. En 1919, l'Allemagne dut céder de vastes territoires à la France et à la Pologne et de plus petits au Danemark et à la Belgique. Pendant le règne du Troisième Reich nazi, l'Allemagne annexa l'Autriche, le pays des Sudètes, la Bohême et la Moravie, en Tchécoslovaquie, ainsi que d'autres parcelles de territoires. Un grand nombre de ces territoires avaient fait partie de la confédération allemande jusqu'en 1866, mais n'avaient pas fait partie de l'Empire de Bismarck. Pendant la Deuxième Guerre mondiale, des territoires qui n'avaient jamais fait partie de l'Allemagne tombèrent sous le joug nazi.

La chute du Reich de mille ans

A la chute du Troisième Reich qui, selon Hitler, devait durer mille ans, l'Allemagne dut non seulement restituer chaque pouce de terrain qu'elle avait annexé mais elle dut également céder la Prusse Orientale à la Pologne et à la Russie. La population allemande de ce territoire fut exilée. Ce qui restait de l'Allemagne fut occupé par les troupes alliées. Les puissances de l'Ouest et de l'Est n'ayant pu se mettre d'accord sur le rétablissement d'une seule Allemagne, deux gouvernements allemands rivaux furent éventuellement établis. Jour après jour, le fossé se creusa, de par les directions opposées des tendances gouvernementales des deux Allemagnes.

L'unité allemande

Ces changements surprenants dans les frontières de l'Allemagne sont dus au fait que l'unité de l'Allemagne survint longtemps après celle des autres pays de l'Europe et ne se fit qu'au milieu d'une rivalité entre les deux Etats allemands les plus puissants—l'Autriche et la Prusse. Cette lutte pour la domination fut le fait déterminant de l'histoire allemande du milieu du dix-huitième siècle jusqu'à la guerre très brève de 1866. L'Autriche

fut alors rejetée de l'Allemagne et l'unité de cette dernière se fit sous l'égide de la Prusse. Cette issue régla un problème qui avait longtemps partagé le peuple allemand : une Allemagne unifiée serait-elle une grande Allemagne comprenant l'Autriche et ses nombreux peuples non-germaniques, ou bien la nouvelle Allemagne serait-elle une plus petite nation, sans l'Autriche, mais sous la domination de la Prusse, qui était une nation vigoureuse, militariste et allemande de fond en fond ? La conséquence de cette décision fut de laisser des millions d'Autrichiens allemands en dehors de la nouvelle Allemagne.

A la suite du démembrement de l'Empire austro-hongrois après la Première Guerre mondiale, un grand nombre d'Autrichiens étaient en faveur d'une union avec l'Allemagne. Cependant les vainqueurs opposèrent leur veto à l'*Anschluss*, ne voulant pas que l'Allemagne vaincue soit renforcée. Vingt ans plus tard, l'*Anschluss* était réalisé par Hitler, qui était Autrichien, mais cette réunion se fit par la force et non pas comme on l'avait rêvé autrefois.

Le drapeau allemand

Tout ce qui reste aujourd'hui du rêve d'une grande Allemagne, c'est le drapeau national allemand à bandes noire, rouge et or. Les deux Allemagnes ont conservé ces couleurs, mais en 1959, l'Allemagne de l'Est y a ajouté la faucille et le marteau.

Vers la fin de la Deuxième Guerre mondiale, des villes entières de l'Allemagne furent réduites en ruines par les bombardements aériens alliés. Des trésors inestimables du passé, tels que le quartier moyenâgeux de Francfort-sur-le-Main et les trésors d'architecture baroque de Dresde furent détruits à tout jamais. L'Allemagne conserve néanmoins beaucoup de richesses architecturales. Un grand nombre des célèbres cathédrales gothiques, telles que celle de Cologne, demeurèrent intactes, ainsi que les villes moyenâgeuses de Rothenburg, de Dinkelsbuhl et de Hameln (connue pour le Joueur de flûte).

LA PLUS PETITE MAISON DE HAMBOURG FUT BÂTIE EN 1871

Une des curiosités de la ville est cette petite maison, son balcon et le personnage grandeur naturelle
coiffé d'un haut de forme. Le rez- de- chaussée est occupé par une boutique minuscule.

La guerre n'a pas non plus touché la beauté de la campagne allemande, chantée par les poètes et les musiciens. Plusieurs des régions les plus pittoresques, semées çà et là de villes du moyen âge, se trouvent dans l'Allemagne de l'Ouest et sont accessibles aux touristes. Il y a la vallée du Rhin majestueux qui coule entre les coteaux couverts de vignobles et qui est dominé par les châteaux des princes et des seigneurs d'autrefois; la Forêt Noire (Schwarzwald), avec ses sombres forêts de sapins, site d'innombrables légendes et de contes de fées; les vallées riantes du Main et du Neckar, avec le vieil Heidelberg romantique sur les rives de ce dernier; les pics étincelants des Alpes bavaroises, où est perché Garmisch-Partenkirchen, une des stations de sports d'hiver les plus fréquentées d'Europe.

Le plan Marshall aide l'allemagne

Un peuple aussi vigoureux et entreprenant que les Allemands ne pouvait demeurer longtemps abattu même après une défaite aussi totale que celle de 1945. Toutefois, il fallait qu'on l'aide à se relever. Le plan Marshall, ou programme pour la reconstruction de l'Europe fut appliqué à l'Allemagne en mai 1948. L'importance que ce plan a joué dans le relèvement de l'Allemagne est démontré par le fait que le gouvernement de l'Allemagne de l'Ouest, constitué environ quinze mois plus tard, établit un ministère spécial chargé de sa mise en vigueur, en plus du ministère des affaires économiques. On peut dire que le relèvement de l'Allemagne date de cette époque.

Le plan Marshall procura à l'Allemagne ce dont elle avait le plus besoin, des vivres pour la population et des matières premières pour permettre à l'industrie de se remettre au travail. Pendant les quatre années qui suivirent, l'Allemagne bénéficia d'une aide d'environ $1,-500,000,000, dont la moitié en vivres et l'autre moitié en matières premières.

La création d'une monnaie saine

A la même époque, une nouvelle monnaie fut créée dans les trois zones occidentales, le mark allemand ou mark-D.

UN JEUNE FANEUR PLEIN D'ÉNERGIE

La jeunesse allemande sait maintenant que la nourriture du pays vient de la terre.

Par cette mesure, presque toutes les créances et dettes payables avec l'ancien Reichsmark, ainsi que les comptes d'épargne, les comptes courants et les obligations furent dévalués d'un dixième au moins. Cela facilita le roulement des capitaux. Un autre facteur qui joua un rôle important fut le retour à une économie libre en remplacement de l'économie dirigée du gouvernement nazi.

Les résultats ne se firent pas attendre. En juin 1948, la production industrielle de l'Allemagne de l'Ouest atteignait à peine la moitié de celle de 1936. A la fin de 1948, elle avait atteint 80 pour cent du niveau de 1936 et au milieu de 1952, 140 pour cent. L'agriculture qui doit nourrir environ 20 pour cent de bouches supplémentaires à cause des réfugiés et des Allemands expulsés de l'est, atteignait 110 pour cent. L'Allemagne de l'Ouest ayant perdu une grande partie de ses ressources naturelles qui venaient de l'Allemagne de l'Est ou de ses anciens territoires, dut commencer à en importer plus qu'elle ne pouvait en exporter. En 1949, les importations se chiffraient à 8 milliards de marks, environ deux fois plus que les exportations. A peine deux ans plus tard, exportations et importations s'équilibraient à environ 14.5 milliards.

En dépit de cette reprise remarquable, l'Allemagne de l'Ouest souffrit tout d'abord du chômage et d'un manque de capitaux. Puis, vers 1948, la situation s'améliora. Aujourd'hui, l'Allemagne de l'Ouest est de nouveau une des principales nations industrielles du monde. En fait, pour la construction maritime, pour la fabrication de produits chimiques, d'automobiles, de machines outils et autres, l'Allemagne de l'Ouest se classe en avant de la plupart de ses voisins.

Les relations avec la France sont également devenues meilleures en 1957. La France a consenti au retour de la Sarre à l'Allemagne, mais elle continuera à recevoir du charbon de ce territoire. La France et l'Allemagne vont entreprendre la construction d'un canal d'un coût de $130,000,000. Ce canal, qui traversera la vallée de la Moselle, reliera le bassin houiller de la Ruhr avec la Lorraine, riche en minerai de fer.

Les villes allemandes ont été si fortement endommagées au cours de la guerre que, plus de dix ans après, la reconstruction demeurait un des problèmes les plus importants. En ce qui concerne la construction de logements, l'Allemagne de l'Ouest dépasse de loin l'Allemagne de l'Est. A Hambourg, par exemple, qui avait été presque réduite en cendres—plus de 300,000 immeubles avaient été rasés—dès 1956, on avait construit des logements pour environ 180,000 familles.

Cette situation a présenté l'avantage de donner du travail aux architectes et aux travailleurs du bâtiment. On n'avait pas oublié un style architectural convenant à une période d'austérité où chaque pierre comptait. Après la première guerre mondiale, Walter Gropius avait ouvert une école d'architecture, le Bauhaus, à Wei-

WIDE WORLD

L'INAUGURATION DU PONT DE LA PAIX À FRANCFORT

Terminé en 1951, c'est le dernier des ponts de Francfort à être reconstruit. Les sept ponts de la ville qui traversaient le Main avaient tous été détruits avant la fin de la guerre en 1945.

UN AVION ATTEND UN CHARGEMENT D'ARTICLES D'EXPORTATION

Parmi ces articles, on compte les microscopes, les appareils photographiques, les instruments de précision pour lesquels l'Allemagne de l'Ouest possède une main-d'œuvre spécialisée.

DES CENTAINES DE BICYCLETTES PARCOURENT LES RUES DE FRANCFORT

A Francfort-sur-le-Main, comme dans beaucoup d'autres villes européennes, la bicyclette joue un grand rôle; c'est l'un des moyens de déplacement les plus usités par le citoyen moyen.

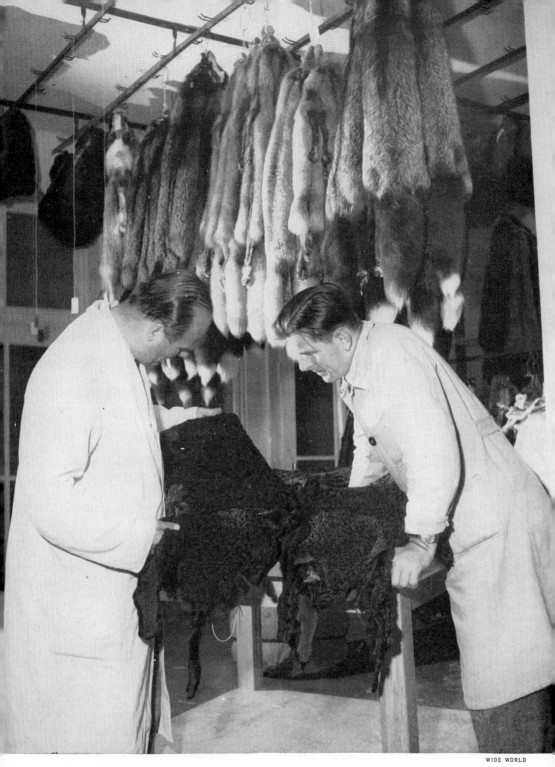

DES FOURREURS EXPERTS EXAMINENT DES PEAUX D'ASTRAKAN

Aujourd'hui, en Allemagne, l'industrie de la fourrure se concentre à Francfort. Jadis, elle se trouvait à Leipzig, en Allemagne de l'Est, où les foires attiraient beaucoup d'acheteurs.

mar (plus tard transférée à Dessau).
Dans cette école, avec l'aide des architectes les plus originaux de l'époque, tels
que Mies van der Rohe, il avait créé un
nouveau style d'architecture. Ce style, appelé fonctionnalisme, était basé sur l'idée
que chaque chose devait avoir son utilité ;
c'était en réalité une réaction contre les
styles superficiels et confus des décades
précédentes. Bien que ce style ait influencé la construction dans presque toute
l'Europe occidentale, il fut rejeté par les
Nazis comme anti-allemand et dégénéré.
Ses initiateurs durent s'exiler aux Etats-
Unis ou en Amérique latine. Mais on
n'avait pas oublié leurs efforts dans leur
patrie. Un grand nombre de leurs élèves
étaient restés fidèles à leurs conceptions
pendant le règne nazi. Dès 1945, ils sai-
sirent l'occasion de les mettre à exécution.

Le déblaiement des décombres

Avant qu'on ne puisse entreprendre la
reconstruction, il fallait toutefois enlever
les décombres qui s'élevaient souvent à
des hauteurs de trois ou de quatre étages.
La tâche était compliquée par le manque
de moyens de transports. Même en 1953,
elle était loin d'être achevée.

En attendant, les architectes s'étaient
mis à l'œuvre. La destruction n'étant pas
limitée à des édifices individuels, mais
plutôt à des quartiers et souvent à des
villes entières, elle se prêtait à des projets
d'urbanisme de grande envergure. Dans
d'autres circonstances, un tel projet aurait
pu soulever des objections de la part de
ceux qui désiraient rendre à leur ville son
ancien aspect familier. Toutefois, peu de
personnes possédaient les moyens pour
construire leurs propres maisons. D'autre
part, lorsque les matériaux sont rares et
les fonds bas, on se range vite aux conceptions de logements simples et pratiques.
Les hommes d'affaires et les autorités
municipales donnèrent carte blanche aux
architectes. Des projets préparés par des
associations d'architectes furent adoptés
pour Nuremberg, Berlin, Hambourg, Kiel,
Hanovre, Emden, Francfort-sur-le-Main,
Mannheim, Kassel et d'autres villes. Des
chicanes légales retardèrent toutefois ces
projets dans d'autres villes.

La construction de logements

Vers le début de 1953, environ 1,200,-
000 logements avaient été construits dans
l'Allemagne de l'Ouest, un peu plus d'un
cinquième du nombre jugé nécessaire.
On avait également bâti d'innombrables
usines, des maisons de rapport, des ponts
et des églises. Enfin on avait construit ou
restauré des centaines de théâtres et de
salles de concert.

Le théâtre a toujours été un art populaire en Allemagne. Son histoire moderne
remonte au dix-huitième siècle, lorsque
l'Allemagne comprenait des centaines de
petites principautés. A cette époque,
chaque prince, quel que soit l'importance
de son domaine, désirait avoir son propre
théâtre de cour. Plus tard, plusieurs de
ces théâtres furent pris à charge par les
états ou les municipalités. Certains des
plus grands noms de la littérature allemande—entre autres, Lessing, Goethe,
Schiller—furent associés à ces théâtres et
firent beaucoup pour les rendre populaires. L'art théâtral atteignit son apogée
pendant le premier tiers du vingtième
siècle. A cette époque, les théâtres de Berlin et de Vienne faisaient l'admiration de
toute l'Europe. Les villes moins importantes possédaient également leurs troupes
qui offraient d'excellents répertoires.

A partir de 1933, l'intrusion d'un régime totalitaire fit beaucoup de tort à la
scène allemande. Plusieurs des acteurs et
des metteurs en scène allemands des plus
notoires, tels que le célèbre Max Reinhardt, se virent obligés de quitter le pays.

Le réveil du théâtre allemand

La renaissance du théâtre allemand se
produisit avec une rapidité surprenante
aussitôt après la défaite de 1945. Tout
d'abord, les acteurs devaient se contenter
de plateaux de fortune, dans des ruines ou
dans des granges, mais leurs efforts étaient
récompensés. Il semblait que la population
entière se tournait vers le théâtre pour y
chercher le réconfort et l'oubli de la ca-
tastrophe qui était survenue. Les acteurs
pouvaient s'évanouir de froid ou de faim,
des foules énormes enveloppées de man-
teaux ou de couvertures remplissaient les

théâtres non chauffés. Les pièces sérieuses et les pièces psychologiques qui scrutent le fond de l'âme avaient le plus de succès. Fait curieux, personne ne protestait contre la restauration et la construction de théâtres à une époque où régnait une crise de logement aiguë. Dès 1953, il y avait 168 théâtres dans l'Allemagne de l'Ouest, dont 92 subventionnés par les états et les municipalités.

L'Allemand a soif de tout ce qui vient de l'étranger. On s'est empressé de traduire ou de jouer les auteurs américains et anglais—Steinbeck, Tennessee Williams, Arthur Miller, Van Druten, Wilder, Saroyan, O'Neill, T. S. Elliot et Christopher Fry—et les auteurs dramatiques français, tels que Sartre, Camus, Anouilh, Claudel et Giraudoux.

Il a paru difficile de trouver parmi la génération d'après-guerre des héritiers dignes des acteurs pré-hitlériens. Les amateurs de théâtre se plaignent que les succès obtenus ne sont pas en proportion des efforts inlassables qu'ils ont exigés. Il sera difficile de renouer la tradition rompue par le nazisme. Les festivals d'été de Salzbourg de Reinhardt jouissent de plus en plus de la faveur du public. On les présente souvent dans des paysages romantiques ou dans des ruines pour le plaisir de la population locale ou des visiteurs de l'étranger.

La musique, un autre art pour lequel l'Allemagne jouissait d'une grande réputation, traverse la même crise que le théâtre. La guerre a aussi porté un coup très dur à la vie musicale. Des salles de concert furent détruites. Des grands théâtres d'opéras deux seulement demeurèrent intacts, ceux de Stuttgart et de Wiesbaden. Les compagnies d'opéra se dispersèrent; les décors, les costumes et les accessoires furent perdus. Les partitions musicales

UNE PROCESSION DE LA FÊTE-DIEU À ISERLOHN DANS LA RUHR

Pour célébrer cette fête solennelle, la procession se rend d'une église à l'autre. Le prêtre porte le Saint-Sacrement sous le dais et les jeunes filles sèment les rues de fleurs.

DANS LA RUHR, LE BUSTE D'UN PROPRIÉTAIRE SURVEILLE LA MINE

L'endroit semble singulier pour y placer un buste. Les mines de charbon forment la principale richesse de l'Allemagne qui dépend sur elles pour son industrie du fer et de l'acier.

s'évanouirent en fumée, les instruments furent brisés et ne purent être remplacés. Toutes les maisons d'édition de musique avaient fermé leurs portes.

Cependant l'amour de la musique subsistait. Peut-être était-il même plus fort qu'auparavant. Bientôt le réveil se fit sentir. Les musiciens revinrent de la guerre et retrouvèrent leurs anciens camarades. On organisa des récitals d'un seul exécutant ou de musique de chambre qui exigeaient peu d'instruments. Le public remplit les salles de fêtes des écoles. En attendant, on reconstruisait les opéras et les salles de concert jouissaient de la même priorité que les théâtres. On réorganisa les orchestres symphoniques et on en créa de nouveaux avec les musiciens qui avaient fui le communisme. L'orchestre symphonique de Bamberg est devenu un ensemble remarquable ; il a été formé d'un noyau de musiciens de l'ancien orchestre philharmonique de Prague, de membres de l'ancien orchestre de Carlsbad et d'ensembles de la Silésie et du pays des Sudètes. En plus des artistes qui sont rentrés d'exil, les chefs d'orchestre et les chanteurs étrangers ont repris leurs tournées en Allemagne et font salle comble.

Un aspect intéressant de cette renaissance musicale a été le changement de goût du public. Pendant des années, le peuple allemand semblait plus attiré par l'effet dramatique des symphonies que par l'intimité de la musique de chambre et des récitals. Dans les nouvelles salles d'opéras, souvent somptueuses, les chefs d'orchestre et les metteurs en scène ont introduit une nouvelle technique. Ils se sont détournés des effets mélodramatiques superficiels. Le résultat est qu'aujourd'hui, le drame musical ne cherche plus à faire appel seulement aux sentiments comme le faisait l'ancien style déclamatoire. Il offre en plus une satisfaction intellectuelle. Il se sert d'un thème d'opéra pour faire pénétrer le spectateur dans des problèmes humains et la musique sert à les faire ressortir encore davantage.

Même les célèbres festivals wagnériens de Bayreuth qui présentaient les opéras du maître dans un style conventionnel depuis soixante-quinze ans, ont modifié la mise en scène. Depuis 1951, sous la direction de Wieland Wagner, le petit-fils du compositeur, on a simplifié la mise en scène, en appuyant moins sur le mystère et sur le mythe.

Les arts de la peinture et de la sculpture ont eu plus de mal à repartir, les artistes manquant d'amateurs ayant les moyens de s'offrir des objets de luxe, tels que des tableaux. Les premiers peintres à surmonter ces obstacles furent les représentants de deux écoles d'art moderne qui avaient été bannis et persécutés sous Hitler, l'expressionnisme et l'art non-objectif. (Dans l'expressionnisme, l'artiste exprime son idée intime de la vie. Dans l'art non-objectif, aucun objet n'a de forme définie ; la couleur et le volume constituent le seul intérêt de la toile.) Ces deux écoles avaient été à l'avant-garde vers 1920 et maintenant elles soulevaient plus d'intérêt qu'elles ne l'avaient jamais fait jusqu'alors, même à leur début.

L'art religieux se modernise

Au début de 1950, il s'est produit un grand réveil d'art religieux qui avait ressenti un déclin pendant quelques années. Les congrégations religieuses étaient les seules qui possédaient les moyens d'encourager les arts. On a restauré d'innombrables églises et on en a construit de nouvelles pour recevoir le nombre croissant de fidèles. Un nouvel art religieux expressionniste a surgi. Parce que les Nazis avaient banni cette forme d'art et aussi en raison des persécutions religieuses, les fidèles ressentaient-ils beaucoup plus de sympathie pour un art qui les avait outrés trente ans plus tôt. On se sert de matériaux plus légers pour la construction et il y a d'autres facteurs architecturaux qui se prêtent particulièrement bien au style expressionniste.

L'état de la littérature

Le nazisme avait aussi marqué le déclin de la littérature allemande. Il avait tenté d'en faire un simple instrument de propagande politique. Les écrivains qui refusaient de se plier ne pouvaient faire éditer leurs œuvres. Des auteurs célèbres, tels que Thomas Mann, partirent en exil. Les tyrans avaient disparu depuis 1945, mais ils avaient laissé une profonde amertume dans le cœur des écrivains. Heureusement, l'oppression n'avait pas duré assez longtemps pour rompre tous les liens avec le passé. Les classiques allemands et les œuvres de l'étranger devinrent le guide dans la recherche de nouvelles valeurs. Les premiers travaux d'après-guerre des poètes allemands furent surtout d'une nature philosophique et contemplative ; les prosateurs se montraient très acerbes mais en même temps ils cherchaient dans des thèmes vagues à échapper aux réalités trop cruelles.

La reprise économique et le réveil des activités culturelles ont préparé la voie pour le retour d'une Allemagne démocratique dans le concert des nations occidentales. Il devint bientôt évident que l'Allemagne ne serait pas unifiée avant longtemps, si cela devait même jamais se produire. Toutefois, la stabilité européenne ne pouvait être rétablie tant que l'Allemagne resterait exclue. Les nations occidentales réalisèrent que les relations devaient être reprises avec le pays qui occupait le cœur même de l'Europe. Tôt ou tard, un état allemand indépendant devait être remis sur pied.

Le premier changement d'attitude envers l'ennemi vaincu se produisit en septembre 1946, lorsque James F. Byrnes, alors secrétaire d'État américain, déclara à Stuttgart que l'autonomie devait être rendue au peuple allemand. A cette époque, les états formant l'Allemagne de l'Ouest jouissaient déjà d'une certaine mesure d'autonomie. Leurs gouvernements avaient été rétablis sur des bases démocratiques.

Dès 1948, il ne restait plus aucun doute que l'Union soviétique s'opposerait toujours aux élections libres. Toutefois, cela n'était vrai que pour sa propre zone. L'année suivante, les états de l'Allemagne de l'Ouest se réunirent et adoptèrent une constitution pour un gouvernement fédéral, dont le siège serait à Bonn. Plus tard, une autre assemblée adopta une constitution pour un gouvernement plus centralisé de l'Allemagne de l'Est. C'est ainsi que la division du pays en deux Allemagnes devint un fait accompli.

L'Allemagne de l'Ouest

Le nom officiel de l'Allemagne de l'Ouest est la République fédérale de l'Alle-

LES FLÈCHES ÉLANCÉES DE LA CATHÉDRALE DE COLOGNE

S'élevant au-dessus de la vallée du Rhin, la cathédrale de Cologne est la plus vaste église gothique du nord de l'Europe. Commencée au treizième siècle, elle fut achevée au dix-neuvième.

D. FORBERT

DANS LE PORT de Schulau. Cette localité se trouve à une courte distance de Hambourg, là où l'Elbe devient plus large, avant de se jeter dans la mer du Nord.

CAMERA CLIX, PHOTO, J. BARNELL

PREPARATION DE CERCLES de barils avec les branches solides et flexibles des saules. Cette scène se déroule dans la région agricole du Holstein, située dans l'Allemagne du nord-ouest.

L'ÉTANG DES OISEAUX, avec ses zèbres broutant à l'arrière plan, passionne les enfants qui visitent le zoo de Hagenbeck. Il est situé dans le quartier Stellingen de Hambourg.

LA CHARRETTE D'UN MAR-CHAND AMBULANT, chargée de poterie et autres articles de ménage, attire une ménagère de Haffkrug, petit port près de Lübeck.

DES TOURS POINTUES dominent l'hôtel de ville médiéval de Lübeck, autrefois à la tête de la Ligue hanséatique. Le célèbre romancier allemand, Thomas Mann, naquit à Lübeck.

LE CHÂTEAU DE RHEINSTEIN, AU NORD DU REMOUS DE BINGEN

Le Rheinstein fut construit et détruit en l'espace d'un siècle, le treizième. Restauré à présent, sa belle collection d'armes du moyen âge mérite une visite de ceux qui passent près de là.

UNE VIEILLE AUBERGE À BACHARACH
Cette maison à encorbellement fut construite en 1368 dans la région vinicole du Rhin.

LES CHAPEAUX DE LA FORÊT NOIRE
Lorsqu'on voit les costumes de Triberg, on a envie de se replonger dans le passé.

L'ÉTABLISSEMENT DES BAINS DE WIESBADEN
Un peuple ancien, les Mattiaques, qui habitaient la région de Wiesbaden, ont donné leur nom aux sources de la ville. Aujourd'hui, Wiesbaden est une des stations thermales les plus à la mode.

**DES CHAMPS PLANTU-
REUX** s'étendent dans les
plaines vallonnées qui s'élèvent à l'est du cours su-
périeur du Rhin. La terre est
cultivée avec grand soin.

**UN ANCIEN CHÂTEAU
FÉODAL** se dresse sur
presque chaque hauteur
dominant la vallée de la
Moselle. Sur les pentes en-
soleillées pousse la vigne,
qui donne le petit vin doré
pour lequel la région de la
Moselle est renommée.

CETTE TOUR MÉDIÉVALE servit autrefois de prison. Elle enjambe une ruelle de Rotenbourg-sur-Fulda, dans la Hesse. Cette ville, dont les maisons ont conservé leur aspect d'antan, attire de nombreux touristes.

DANS LES VIEUX QUARTIERS de Francfort-sur-le-Main, on aperçoit encore quelques maisons du moyen âge. Ailleurs, Francfort a la débordante animation d'une grande ville du vingtième siècle.

LE JOUEUR DE FLÛTE charme de nouveau des enfants, dans une reconstitution du célèbre conte de Hameln. La ville possède «la Maison du Preneur de rats», décorée de scènes de cette légende.

127

ELISABETTEN TOR, UNE PORTE DU JARDIN DU CHÂTEAU D'HEIDELBERG

Dans le sud-ouest de l'Allemagne se trouve la vieille cité universitaire d'Heidelberg. Le château, souvent appelé «l'Alhambra allemand», surplombe la ville et les eaux du Neckar.

L'ATELIER D'UN SCULPTEUR SUR BOIS À OBERAMMERGAU

Oberammergau haut perché dans les Alpes bavaroises a conservé l'art de la sculpture sur bois.
Le village est célèbre par la Passion qui y est représentée tous les dix ans.

LA PLACE DU MARCHÉ à Dinkels-
bühl, en Bavière. Cette petite cité fortifiée a peu changé depuis l'époque féodale.
Aujourd'hui, on y respire l'arôme délicieux de ses fabriques de pain d'épice.

AUCUN SÉJOUR en Bavière
ne serait complet sans l'acquisition d'un chapeau bavarois en
feutre ou en velours. Beaucoup
de sportsmen d'autres pays ont
adopté ce couvre-chef.

UN MONORAIL—tramway suspendu—à Wuppertal suit le cours de la rivière Wupper, un affluent du Rhin inférieur. Wuppertal, près d'Essen, dans le cœur industriel de l'Allemagne de l'Ouest, est un centre de filature.

CHAPEAUX À PLUMES et anciens costumes de la région de Berchtesgaden. Cette localité se trouve au cœur des Alpes, dans le sud-est de la Bavière.

UNE CHAPELLE SUR UN LAC ALPIN　　LA MAISON DE DÜRER À NUREMBERG

UNE VIEILLE ENSEIGNE, DANS UNE VILLE DE BAVIÈRE

Bien qu'engagée dans la manufacture de tissus et d'orfèvrerie, Rothenbourg conserve son aspect moyenâgeux. Ses auberges, ses églises et ses vieilles rues attirent de nombreux touristes.

LES COSTUMES RÉGIONAUX DE LA BAVIÈRE ENCHANTENT LE TOURISTE

Le charme de la Bavière d'autrefois se retrouve dans l'ameublement ancien de cette pièce ainsi
que dans les tabliers de brocart aux ornements floraux que portent ces femmes.

133

GARMISCH-PARTENKIRCHEN est une station de sports d'hiver de la Bavière, connue dans le monde entier. Le mont Zugspitze (9,721 pieds) se trouve non loin. On y parvient par un chemin de fer à crémaillère.

LES COUCOUS amusent ce jeune garçon qui visite un atelier où on en fabrique, dans la Forêt Noire. Celle-ci est située dans le sud-ouest de l'Allemagne. Dans ce pays de contes de fées, on fabrique aussi des jouets et des boîtes à musique.

SUJET D'INSPIRATION pour les artistes, on aperçoit le clocher de Ramsau au milieu des arbres en fleurs. Ce petit village se trouve dans une vallée près de Berchtesgaden.

SHOSTAL, PHOTO, SHELLY GROSSMAN

CE CHALET ACCUEILLANT à Schliersee dans le sud de la Bavière est situé sur le lac alpestre du même nom. Les skieurs viennent se livrer à leur sport sur les pentes des alentours.

SHOSTAL, PHOTO, VINCENT JERMOLOWITZ

135

LE NOUVEAU CHÂTEAU, CONSTRUIT DANS LE STYLE DE CELUI DE VERSAILLES

Des jardins à la française offrent un cadre agréable au palais royal, le Neue Schloss. Achevé en 1704, il annonçait la renaissance artistique que Munich connut au dix-neuvième siècle.

LA SALLE DES FESTIVALS WAGNÉRIENS À BAYREUTH

Chaque année, des milliers d'amateurs de musique se rendent à Bayreuth pour entendre les opéras de Richard Wagner. Ces festivals commencèrent en 1876, sept ans avant la mort du compositeur.

magne (*Bundesrepublik Deutschland*). Presque tous les peuples qui en font partie sont de race germanique depuis des siècles. On dit que l'allemand le plus pur est parlé dans le Hanovre. Il existe toutefois une petite minorité danoise dans le Schleswig-Holstein, et un groupe parlant une langue différente—le frison—dans les îles de la Frise, du Schleswig-Holstein et de la Basse Saxe. Dans le reste de l'Allemagne, on entend divers dialectes; les coutumes aussi varient d'une province à l'autre. Presque toutes les populations sont fermement en faveur de l'unité, bien que ce sentiment ait été mis à forte épreuve par l'arrivée d'environ dix millions d'Allemands expulsés et d'autres réfugiés de l'Est. Cet exode a créé un des problèmes les plus angoissants. Jusqu'à présent, on n'y a trouvé aucune solution durable, bien que les difficultés posées aient été allégées par la reprise générale.

La république fédérale comprend onze états (*Länder*) : le pays de Bade, la Bavière, Brême, Hambourg, la Hesse, la Basse Saxe, la Rhénanie du Nord-Westphalie, la Rhénanie-Palatinat, le Schleswig-Holstein, et le Wurtemberg-Bade. Certains états, tels que la Bavière, Brême et Hambourg sont plus ou moins les mê-

mes que les anciens états allemands, ayant un long passé historique. D'autres, tels que le Schleswig-Holstein, sont d'anciennes provinces de la Prusse, qui fut dissoute en 1945 et formellement abolie en 1947. D'autres encore sont des combinaisons arbitraires, déterminées par les zones d'occupation.

La frontière entre les deux Allemagnes part à l'est de Lubeck sur la mer Baltique et descend en zigzags jusqu'à l'extrémité occidentale de la Tchécoslovaquie.

L'Allemagne de l'Ouest comprend la plaine fertile du nord, bordée par la Hollande, la mer du Nord, le Danemark et une partie de la Baltique. En se dirigeant vers le sud, le pays s'élève graduellement pour atteindre son point culminant dans les Alpes bavaroises dans le sud-est. Les montagnes de la Forêt Noire sont dans le sud-ouest. Le Rhin marque la frontière occidentale.

En dehors de la fertile plaine du nord, des forêts et du bassin houiller de la Ruhr, l'Allemagne de l'Ouest possède peu d'autres ressources naturelles. On y trouve de la potasse, de la lignite, du minerai de fer, du zinc, de l'étain, du cuivre et du sel. L'Allemagne possède une nombreuse main d'œuvre spécialisée et elle est depuis longtemps un grand centre d'industrie

HICOG (JACOBY)

MACHINES À TRICOTER LE JERSEY DANS UNE USINE DE MUNICH

Ces machines tricotent en rond et le jersey s'accumule à la base de la machine. Les propriétaires et les ouvriers de cette usine sont tous des réfugiés venus de l'Allemagne de l'Est.

BERCHTESGADEN: PAYSAGE VERS LE SUD-OUEST DU VILLAGE

Le village de Berchtesgaden se trouve dans les montagnes, non loin de la frontière autrichienne. C'est sur une montagne des environs qu'Hitler fit bâtir sa célèbre retraite, aujourd'hui rasée.

lourde. Lorsque en 1950, la France mit en avant le plan Schumann, cela lui procura de nombreux avantages. Mis en vigueur deux ans plus tard, le nom officiel du plan est le pool européen du charbon et de l'acier. Suivant ce plan, les ressources en charbon et en acier de la Belgique, de la France, de l'Italie, du Luxembourg, de la Hollande et de l'Allemagne de l'Ouest sont mises en commun. Le but est d'abaisser les prix de ces matières et d'assurer un plus haut standard de vie aux ouvriers.

Aujourd'hui, l'Allemagne manufacture de nouveau plus de cinquante mille différentes sortes de machines et de machines-outils, depuis les petits instruments de précision jusqu'à des locomotives pour l'usage local. Elle remet également sur pied son importante industrie de produits chimiques.

Plus de 23 pour cent de son sol comprenant des forêts, le bois, la fibre de bois, la cellulose, la pulpe et le papier constituent une part importante de son revenu national. Environ 35 pour cent de son territoire—34,000 milles carrés—comprennent des terres arables se prêtant à

des cultures diverses. Les principales récoltes sont le sarrasin, la pomme de terre, les céréales, la betterave à sucre, le raisin et les fruits. Des vignobles qui produisent des vins blancs célèbres couvrent les collines en terrasses du Rhin, du Neckar et de la Moselle.

L'Allemagne reconstruit sa marine marchande qui avait virtuellement cessé d'exister. Au début de 1953, elle occupait déjà le quatorzième rang parmi les puissances maritimes.

La constitution de l'Allemagne de l'Ouest ressemble beaucoup à celle de Weimar de 1919, mais elle accorde moins de pouvoirs au gouvernement central et en réserve plus aux états. Il y a deux corps législatifs: la diète fédérale (le parlement), ou *Bundestag,* dont les membres sont élus directement; le conseil fédéral, ou *Bundesrat,* composé des représentants des différents états. Le nombre des représentants varie selon la population des états.

Un groupe choisi d'électeurs désigne le président, qui doit avoir plus de quarante ans. Toutefois, le pouvoir exécutif est entre les mains du cabinet qui comprend quatorze ministres, ayant à sa tête le chancelier fédéral (*Bundeskanzler*). Celui-ci est élu par le *Bundestag,* sur la proposition du président. Comme dans la plupart des nations occidentales de l'Europe, le cabinet doit avoir la confiance du *Bundestag,* sinon il doit démissionner. Mais en Allemagne, le parlement ne peut exprimer son manque de confiance qu'en désignant un nouveau chancelier. Ce règlement est destiné à empêcher de fréquentes crises ministérielles et l'instabilité gouvernementale qui en découle.

Les principaux partis politiques sont les Démocrates socialistes et les Socialistes chrétiens, un parti plus conservateur et composé en majeure partie de catholiques ; les Démocrates libres, un parti plus nationaliste de la droite, qui est blâmé pour avoir admis dans son sein d'anciens Nazis. Il y a quelques autres partis de moindre importance, mais le gouvernement fédéral a interdit les partis nazi et communiste.

Plus de la moitié de la population est luthérienne et environ les deux cinquièmes sont catholiques. Depuis la fin de la guerre, comme nous l'avons mentionné plus haut, il s'est produit un grand réveil religieux.

L'analphabétisme est virtuellement inconnu en Allemagne. L'enseignement y fut toujours excellent et des innovations telles que les écoles maternelles se sont répandues de l'Allemagne dans tous les pays du monde. Ses universités de Heidelberg, de Bonn, de Gœttingue, de Munich, de Tubingue, de Francfort et de Berlin-Ouest sont parmi les plus réputées d'Europe. Les étudiants étrangers y ont tou-

HICOG (JACOBY)

EN BAVIÈRE: LA FABRICATION DES BONBONS AU CHOCOLAT

Certaines régions de l'Allemagne ont acquis dans la fabrication des bonbons une réputation qui a dépassé les frontières. Cette fabrique de chocolat travaille aussi pour l'exportation.

jours afflué. Avant l'avènement d'Hitler, leurs facultés de médecine étaient sans égales. En fait, l'Allemagne a joué un rôle de premier plan dans tous les domaines de la science.

L'Allemagne de l'Est

L'Allemagne de l'Est s'appelle la République démocratique allemande. Les efforts des communistes d'en faire un état soviétique ont causé un exode de la population. Au début de 1953, chaque jour trois mille personnes environ fuyaient l'Allemagne de l'Est.

La population de ce territoire s'est moins mêlée à ses voisins que celle de l'Allemagne de l'Ouest. Toutefois, il existe certaines différences dans le caractère et les dialectes entre les habitants de la Saxe et de la Thuringe et les Allemands du nord de cette région. Une infime minorité de la Lusace, les Wendes ou les Sorabes, a conservé une des langues slavoniques qui était parlée au moyen âge dans toute l'Allemagne à l'est de l'Elbe.

Au début, la république démocratique allemande fut organisée sur presque les mêmes bases que la république de 1918–33, bien que moins centralisée. En 1945, l'Allemagne de l'Est comprenait cinq états ou provinces: le Brandebourg, le Mecklembourg, la Saxe, la Saxe-Anhalt et la Thuringe, la plupart semblables aux anciennes provinces. L'un d'eux—le Brandebourg—était une ancienne province de la Prusse et un autre—Saxe-Anhalt—était la réunion d'un état et d'une province. En 1952, la division par états a été abandonnée et la république est devenue un seul état divisé en quatorze districts administratifs (*Bezirke*) jouissant de peu d'autonomie et ne tenant plus aucun compte des anciennes frontières. Ce changement ainsi que d'importantes modifications apportées au code judiciaire ont eu pour résultat de consolider l'em-

WIDE WORLD

EXPOSITION DES MACHINES AGRICOLES À LA FOIRE DE LEIPZIG

Bien qu'une vague de froid ait atteint la ville, l'exposition en plein air attire toujours des visiteurs. La foire de Leipzig a lieu chaque année depuis le quatorzième siècle environ.

FIGURINES DE PORCELAINE DE SAXE, DITES DE DRESDE

Ces gracieuses figurines, peintes de couleurs tendres, sont célèbres depuis le XVIIIe siècle. La plus grande partie de la porcelaine de Saxe est faite à Meissen, situé non loin de Dresde.

prise communiste. Le gouvernement est administré suivant le modèle des autres satellites de l'Union soviétique. En même temps, l'union de toute l'Allemagne est devenue de moins en moins probable.

L'Allemagne de l'Est est surtout une région agricole. Elle constitue en grande partie un prolongement de la vaste plaine qui s'étend à travers l'Europe du Nord. Ce n'est que vers la frontière de la Bavière et de la Tchécoslovaquie que le pays devient accidenté.

Dans l'ancienne Poméranie et dans la Prusse orientale, les grands domaines appartenaient à la petite noblesse de la Prusse et du Mecklembourg, ou Junkers d'où était tiré le corps des officiers prussiens. Après la fin de la deuxième guerre mondiale, les grands domaines furent confisqués et partagés entre les fermiers allemands qui avaient perdu leurs terres plus à l'est. A cause de cette réforme agraire, la nourriture fut plus abondante pendant quelque temps dans la zone orientale que dans les zones occidentales, bien que les troupes d'occupation russes

vivent sur le pays et qu'une grande partie des récoltes soit envoyée en Russie. Le sort de la population ouvrière des villes fut moins favorable parce que les Russes enlevèrent les machines et l'équipement des usines et des bureaux et les expédièrent en Russie à titre de réparations.

Plus tard, la situation fut renversée. A la demande des Russes, on commença la collectivisation des fermes. Cette mesure causa la fuite d'un si grand nombre de fermiers dans l'Allemagne de l'Ouest que la production agricole diminua. D'autre part, avec l'arrivée de matières premières de la Pologne et de la Tchécoslovaquie, le chômage disparut des villes. En 1951, la production industrielle atteignit 105 pour cent du niveau de 1936 pour la région et seulement 78 pour cent pour les récoltes. L'exportation vers la Russie des produits manufacturés augmenta.

Sur la frontière de la Tchécoslovaquie, dans la chaîne de l'Erzgebirge, on découvrit des gisements d'uranium. L'exploitation en fut aussitôt entreprise dans

LE NETTOYAGE DES HARENGS DANS UNE USINE DE CUXHAVEN

Les filets de ces harengs de la mer du Nord, roulés autour d'un morceau d'oignon et d'une tranche de cornichon, puis mis dans la saumure sont expédiés dans le monde entier.

le plus grand mystère, les prisonniers politiques fournissant la main-d'œuvre.

Pendant des siècles, Leipzig, la ville la plus connue de l'Allemagne de l'Est, était célèbre pour ses foires de commerce, tenues sur la grande place du centre de la ville, appelée la Place du Marché. Les foires ont toujours lieu chaque année, mais dans une atmosphère différente. Autrefois, la ville était aussi le centre de l'édition.

Dresde, connue pour sa fine porcelaine, se trouve aussi derrière le rideau de fer. La plupart de ses statuettes de bergers et de bergères sont en réalité fabriquées à Meissen, à quatorze milles de Dresde.

Le régime politique de l'Allemagne de l'Est tolère plusieurs partis, mais tout le pouvoir est entre les mains du parti socialiste unifié (*Sozialistische Einheitspartei Deutschlands,* ou SED), une union forcée entre les socialistes et les communistes, ces derniers tenant les rênes. Les formes extérieures de la démocratie sont hautement proclamées, mais le pays est aministré à la manière totalitaire.

La majorité de la population est luthérienne, le reste est catholique.

L'enseignement est organisé suivant les méthodes communistes. Toutes les écoles privées ont été fermées et on encourage les écoles publiques. L'enseignement de l'idéologie communiste constitue une part importante des études et absorbe presque un tiers du temps. On encourage aussi les études techniques et on construit de nombreuses écoles pour former des techniciens. Le russe est la première langue étrangère enseignée dans les écoles.

Quel sera l'avenir de l'Allemagne? Personne ne peut le prédire. La division du pays est arbitraire. Toutefois à mesure que grandissent les nouvelles générations des deux côtés du rideau de fer, qui n'auront connu qu'un pays divisé et qu'on endoctrine d'aperçus nouveaux sur la vie, l'union deviendra de plus en plus difficile à réaliser. Quoi qu'il arrive, l'avenir de l'Allemagne est d'une grande importance pour le monde entier, car là se trouve le terrain d'essai pour le grand conflit des idées du vingtième siècle.

GUNNAR LEISTIKOW

L'ALLEMAGNE: RÉSUMÉ STATISTIQUE

LE PAYS

L'Allemagne occupe la grande plaine du nord de l'Europe entre les Alpes et les mers du Nord et de la Baltique et entre le Rhin et l'Oder. L'Allemagne de l'Ouest, dont la capitale est à Bonn, a été formée des zones d'occupation américaine, anglaise et française; l'Allemagne de l'Est, dont la capitale est Berlin, de la zone soviétique. L'Allemagne de l'Ouest: superficie, 94,719 m.c., population, 53,100,000. L'Allemagne de l'Est: superficie, 41,631 m.c., population, 16,-000,000; Berlin-Ouest, 156 m.c., population, 1,175,000; Berlin-Est, 186 m.c., population, 2,194,600.

GOUVERNEMENT

Allemagne de l'Ouest: la République fédérale de l'Allemagne, régie par la constitution de 1949; a une diète fédérale de membres élus et un conseil fédéral; un président, un premier ministre ou chancelier et un cabinet. Allemagne de l'Èst: la République démocratique allemande, administrée par une constitution adoptée en 1949; dominée par les communistes.

COMMERCE ET INDUSTRIES

Récoltes: pommes de terre, blé, betteraves à sucre, sarrasin. La silviculture est une occupation importante. Le pays est pauvre en minéraux sauf le charbon de la Ruhr; on exploite des gisements d'uranium dans l'Allemagne de l'Est. Pêcheries importantes dans les mers du Nord et de la Baltique. Principales industries: fer et acier, appareils électriques, produits chimiques, tissus, sucre, potasse, verrerie, jouets, et vins.

COMMUNICATIONS

Allemagne de l'Ouest; chemins de fer, 18,966 milles; routes, 79,622 milles; voies fluviales, 2,654 milles.

RELIGION ET ÉDUCATION

Environ 62 pour cent de la population sont protestants, en majorité luthériens, 35 pour cent catholiques. Education obligatoire de 6 à 14 ans. L'Allemagne de l'Ouest a 17 universités.

VILLES PRINCIPALES

Berlin (Est et Ouest), 3,293,000. Allemagne de l'Ouest: Bonn, la capitale, 135,000; Hambourg, 1,808,000; Munich, 1,034,000; Cologne, 760,000; Essen, 726,000; Düsseldorf, 685,000; Francfort-sur-le-Main, 648,000; Dortmund, 633,-000; Stuttgart, 620,000; Hanovre, 563,000; Brême, 541,000; Duisbourg, 455,000; Nuremberg, 399,000; Wuppertal, 393,000; Gelsenkirchen, 355,000; Bochum, 326,000; Mannheim, 272,000; Kiel, 260,000; Wiesbaden, 240,000. Allemagne de l'Est: Leipzig, 594,000; Dresde, 492,-000; Karl-Marx Stadt (anc. Chemnitz), 286,-000; Halle, 279,000; Magdebourg, 259,000.

BERLIN, capitale d'une Allemagne vaincue par les Alliés, se trouve dans la zone d'occupation soviétique, à environ 110 milles de la ligne de démarcation entre ce qui forme aujourd'hui les deux Allemagnes, celle de l'Ouest et celle de l'Est. Les quatre grands, les Etats-Unis, la Grande-Bretagne, la France et l'Union Soviétique y installèrent le siège de la commission alliée. Cependant, à la suite de la crise de 1948–1949, Berlin s'est vue diviser en deux blocs, Berlin-Ouest et Berlin-Est. Berlin-Ouest, grâce à une aide généreuse des Occidentaux, est une ville prospère qui se veut un exemple de ce que peut apporter un régime capitaliste. Le contraste entre les deux Berlins est frappant. A la nuit tombée, par exemple, les enseignes lumineuses du secteur occidental semblent narguer le ciel sombre et triste de Berlin-Est.

La division de Berlin ne suffit pas à expliquer ce qui en fait le centre névralgique des relations Est-Ouest. Fritz Berg, le président de la Fédération des industries allemandes a déclaré : «Berlin est un avant-poste de la République Fédérale. Si l'avant-poste tombe, nous succomberons tous tôt ou tard. Nous devons établir un pont économique entre la République Fédérale et Berlin-Ouest». En conséquence, pour permettre aux Berlinois de l'Ouest de survivre à l'isolement géographique causé par la division de la ville, située en zone soviétique, on a développé différents secteurs de l'industrie légère comme l'outillage mécanique, l'appareillage électrique etc. Les produits de Berlin-Ouest sont exportés dans le monde entier.

La conduite des Alliés est toute entière dictée par la promesse qu'ils ont faite de défendre les positions occidentales. Lors du blocus russe de 1948–1949, le pont aérien assurant le ravitaillement sauva la population de la famine. Ce fut une démonstration éclatante de la volonté occidentale de sauvegarder Berlin-Ouest. La manière dont les Etats-Unis s'acquitteront de leur engagement moral aura une portée immense sur l'opinion mon-

Berlin

*...un aperçu
sur le rideau
de fer*

diale. Pour les Russes, Berlin est une arme puissante. Chaque fois qu'ils espèrent obtenir des concessions sur une question quelconque de la part des Occidentaux, ils font peser leur menace sur Berlin-Ouest.

Les relations entre Berlin-Est et Berlin-Ouest sont une sorte de baromètre de la guerre froide. Il fut un temps où la vie quotidienne des Berlinois, qu'ils fussent de l'Est ou de l'Ouest, se confondait. Les habitants des deux villes utilisaient le même métro qui circulait entre les zones sans que les contrôles y soient trop sévères ; c'était le moyen le plus facile de quitter la zone russe. Les communications entre les deux Berlins ont subi des fluctuations diverses. Le passage de Berlin-Est à Berlin-Ouest se résumait selon les époques, soit à des pancartes informant que l'on quittait telle ou telle zone, soit à des contrôles militaires ou civils. Cette situation variable se transforma au cours de l'été 1961 en un durcissement spectaculaire. Les autorités de Berlin-Est entreprirent la construction d'un mur qui, long de plus de 30 milles, empêche toute communication entre les deux secteurs de la ville.

144

Les crises successives n'empêchent pas Berlin-Ouest de continuer à vivre intensément, comme si ses habitants voulaient tenter par là d'oublier leurs préoccupations. Le support moral que l'Occident tient à fournir à Berlin-Ouest se traduit par une abondance économique, très enviée par les Berlinois du secteur soviétique. Les magasins sont attrayants et abondamment achalandés; on y trouve des produits de tous les pays du monde. La reconstruction de la ville a été menée tambour battant, et des plaisirs aussi simples que la promenade le long des rues pour admirer les vitrines, ou le café que l'on déguste assis aux terrasses, sont redevenus une habitude chère aux Berlinois.

En dehors des remous de la politique internationale, il se passe toujours quel-

LA PORTE DE BRANDEBOURG marque la séparation entre Berlin-Ouest et Berlin-Est. Une victoire ailée et un chariot de quatre chevaux (un quadrige) la surmontent.

que chose à Berlin: expositions, foires commerciales, manifestations sportives, ou même festivals artistiques—musique, théâtre et cinéma. Le festival du film de Berlin est une date annuelle dans le calendrier de l'industrie cinématographique, et l'ours qui récompense les lauréats est devenu une statuette très recherchée.

Berlin-Est est, par comparaison, une ville sévère et triste. Ces dernières années, les conditions de vie s'y sont pourtant beaucoup améliorées. Le ravitaillement y est plus abondant, et les magasins en général y sont bien achalandés. Pourtant, les prix restent élevés et pour certains articles comme les postes de télévision, par exemple, il y a une longue liste d'attente.

Jusqu'à une époque encore assez récente, c'est-à-dire avant l'anéantissement de l'Allemagne nazie par les Alliés, Berlin, capitale du Troisième Reich, était la première ville d'Europe tant par sa population que par ses ressources industrielles et commerciales. Elle était la troisième ville du monde avec une étendue à peu près égale à celle de New-York, et la capitale d'une Allemagne qui, sous Hitler, se sentait assez puissante pour subjuguer tous ses voisins. Berlin a été la victime de deux guerres mondiales et, depuis 1945, de la guerre froide.

La Deuxième Guerre mondiale a marqué la ville au point d'y laisser ses traces sur presque chaque édifice resté debout, tandis que des milliers d'autres ont été complètement détruits. Près du centre de la ville, de vastes espaces jonchés de décombres étaient tout ce qui restait des maisons, des palais, des théâtres et des églises de cette ville qui fut la première d'Europe. Mais Berlin, qui a survécu à la seconde guerre mondiale, survivra-t-elle à la guerre froide?

Berlin-Ouest est une île perdue au milieu de pays dominés par les communistes. La ville ne peut faire de commerce qu'avec les territoires qui l'entourent. Toutes ses matières premières doivent venir de loin, et sa production ne peut s'écouler que dans les marchés éloignés de l'Ouest.

Berlin-Ouest

A cause de cet état de choses, Berlin-Ouest a beaucoup souffert au cours des années qui ont suivi la Deuxième Guerre mondiale. Il y avait un chômage considérable, aggravé encore par le flot des réfugiés de l'Allemagne de l'Est. Si les réfugiés continuent à arriver, l'aspect de Berlin-Ouest a cependant changé de façon étonnante. L'architecture de l'ancien Berlin portait l'empreinte sévère du prussianisme du dix-neuvième siècle. C'était une cité de pierre. Aujourd'hui, grâce à l'aide du gouvernement de Bonn et des Etats-Unis, Berlin devient une cité de verre. Des milliers de maisons et d'im-

meubles aux vives couleurs se sont élevés, ainsi que des édifices commerciaux en acier et en fer.

Lorsque Berlin absorba ses faubourgs en 1920 et devint une des plus grandes villes du monde, elle engloba en même temps de nombreuses forêts et des réserves de chasse royales. Tel fut le Gruenewald où les kaisers allaient chasser. Avec les bois avoisinants, il constitue une étendue de neuf milles carrés dans la ville. Mais les jours glorieux de Berlin, capitale nationale, sont passés. Cependant, Berlin-Ouest force aujourd'hui le respect de tous par son courage et sa détermination à survivre à une situation difficile. Ville occupée, chaque secteur a son propre gouvernement et Berlin-Ouest jouit d'une grande liberté d'action. Elle est représentée au parlement fédéral par 22 membres qui ne jouissent pas du droit de vote. Dans Berlin-Est, ce sont les *Vopos*, la police du peuple, qui administrent la ville.

Berlin-Est

Berlin-Est ne souffre pas des mêmes difficultés que Berlin-Ouest. Elle peut commercer librement avec l'Allemagne de l'Est, puisque c'est le centre administratif du secteur soviétique. En conséquence, le chômage n'existe pas.

Chaque rue de Berlin-Est porte l'empreinte communiste. Des drapeaux rouges pendent des toits, des corniches et des fenêtres. Des photographies gigantesques des chefs communistes russes et allemands couvrent les murs entiers d'édifices détruits par les bombardements. Des bannières portent des slogans tels que «Vive l'amitié germano-russe».

Sur l'Unter den Linden, où l'on a planté de nouveaux tilleuls, on a installé d'innombrables panneaux-réclame pour y coller encore des photos et des slogans. Des haut-parleurs ont été posés le long des avenues pour radiodiffuser des marches militaires et des discours pendant les grandes manifestations populaires.

Le symbole de la transformation de Berlin, d'une petite ville de province en capitale, était le château que les Hohenzollern avaient élevé sur une île de la Sprée, vers la fin du quinzième siècle. Après s'être emparé de la ville avec six cents cavaliers. Friedrich von Hohenzollern construisit la forteresse et fit de la ville sa capitale. On agrandit le château jusqu'à ce qu'il soit devenu l'imposant édifice qu'occupa Guillaume II, le dernier des Hohenzollern.

Ce château qui représentait le principal lien avec le passé fut fortement endommagé pendant la guerre et rasé par les communistes. Il a été remplacé par un vaste square couvrant toute l'île, et qu'on a nommé la Place Marx-Engels, pour rappeler que les fondateurs du communisme furent tous deux des Allemands. C'est ici qu'ont lieu les grandes réunions populaires qui plaisent tellement aux communistes.

Dans Berlin-Est, on voit au-dessus des boutiques et même de certains restaurants populaires les initiales «H.O.» Elles servent à désigner les magasins, les boutiques et les étalages administrés par l'Etat. Ces initiales signifient *Handelsorganization,* ou Organisation du Commerce. D'autres boutiques portent le nom de *Konsum,* qui désigne les coopératives de consommateurs. Le système communiste n'a pas été appliqué intégralement et il existe encore quelques magasins privés.

La plus belle rue de Berlin-Est est l'Allée Staline, rebaptisée Allée Karl Marx, à la suite du XXIIᵉ Congrès du P.C. à Moscou qui a banni le nom de Staline de l'histoire russe. Elle est construite sur une des avenues qui avaient

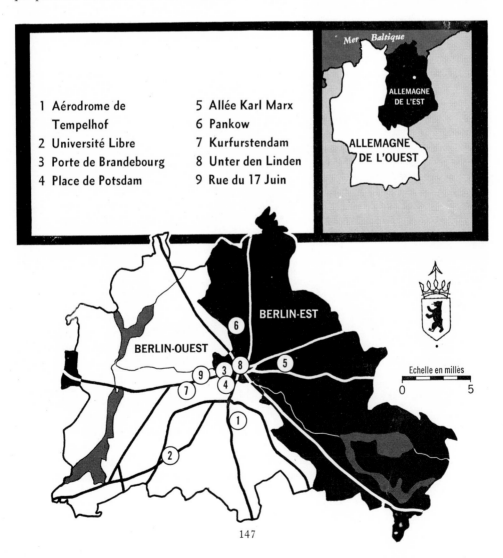

1 Aérodrome de Tempelhof
2 Université Libre
3 Porte de Brandebourg
4 Place de Potsdam
5 Allée Karl Marx
6 Pankow
7 Kurfurstendam
8 Unter den Linden
9 Rue du 17 Juin

Mer Baltique

ALLEMAGNE DE L'EST

ALLEMAGNE DE L'OUEST

BERLIN-EST

BERLIN-OUEST

Echelle en milles
0   5

le plus souffert des bombardements et où il ne restait virtuellement plus un édifice debout. On a enlevé les décombres et on a tracé un large boulevard bordé de nouveaux immeubles et de magasins H.O.

Bien que moins spectaculaire, la reconstruction de Berlin-Ouest n'en a pas moins fait plus de progrès. Des milliers d'édifices en partie endommagés ont été restaurés et grâce à l'aide américaine un beau quartier d'affaires a surgi sur la Kurfuerstendamm et la Tauentzienstrasse.

Ainsi le Berlin actuel est une ville de contrastes saisissants. Les systèmes rivaux de l'Est et de l'Ouest sont plus rapprochés l'un de l'autre au centre de Berlin qu'à n'importe quel autre endroit. L'avenue la plus élégante de Berlin-Ouest est la Kurfuerstendamm, qui est bordée d'hôtels, de boutiques, de cinémas et de terrasses de café. Les magasins regorgent de marchandises de choix, y compris des diamants et les toilettes à la mode. En fait, la qualité des marchandises et les prix raisonnables attirent de nombreux acheteurs de l'Allemagne de l'Ouest; à Berlin-Est les prix sont très élevés pour des marchandises de mauvaise qualité et des mets sans saveur.

Au temps où Berlin était la capitale d'un empire, un grand nombre des habitants étaient des employés ou de petits fonctionnaires du gouvernement. Aujourd'hui, les rouages de l'Etat se trouvent ailleurs. La capitale de l'Allemagne de l'Ouest est à Bonn. L'administration de l'Allemagne de l'Est se trouve dans la zone russe de Berlin, mais elle présente peu d'attrait aux anciens fonctionnaires demeurant dans les zones occidentales.

L'Allemagne étant un pays jeune, son ancienne capitale était aussi une ville relativement neuve. Lorsque Paris, Londres et Rome étaient déjà connues dans le

WIDE WORLD

À LA FRONTIÈRE: «VOUS SORTEZ DU SECTEUR AMÉRICAIN»
Il arrive que des Berlinois de l'Ouest soient détenus lorsqu'ils pénètrent dans le secteur soviétique; c'est la raison d'être de ce grand écriteau et de la barrière qu'on élève au fond.

DE BELLES BOUTIQUES ONT REMPLACÉ LES DÉCOMBRES

Le passant s'attarde volontiers devant les étalages de Fehrbelliner Platz, dans le secteur anglais.
De nouveaux édifices, la mise à neuf des anciens font revivre l'Ouest de Berlin.

monde entier comme de grandes métropoles, Berlin n'était qu'une petite ville.

Elle est située sur une vaste plaine sablonneuse, appelée jadis la boîte à sable du Saint empire romain. Ça et là, la région est recouverte d'épaisses forêts de pins telles que celles qui s'étendent à travers la Pologne et dans les marais de Pripet jusqu'à la Russie. Des ravins profonds allant dans le sens de l'est et de l'ouest montrent l'endroit où les énormes glaciers de l'âge glaciaire s'arrêtèrent dans leur marche vers le sud.

La région était habitée par des Slaves qui, au douzième siècle, furent refoulés vers la Russie par les tribus saxonnes. Deux établissements surgirent alors sur les bords de la Sprée là où elle rejoint la rivière Havel à l'endroit où se trouve actuellement Berlin. Un de ces établissements, le

plus ancien probablement, fut bâti sur une île de la Sprée et appelé Koelln. L'autre, sur la rive sud, fut le village de Berlin. Ils furent en partie réunis en 1307, mais même ainsi Berlin ne pouvait alors rivaliser avec les centres de Cologne, de Francfort et de Nuremberg.

Les cathédrales, les châteaux et autres anciens édifices de ces villes témoignent de l'importance qu'elles avaient au moyen âge. Il n'en existait pas de semblables à Berlin. En 1688, lorsque nombre d'autres villes allemandes avaient déjà une importance considérable, on estime que la population de Berlin ne s'élevait guère à plus de huit mille habitants, à peine autant qu'une ville moyenne de l'Amérique du Nord d'aujourd'hui.

Toutefois, Berlin avait une importance commerciale suffisante pour devenir un

LE CLOU DE L'EST DE BERLIN

Une maison d'appartements modernes a été élevé sur Stalin Allee, dans l'est de Berlin.

membre secondaire de la Ligue hanséatique, une association de villes commerciales qui protégeaient leurs intérêts en l'absence d'un gouvernement central.

Berlin progressa au point de rejoindre les autres villes au dix-septième siècle, lorsque le souverain local, Frédéric-Guillaume, connu sous le nom de Grand Electeur de Brandebourg, commença la construction d'un canal reliant la Sprée à l'Oder. Cela fit de Berlin le centre des voies navigables de l'Allemagne du Nord. A une époque où les chemins de fer n'existaient pas et où il n'y avait que quelques routes en mauvais état, un tel site donnait une grande importance aux villes.

Plus tard, lorsque Berlin devint le principal centre politique de la plaine septentrionale de l'Allemagne, elle attira vers elle les nouvelles routes et voies ferrées, ce qui fait qu'aujourd'hui douze voies ferrées principales convergent sur la ville, ainsi que les autostrades modernes construits par Hitler. Le rideau de fer coupant arbitrairement les voies ferroviaires, routières et fluviales, crée bien des difficultés pour Berlin.

Aux premiers temps, Berlin n'était même pas assez important pour en faire un centre administratif de la région où il était situé. Les électeurs, ainsi s'appelaient les souverains locaux, avaient leur capitale à Brandebourg, à quarante milles plus à l'ouest. Ce ne fut que lorsque les Hohenzollern fixèrent leur siège à Berlin que la ville commença à croître pour devenir tout d'abord la capitale de la Prusse et finalement de toute l'Allemagne.

Ce fut sous le Grand Electeur qu'une première vague de réfugiés s'abattit sur Berlin. Il s'agissait des Huguenots, les protestants français, qui fuyaient la persécution en France. Ils s'établirent en Grande-Bretagne, en Allemagne et fondèrent des colonies dans la solitude nord-américaine. Il en vint un si grand nombre à Berlin au dix-septième siècle qu'un habitant sur cinq était Français.

Pendant que les Hohenzollern établissaient leur domination sur les petites principautés voisines, leur capitale Berlin, grandissait en prestige. Lorsque Frédéric le Grand monta sur le trône en 1740, la ville avait une population de 70,000 habitants. Soixante ans plus tard, lorsque toute l'Europe avait appris à craindre ses armées, la population avait plus que doublé et atteignait 172,000.

Deux des créations principales du Berlin moderne doivent être attribuées à l'esprit militaire prussien. L'une d'elles fut l'Université de Berlin sur l'Unter den Linden. Les Hohenzollern la subventionnèrent au début, estimant qu'elle leur fournirait une pépinière d'officiers pour leurs armées. Elle devint bientôt un des plus grands centres culturels du monde. Les philosophes Hegel et Fichte y travaillèrent ainsi que les célèbres auteurs de contes de fées, les frères Grimm.

Un des grands aérodromes du monde

L'aérodrome de Tempelhof, qui jouit d'un des plus beaux sites au monde, doit son existence à l'amour des défilés militaires, car il fut le Champ de Mars impérial, ce qui explique pourquoi on ne bâtit jamais sur son site. Ici défilèrent plusieurs générations de soldats prussiens.

Au cours du siècle dernier, l'Allemagne

prit un essor formidable. Elle devint une nation unie et puissante et Berlin devint la capitale du nouvel empire. Au dix-neuvième siècle, la ville devint dix fois plus populeuse. Tous les quartiers anciens se trouvent dans l'est de Berlin, et les zones occidentales représentent l'expansion postérieure à 1800.

L'expansion de la ville a été réalisée d'une façon si biscornue que la frontière entre les deux Berlins se trouve aujourd'hui en partie le long de la frontière ouest de la vieille ville. Potsdamer Platz, le point de jonction des secteurs américain, anglais et russe, était autrefois la porte de sortie menant à Potsdam. Cette place se trouve maintenant au centre de la ville. La porte de Brandebourg était celle qui menait au Brandebourg ; la porte de Silésie menait vers la province de Silésie. Toutes ces portes se trouvent aujourd'hui sur le point de séparation des deux villes.

Lorsque Adolphe Hitler prit le pouvoir en 1933, il se vanta qu'il construirait une ville qui durerait mille ans. Les Nazis érigèrent un énorme ministère de l'air et d'autres édifices gouvernementaux, dont se sert maintenant le gouvernement de l'Allemagne de l'Est. Pour les jeux Olympiques de 1936, on aménagea un vaste terrain de sports qui comprenait deux stades dont l'un pouvait contenir 100,000 personnes. Mais en 1939, Hitler s'embarqua dans une guerre et à la fin lui-même périt sous les décombres de Berlin. Des raids aériens massifs de la Luftwaffe dévastèrent plusieurs villes anglaises et inaugurèrent l'ère des bombardements stratégiques. A la fin, Berlin et Tokyo en furent les principales victimes.

Berlin fut capturé par les armées russes. On dit que dix mille soldats russes périrent au cours des combats dans les rues de la ville. Il restait à peine une rue où l'on ne se soit battu. Il faut rendre hommage à la volonté et à l'énergie des Berlinois d'avoir réussi à sortir de ce chaos et d'avoir recréé leur ville.

Les quatre puissances qui occupaient Berlin conjointement n'avaient pu se mettre d'accord. Le principal désaccord était entre les Russes et les puissances occidentales. De ce désaccord initial devaient surgir d'autres difficultés. En 1948, ayant perdu tout espoir de les résoudre, les Occidentaux créèrent un gouvernement séparé dans l'Allemagne de l'Ouest. En représailles contre cet acte et contre l'introduction de la monnaie de l'Allemagne de l'Ouest à Berlin, les Russes établirent le blocus de Berlin-Ouest. Ce désaccord venait s'ajouter à celui de la division des deux Allemagnes. C'est pourquoi il existe maintenant deux gouvernements allemands.

Le ravitaillement aérien de 1948–49

Tout le trafic par terre et par eau à Berlin-Ouest devant passer par la zone soviétique, il fut facile aux Russes de l'arrêter pour des raisons «techniques». C'est pour cette raison que les Alliés commencèrent à ravitailler la ville par la voie des airs. En 1948–49, les gros quadrimoteurs atterrissaient souvent au taux de un à chaque minute.

En 1952, la décision de réarmer l'Allemagne de l'Ouest a donné lieu à de nouvelles mesures prises contre Berlin-Ouest, cette fois-ci par le gouvernement de l'Allemagne de l'Est, dominé par les communistes. La zone occidentale fut virtuellement coupée des territoires qui l'environnaient. Les milliers de Berlinois qui aimaient passer le dimanche à la campagne durent se contenter de le passer dans les parcs de la ville.

En dépit de ses malheurs, le Berlinois n'a pas perdu son sens de l'humour, ce qu'on remarque surtout dans les boîtes de nuit. Là, au lieu de chanteurs de charme, des satiristes se moquent de tout, depuis le communisme jusqu'à l'ancien militarisme prussien.

Malgré la crise qui règne à Berlin depuis plusieurs années déjà, les Berlinois de l'Ouest aiment leur ville et se refusent à la quitter. Aussi n'y-a-t-il pas eu de diminution marquante de la population depuis la fin du deuxième conflit mondial. Les Berlinois de l'Ouest, comme ceux de l'Est, espèrent une solution prochaine du problème qui a fait couler tellement d'encre depuis 1945.

WALTER SULLIVAN

La Pologne

...une fenêtre

ouverte

sur l'Est

LE Palais de la culture et des sciences, don grotesque de la Russie à la Pologne, domine le cœur de Varsovie. Ce cadeau d'après-guerre n'avait pas été désiré. Les matériaux qui ont servi à sa construction auraient probablement servi à fournir des logis à un cinquième de la population de la ville, dont une grande partie habite toujours des maisons délabrées dans des quartiers surpeuplés. Les Polonais détestent le palais et il est le sujet de leurs plaisanteries ; on peut néanmoins l'apercevoir de tous les coins de la ville.

La domination russe et le profond antagonisme qu'on y oppose constituent les deux problèmes dominants du dilemne polonais. La situation géographique du pays en est en partie responsable. La Pologne est constituée par une plaine, enserrée entre l'Allemagne de l'Est et la Russie, et ouverte à l'agression des deux côtés. Les Polonais n'ont jamais aimé ces deux voisins. Pendant et après la Deuxième Guerre mondiale, leur haine

152

CE COUP D'ŒIL sur Varsovie montre les forces en lutte dans la Pologne d'aujourd'hui: une église à gauche; à droite, le Palais des sciences et de la culture.

s'est accrue à la suite du massacre de cinq millions de Polonais par les nazis, suivi par le règne de la terreur russe. Les Polonais n'ont pu s'empêcher d'être entraînés dans l'orbite soviétique. En dépit de cela, tous les Polonais, même les communistes, demeurent de fervents patriotes.

Lorsque Khrouchtchev dénonça Staline et ses méthodes policières en février 1956, plusieurs pays satellites espérèrent que leurs liens avec l'URSS seraient relâchés. Dans la nuit du 19 octobre 1956, Wladyslav Gomulka, qui venait d'être nommé chef du parti communiste polonais (Staline l'avait emprisonné), prévint Khrouchtchev qu'il fallait accorder à la Pologne le droit de choisir sa propre voie vers le socialisme. Depuis le mois de juin, des émeutes avaient éclaté et cette nuit-là des tanks russes avançaient sur Varsovie. Khrouchtchev décida de ne pas employer la manière forte et pendant les mois qui suivirent les Polonais respirèrent plus librement.

Depuis lors, les espoirs soulevés en octobre 1956 se sont évanouis. Bien que la police secrète ait été abolie et que les Polonais puissent s'exprimer sans contrainte, la Pologne demeure sous la dépendance de la Russie. Dans l'industrie, les usines polonaises ont souvent été montées de façon à ne pouvoir utiliser que l'outillage russe. Les salaires sont maintenus si bas que la lutte pour l'existence, aggravée par une multitude de petites contrariétés, dont le manque d'intimité, supprime tout esprit de révolte chez les ouvriers. Peuple instable, les Polonais passent du découragement à une gaieté folle.

De bien des manières, les agriculteurs vivent mieux que les travailleurs des villes. Les premières tentatives en vue de collectiviser les fermes ont rencontré une telle résistance qu'elles ont dû être presque entièrement abandonnées. Sur l'insistance de Moscou, le gouvernement cherche à amadouer les fermiers, en leur offrant des conditions financières avantageuses pour qu'ils achètent des machines collectivement. En principe, l'idée est raisonnable; les méthodes agricoles sont périmées et leur mécanisation est absolument nécessaire.

La situation de la Pologne est curieuse en ce sens que Gomulka, bien que communiste sincère, doit appuyer son autorité sur des éléments anti-communistes et anti-russes. A l'origine, les chefs du parti communiste polonais étaient des intellectuels et aucun groupe en Pologne n'inspire plus de respect. Cependant, ce sont ces hommes et ces femmes qui s'opposent le plus au communisme tel qu'on le pratique en Russie. L'antagonisme s'est étendu à tous les milieux. Aux yeux des Russes, le révisionnisme,—désir inné de la grande majorité des Polonais de suivre leur propre voie menant au socialisme, —est le péché capital.

C'est pourquoi la Pologne est toujours à la veille d'une crise. En tant que pays satellite le plus ouvert à l'influence de l'Occident, il rend plus visible le chancre du bloc communiste.

Le royaume moyenâgeux

Au moyen âge, le royaume de Pologne s'étendait de la Baltique à la mer Noire. Au dix-neuvième siècle, la Pologne avait cessé d'exister. Le démembrement de la Pologne décidé en 1772 par ses trois puissants voisins, la Russie, la Prusse et l'Autriche-Hongrie, fut définitif en 1795. Tous les patriotes polonais qui cherchaient à secouer le joug étranger étaient envoyés en exil, emprisonnés ou mis à mort. On défendait même aux Polonais de parler leur langue.

Lorsqu'en 1918, à la suite de la Première Guerre mondiale, la Pologne redevint une nation indépendante, le peuple polonais ne songea plus qu'à lui rendre sa grandeur passée. La Pologne se trouvait à cette époque au sixième rang des nations européennes.

Le sol de la Pologne est riche et bien arrosé. Le nom Pologne veut dire pays de la plaine. En dehors des Carpathes et des monts des Sudètes dans le sud, le pays n'est en effet qu'une vaste plaine. Du golfe de Dantzig jusqu'à Varsovie, la Vistule coule au milieu de champs où croissent des céréales, des pommes de terre et des betteraves à sucre. On y voit toujours plus d'attelages de chevaux que de tracteurs, et les fermes individuelles

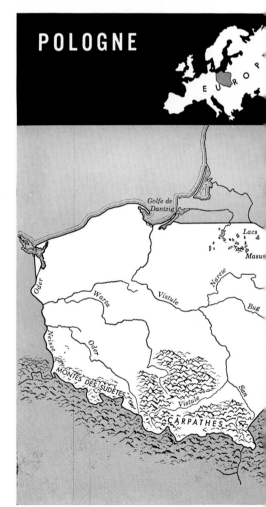

sont petites. Les Polonais sont de rudes travailleurs qui aiment leurs terres et les cultivent avec soin. Le rendement sera plus important cependant, quand ils auront été persuadés ou forcés d'employer des méthodes modernes.

En été, les pâturages des Carpathes résonnent du son des cloches de vaches et des flûtes jouées par les bergers qui gardent leurs troupeaux. En hiver, les Carpathes prennent une beauté sauvage. Les pins et les genévriers sont couverts de neige, l'air est coupant et le ciel scintille d'étoiles. C'est une région magnifique pour les sports d'hiver.

Bien que les Polonais soient en majorité d'origine slave, ils réunissent les qualités de plusieurs races. Leur pays a donné au monde quelques-uns de ses plus grands artistes et savants. Il y eut entre

autres Copernic qui osa suggérer vers 1500 que la terre tournait autour du soleil; Frédéric Chopin, dont la musique remue le cœur de ses compatriotes comme aucune autre ne le fait; Ignace Paderewski, le pianiste, qui devint le premier ministre de la république polonaise et Madame Curie (Marie Sklodowska), qui découvrit le radium. La Pologne est aussi la patrie de Wladislav Reymont, titulaire du prix Nobel, et de Joseph Conrad, pour ne nommer que deux de ses célèbres écrivains.

En Pologne, environ la moitié de la population se livre à l'agriculture. Les fermiers n'ont en général que de petites exploitations. Jadis certains patrimoines étaient aussi grands que des pays, et leurs propriétaires y exerçaient un empire quasi-princier. L'on se fera une

● Charbon	Ⓖ Gaz naturel	🐟 Poisson
▲ Zinc	■ Sel	Ⓥ Verrerie
Ⓟ Plomb	Ⓢ Soufre	⚓ Constructions navales
Ⓕ Fer	Lin	Canaux
Ⓟ Pétrole	◆ Betteraves à sucre	

La Pologne possède des forêts; cultures: seigle, pommes de terre, avoine, orge, blé; élevage: moutons, bovins, chevaux et porcs.

ÉCHELLE EN MILLES
0   50   100

idée de l'immensité de ces anciens patrimoines quand on considère que les deux plus grands ensemble avaient une superficie égale à celle de l'Angleterre. Tous les paysans étaient serfs. Aujourd'hui le servage a disparu, mais le gouvernement communiste laisse peu de liberté aux paysans.

Les Polonais tirent leur origine de l'ancienne peuplade païenne des Slaves qui descendit du nord dans les plaines verdoyantes de la Vistule. Rome apporta le Christianisme en Pologne en 965 et depuis lors la nation est restée catholique.

Boleslaus le Brave fut le premier roi de Pologne. Il accéda au trône en 1025, décidé à tenir tête à l'aggression allemande, mais deux siècles plus tard les Teutons avaient pris pied dans le pays. Au XIII⁰ siècle les Polonais jouèrent un rôle important dans la résistance aux Tartares mongols qui cherchaient à envahir les riches plaines de l'Europe occidentale. Son impuissance en face des Allemands la dé-

cida à s'unir avec la Lithuanie à la suite du mariage, sur l'instigation des nobles, de Hedwiga avec Jagiello, grand prince du pays plus puissant au nord. Ce prince, comme roi de Pologne, changea son nom en celui de Ladislas II. Ensemble les deux pays battirent les Chevaliers sur le champ de Tannenberg (Grünewald) en 1410. Au XVIᵉ siècle la Pologne, sous la conduite de Jean Sobieski, arrêta les Turcs qui se dirigeaient vers l'Europe pour la convertir au Mahométisme par la force de l'épée. En 1683 elle vola glorieusement au secours de l'Autriche sur le point de perdre Vienne aux hordes islamiques.

Or un jour vint où les trois plus puissants voisins de la Pologne convoitèrent plus que jamais ses mines, ses forêts et ses vastes fermes détenues par quelques nobles et travaillées par une foule de serfs, sans aucune classe intermédiaire. Alarmée, la Pologne commit l'erreur de demander l'aide de la Turquie musulmane.

PIX

EN ROUTE POUR LE MARCHÉ

Il ne faut pas confondre Minsk Mazowiecki, près de Varsovie, avec Minsk, la grande ville de la Russie Blanche. Ici on voit peu d'automobiles; les paysans se rendent au marché voisin pour vendre les produits de la ferme dans des charrettes primitives. Autrefois, la majorité des Polonais s'adonnaient à l'agriculture. L'industrialisation du pays a changé cet état de choses.

LA PLACE DU MARCHÉ DE CRACOVIE

Construite au XIIIe siècle après le passage des Tartares qui avaient semé la dévastation dans la ville, la célèbre Halle aux draps a subi de nombreuses transformations au cours des siècles, mais l'architecture mauresque a été conservée. Cracovie est une ville fort ancienne et les pavés de cette place lui donnent un air du moyen âge. C'est à Cracovie que se trouve le tombeau de Copernic.

LE TRAVAIL NE MANQUE PAS À LA FERMIÈRE POLONAISE

Cette fermière polonaise doit se contenter de moyens primitifs pour ses travaux. Le gouvernement a fait un effort considérable pour procurer des tracteurs et autres machines aux fermes.

UN AGENT FÉMININ DE LA CIRCULATION À VARSOVIE

Les femmes agents ne sont pas rares à Varsovie. Le revolver à la ceinture est le signe de son autorité et ses longues manchettes attirent l'attention sur la direction à suivre.

L'Autriche, la Russie et la Prusse, indignées, envoyèrent leurs armées en Pologne, et en 1772, partagèrent entre elles un tiers du territoire polonais.

Vingt et un an plus tard, la Prusse et la Russie décidèrent de faire un nouveau partage. Deux ans ne s'étaient pas écoulés que la Pologne avait cessé d'exister comme nation indépendante. Mais malgré les lois les plus sévères, le pays maintint vivant son esprit national. Lorsque la première guerre mondiale éclata, des régiments entiers de Polonais refusèrent de se battre ; d'autres furent obligés de se battre dans les armées allemandes et russes. De plus chanceux réussirent à passer du côté des Alliés.

La République polonaise fut proclamée le 9 novembre 1918. En 1920, les Bolcheviks envahirent le pays mais furent défaits. On s'est tant battu en Pologne qu'il n'y a pas un pouce de terrain qui ne porte les traces de combats.

Par le Traité de Versailles, la Pologne reçut les provinces de Posen et de la Prusse de l'Ouest, à l'exception de Dantzig, qui devint une ville libre. De la Russie et de l'Autriche, la Pologne obtint Vilna (en Lithuanie), la Galicie et une partie de la Silésie.

Une nouvelle constitution

Le gouvernement régi par la constitution de 1921 était démocratique ; il consistait en un parlement de deux chambres, élu par le suffrage de tous les citoyens ayant atteint vingt et un ans, et un président élu par le parlement. Malheureusement la constitution ne pouvait venir à bout de toutes les difficultés. Le mark allemand qui, à cette époque, perdait tous les jours de la valeur, était la monnaie nationale ; aussi la nouvelle république souffrit-elle autant que sa voisine vaincue de l'ouest.

Les solutions offertes pour résoudre les difficultés financières étaient aussi nombreuses que les partis politiques et de ceux-ci, il y avait une dizaine. Il y avait ceux qui préconisaient une coopération étroite avec la France. D'autres tournaient leurs regards vers la Russie, bien que les nouveaux maîtres de ce pays, les com-munistes, n'inspirassent guère confiance. L'opinion publique en Pologne avait toujours manifesté haine et méfiance vis-à-vis de la Russie. Le parti le plus puissant à cette époque était celui de Joseph Pilsudski. Celui-ci s'était battu avec l'Allemagne et l'Autriche contre la Russie pendant la première guerre mondiale.

Dictature et inflation

Bien que ses méthodes dictatoriales aient inquiété nombre de personnes, Pilsudski avait de nombreux partisans chez les riches comme chez les pauvres et il parvint au pouvoir en 1926. Pour résoudre le problème le plus pressant—l'inflation—il comprit qu'il faudrait tout d'abord porter atteinte aux droits constitutionnels des autres partis. Il projettait une réforme financière en remplaçant le mark allemand par une nouvelle monnaie nationale qui serait soutenue par de lourds impôts. Il fallait également imposer un sévère contrôle gouvernemental au pays.

Au début, ses réformes furent marquées de succès ; il diminua la dette extérieure et intérieure. Pendant les trois années qui précédèrent 1930, sa trésorerie marqua même un excédent, et les produits polonais trouvèrent de nouveaux débouchés. Les bénéfices que procurèrent les exportations permirent de réaliser les réformes nécessaires à l'intérieur du pays. La Pologne ne vivait plus sous la menace des hauts et des bas de la production agricole. Aux jours d'abondance, Pilsudski faisait des réserves. Aux jours de disette, il puisait dans les greniers et distribuait des secours à ceux qui en avaient besoin. Pendant cette période de stabilité, on entendait peu de plaintes des partis de l'opposition. Toutefois, comme la Pologne dépendait de la stabilité de la France et des autres pays avec lesquels elle faisait des échanges, sa prospérité ne fut que de courte durée. Elle fut entraînée dans la crise économique qui balaya le monde en 1930. Le gouvernement Pilsudski s'enfonça dans les dettes. L'excédent des années favorables disparut.

Une autre cause de mécontentement fut que Pilsudski semblait incapable de s'entendre avec ses voisins. Il savait bien que l'Allemagne n'abandonnerait jamais ses ti-

LA TOURNÉE DU RAMONEUR À KATOWICE

Katowice, sur la rivière Rawa, où l'ancien coudoie le moderne, est l'une des plus grandes villes de la Pologne. C'est un centre industriel situé dans l'important bassin houiller de la Silésie. La Pologne possède des mines considérables de charbon; l'exploitation progressive de ces mines a été un facteur important dans le développement de l'industrie.

161

LES ATOURS DE FÊTE D'UNE PAYSANNE POLONAISE

Le costume, tel que celui ci-dessus, est réservé pour les réjouissances. Une écharpe brodée de satin moirée est drapée sous la haute coiffure de toile empesée à bord de dentelle.

tres à Dantzig et qu'elle n'accepterait jamais un corridor polonais sur son territoire. Cependant, il réclamait Dantzig et un port sur la Baltique. Il se livra à des menaces sur l'échiquier politique pour arriver à ses fins. Il ne réussit pas et le résultat fut qu'à sa mort, son emprise sur la Pologne avait diminué et le pays devint en 1935 la proie de la dissension intérieure et de l'indécision dans le domaine diplomatique.

Un avenir incertain

Chaque parti politique voulait diriger la Pologne à sa manière, à un moment où l'entente aurait été une nécessité primordiale. Hitler s'était emparé du pouvoir en Allemagne. Il avait massé ses troupes sur la frontière polonaise et menaçait de marcher sur Dantzig.

Les provinces orientales du pays, surtout la Galicie, étaient peuplées d'Ukrainiens et de Russes Blancs—deux peuples qui n'acceptaient que difficilement la domination polonaise. Les Russes menaçaient de prendre fait et cause pour eux. Flanquée de ces deux puissants voisins, la Pologne semblait condamnée.

Hitler attaqua en septembre 1939 et partagea l'infortuné pays avec la Russie qui attaqua en même temps à l'est. Le gouvernement polonais s'enfuit en Roumanie, puis se rendit à Paris et à Londres. Pendant la deuxième guerre mondiale, il organisa une armée de Polonais qui, comme lui, avaient cherché refuge en France et en Angleterre. Le gouvernement en exil négocia aussi avec la Russie, une fois que l'Allemagne eût envahi ce pays, afin que ses troupes se battent côte à côte avec l'armée rouge.

Pendant la guerre, les Polonais subirent bien des malheurs. Un certain nombre fut enrôlé dans l'armée allemande ; la plupart des Juifs et des combattants de la résistance furent tués et bien des Polonais furent contraints de travailler dans les usines de guerre allemandes. Ceux qui échappèrent à ce sort, virent leurs foyers détruits ou vécurent dans une crainte perpétuelle.

La Pologne fut dévastée par la guerre. Ses mines de charbon et ses aciéries furent completement détruites. Privée de son industrie, elle ne pouvait reconstruire ses villes ou se livrer au commerce avec l'étranger pour obtenir les devises nécessaires pour mettre en valeur son sol riche mais dévasté. Les autres pays, touchés de son infortune, vinrent aussitôt à son secours.

A la conférence de Yalta, les chefs des gouvernements alliés cédèrent à la Pologne la région méridionale de la Prusse orientale ainsi que la ville libre de Dantzig. Ils lui enlevèrent les provinces bordant la Russie Blanche et l'Ukraine qui étaient l'objet de disputes avec la Russie. La frontière occidentale doit être délimitée au moment de la signature du traité de paix avec l'Allemagne. En attendant, tout le territoire allemand, à l'est de la ligne formée par l'Oder et la Neisse, y compris le grand port de Stettin (Szczecin en polonais) est mis sous l'administration de la Pologne. Actuellement, à la suite d'accords d'après guerre, les frontières de la Pologne ont été avancées de plusieurs centaines de milles vers l'ouest. Grâce à cela, la Pologne a obtenu les importantes mines de charbon de la Silésie et un large débouché sur la Baltique.

Le gouvernement d'après-guerre fut constitué par les communistes et les socialistes qui étaient restés en Pologne pendant la guerre ou qui s'étaient battus avec les Russes. Suivant l'habitude des régimes communistes, le gouvernement fait passer l'industrie avant l'agriculture. Il en résulte un important exode de la campagne vers les villes.

D'abord, le gouvernement établit des fermes collectives sur le modèle soviétique mais les Polonais opposèrent une telle résistance que, à la fin de 1950, 85 pour cent des exploitations agricoles étaient revenues à l'initiative privée.

La révolution d'octobre

En octobre 1956, il y eut une révolution sans violence, surtout parmi les ouvriers d'usines, protestant contre les conditions de vie et l'influence soviétique, plutôt que contre le communisme lui-même. Il s'ensuivit une période de liberté relative en Pologne. Mais ceci ne plaisait guère aux Russes qui, deux ans plus tard, rappelèrent à l'ordre les communistes polonais. Ils jouissent d'une certaine liberté sans l'avoir. Ils donnent leur opinion sans se gêner, mais Moscou craint chez eux le révisionisme, c'est-à-dire une préférence pour un communisme polonais plutôt que pour un communisme russe.

Bien que la guerre, l'arrivée au pouvoir des communistes et l'industrialisation aient virtuellement transformé la Pologne, la vie du paysan a peu changé.

Pour travailler dans les champs, il porte des cotonnades et de fortes chaussures de cuir fabriquées par milliers dans les nouvelles usines polonaises. Le dimanche, toutefois, il endosse toujours son costume traditionnel aux vives couleurs.

Pendant les soirées d'hiver, les femmes tissent des bandes d'étoffe de couleur, orange et bleue, verte ou violette, qu'elles réunissent ensuite pour en faire des vêtements multicolores.

L'époque des moissons est toujours le signal de réjouissances; la rentrée du maïs, la construction d'une grange sont autant de prétextes pour des fêtes et des danses, très souvent en plein air et autour d'un feu de joie. La mazurka et la polka, les danses favorites des Polonais, ainsi que d'autres telles que la krakowiak, l'oberek, et la kuyuwiak envoient les couples tournoyer dans un entrain endiablé; jeunes et vieux y prennent part. Les Polonais ont toujours été considérés comme d'excellents danseurs et

D'EXCELLENTS JAMBONS EN PERSPECTIVE

Un surveillant examine les porcs amenés aux abattoirs du marché de Rawa Mazowiecka. Cette ville, à vingt mille à l'est de Lodz, se trouve dans une riche région agricole.

UN MOULIN À VENT À RADOM, ANCIENNE VILLE DE POLOGNE

Bien que l'on croit que Radom fut fondée par Casimir le Grand, sa première église remonterait à 1187. La ville servit souvent de siège aux diètes ou parlements polonais.

LE PITTORESQUE HÔTEL DE VILLE DE POZNAN

A l'extérieur comme à l'intérieur, l'Hôtel de Ville de Poznan est riche en souvenirs du passé. Commencé à la fin du treizième siècle, il prit au cours des années 1550–60 l'aspect d'un édifice de la Renaissance aux mains de l'architecte italien, Jean-Baptiste Quadro. Il renferme une des plus précieuses collections de souvenirs historiques de la Pologne.

ASSEMBLAGE DES MOTEURS DE TRACTEURS, À VARSOVIE

De vastes usines, comme celles-ci, ont augmenté considérablement la production industrielle de la Pologne. La machinerie moderne remplace graduellement l'ancien outillage qui était désuet.

MOMENT DE DÉTENTE AU PORT

Szczesin, l'ancien Stettin allemand, est l'un des principaux ports de la Pologne sur la mer Baltique. Situé à l'embouchure de l'Oder, il est relié à Berlin par un canal.

DES VESTIGES DE L'ANCIEN ROYAUME DE POLOGNE À VARSOVIE

Cet édifice fut jadis le palais royal (Zamek Krolewski). Il domine la place Sigismond, qui se trouve dans un quartier central de la ville. Il y eut plusieurs souverains polonais du nom de Sigismond; le monument ci-dessus est celui de Sigismond III. Quatre larges avenues partent de cette place. Une, appelée Krakowskie Przedmiescie, est la plus belle artère de la ville.

UN IMMEUBLE OUVRIER DANS LE FAUBOURG DE PRAGA

Praga est le quartier industriel de Varsovie, sur la rive droite de la Vistule. Le quartier s'est beaucoup développé depuis qu'on a entrepris l'industrialisation de la Pologne. De nouvelles usines ayant surgi, de nombreux ouvriers sont arrivés de la campagne, congestionnant des quartiers tels que Praga. Des immeubles de ce genre aident à résoudre la crise du logement.

LE TISSAGE EN POLOGNE

Cette jeune fille apprend le tissage dans une école professionnelle de Varsovie. Le métier que l'on voit ici n'est pas des plus modernes mais il exige une plus grande habileté de la part des ouvrières que les nouveaux modèles. Le gouvernement exerce tous ces efforts en vue d'industrialiser le pays et tâche de former les ouvriers les plus compétents pour ses usines.

ils danseront pendant des heures.

Les fêtes et jours de jeûne sont nombreux. Le jour de Noël est une grande fête mais la veille l'est encore davantage. Cette fête de la veille commence vers les quatre heures. La mère, à cette occasion, dispose une petite crèche dans une dépendance, et à table chacun trouve sous son assiette une touffe de foin symbolique. Jadis les paysans célébraient la veille de la St-Jean pour chasser les mauvais esprits. Aujourd'hui, au lieu de cela, on allume de grands feux de joie autour desquels les jeunes gens, revêtus de leurs plus gais atours, dansent et chantent avec entrain. La danse se fait de plus en plus rapide, et à un moment donné les garçons sautent par-dessus le feu pour montrer leur bravoure, et ils ramasseront des seaux pleins qu'ils cherchent à vider par-dessus la tête des jeunes filles qui se sauvent.

COPERNIC TENANT EN MAINS LE SYMBOLE DE SA GRANDE DÉCOUVERTE

Devant le palais Staszic à Varsovie, la figure assise de l'astronome polonais, Nicolas Copernic, tient un modèle simplifié de son système. Celui-ci, qu'il fit connaître au monde l'année de sa mort, en 1543, émet l'idée de la rotation de la terre autour de son axe et du mouvement annuel des planètes autour du soleil. La théorie de Copernic fut en butte à toutes les critiques.

170

Tous les Polonais aiment les sports; le campagnard est un écuyer admirable. Les Uhlans—fameuse cavalerie allemande—étaient à l'origine des Polonais et les lanciers polonais de Napoléon étaient un corps d'élite.

Autrefois, d'épaisses forêts couvraient certaines régions de la Pologne; on y voyait des lynx et des castors. On y rencontre encore quelques bisons, mais les élans et les chevreuils se sont retirés plus au nord. On y chasse le sanglier. Les paysans craignent toujours les loups. On prévient le voyageur de ne pas sortir la nuit sans son fusil et on lui rappelle que des loups ont maintes fois attaqué des traîneaux, dévorant hommes et chevaux.

La Vistule, artère de la Pologne

Les rivières jouent un grand rôle en Pologne. La plus importante, la Vistule, coule à travers le cœur du pays, des Carpathes à la Baltique. La Vistule et ses affluents irriguent une grande partie du pays et constituent une voie naturelle jusqu'à la mer. Les nombreux affluents de la Vistule assurent la fertilité du sol ainsi que des communications faciles. Le poisson abonde dans les rivières et quand celles-ci sont gelées, elles présentent d'excellentes routes pour les traîneaux.

Au sud, dans les contreforts des Carpathes, les ruisseaux fournissent une source de houille blanche. Avant le deuxième conflit mondial, on avait entrepris la construction de barrages pour utiliser cette source d'énergie et les travaux ont repris à présent. Le centre de ces activités se trouve à l'endroit où la San se jette dans la Vistule. Dans la même région, près de Cracovie, s'élève la nouvelle ville de Nowa Huta. Elle se trouve près d'une aciérie qui lui donne son nom. Aujourd'hui, c'est une ville en pleine croissance qui compte plus de 90,000 habitants.

LA POLOGNE: RÉSUMÉ STATISTIQUE

LE PAYS

Borné à l'ouest par l'Allemagne, au nord par la Baltique, à l'est par la Russie et au sud par la Tchécoslovaquie. Le système fluvial de la Pologne est très important et la Vistule avec ses nombreux affluents joue un rôle de premier ordre dans ce pays où l'agriculture tient une place importante. La superficie totale de la Pologne est de 120,359 milles carrés, comparée aux 150,433 de 1939. La population est de 29,-500,000 comparée aux 34,775,698 en 1939. La Pologne est environ d'un cinquième plus petite qu'elle ne l'était en 1939, la partie orientale du pays ayant été annexée par la Russie.

GOUVERNEMENT

La République de Pologne est régie par une nouvelle constitution adoptée en 1952. Celle-ci remplace celle qui était en vigueur depuis 1947. Nominalement, les pouvoirs sont partagés entre le Sjem (un parlement d'une chambre de 459 députés élus pour un mandat de quatre ans) et le Conseil d'État comprenant un président et 14 autres membres, tous élus à tour de rôle par le Sjem. Tous les pouvoirs sont en réalité aux mains du parti communiste, qui obtient à chaque élection une majorité écrasante dans le Sjem. Le secrétaire du comité central du parti communiste est le véritable maître de la Pologne.

COMMERCE ET INDUSTRIES

La dernière guerre a fait passer l'agriculture au second rang. Les principales récoltes sont les pommes de terre, le seigle, les betteraves, l'avoine, le blé, l'orge, le chanvre et le houblon. L'élevage de bétail est important. Les minerais comprennent le charbon, le fer, le sel, le pétrole et la potasse. Les industries principales sont les manufactures de textiles, de papier et de produits chimiques. Il y a de nombreuses raffineries d'huile et de sucre. Les exportations comprennent les céréales, les produits laitiers, le bois, le sucre et le lin. Importations: engrais, machines et produits alimentaires. Le zloty est l'unité monétaire.

COMMUNICATIONS

Il y a 17,500 milles de chemins de fer; réseau routier, 66,875 milles; lignes télégraphiques, 21,250 milles; lignes téléphoniques, 947,500. Il y a 3,089 milles de voies navigables. Une compagnie nationale assure les services aériens.

RELIGION ET ÉDUCATION

Il n'y a pas d'église établie et l'on tolère toutes les religions. Le catholicisme romain est la religion de la majeure partie de la population. L'éducation est gratuite; l'éducation élémentaire est obligatoire. Il y a 4 écoles normales et 15 universités professionnelles et techniques. En tout, il existe 76 institutions d'études supérieures.

VILLES PRINCIPALES

Varsovie, la capitale, 1,100,000; Lodz, 691,-000; Cracovie, 455,000; Wroclaw (Breslau), 401,000; Poznan, 389,000; Gdansk (Danzig), 260,000; Szczecin (Stettin), 241,000; Bydgoszcz, 214,000; Katowice, 204,000; Zabrze, 185,000; Bytom, 178,000; Czestochowa, 156,000; Chorzow, 143,000; Lublin, 143,000; Gdynia, 136,000; Gliwice, 130,000.

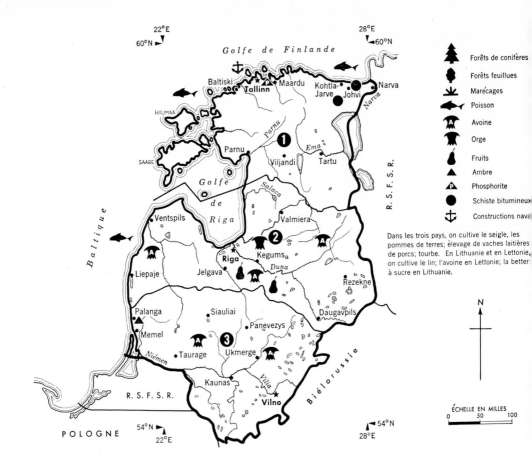

Dans les trois pays, on cultive le seigle, les pommes de terres; élevage de vaches laitières et de porcs; tourbe. En Lithuanie et en Lettonie, on cultive le lin; l'avoine en Lettonie; la betterave à sucre en Lithuanie.

ÉCHELLE EN MILLES
0   50   100

L'Estonie, la Lettonie et

L'ESTONIE, la Lettonie et la Lithuanie ont subi de nombreuses déconvenues en essayant d'établir leur indépendance ethnique et nationale. A partir de 1940, les pays baltes étaient sous la domination des Allemands ou des Russes; ces derniers s'y établirent définitivement en 1945. Cette saisie a été accompagnée d'épurations sévères. Des centaines de milliers d'habitants ont été tués ou déportés. La population a maintenant rattrapé le niveau d'avant-guerre, mais cette augmentation est surtout due à l'immigration russe. En Lettonie, par exemple, on estime que 40 pour cent des habitants sont Russes. Cet état de choses ne fait qu'accroître la rancune des exilés de ces pays.

C'est l'existence de ce sentiment national qui pose le problème le plus ardu à la Russie dans le gouvernement de ces territoires. L'impossible a été fait jusqu'à ces derniers temps pour étouffer ces sentiments nationaux. Certains croient que ces efforts ont été couronnés de succès. «Tout est calme depuis longtemps», a déclaré un ouvrier de Riga, la capitale de la Lettonie, à un journaliste américain en 1957. «Jadis, chaque fois qu'il y avait un match de football-association avec les Lithuaniens ou les Estoniens, une émeute s'ensuivait. Aujourd'hui, nous faisons

ESTONIE LETTONIE LITHUANIE

EUROPE

Narva
Lac Peipus
Parnu
Ema
① Lac Vartsjarv
Salaca
Duna
② CRÊTE GLACIAIRE
Niémen ③
Vilia
Lagune de Courlande

a Lithuanie

... pays baltes

sons privées que l'on construit dans la ville et les faubourgs.

Ces changements ne peuvent que s'accentuer sous le nouveau régime. Depuis l'arrivée de Khrouchtchev au pouvoir, il y a une certaine détente dans l'atmosphère politique du pays. La république estonienne jouit maintenant de plus d'autonomie. Le peuple sait que sa tâche principale est de mettre ses efforts au service de l'Union soviétique tout entière. Cette dernière laisse les pays baltes en paix, mais à condition qu'ils suivent le chemin qu'on leur a tracé. Edouard K. Berklav, premier ministre adjoint de la Lettonie, refusait de se soumettre. Il fut renvoyé en 1959.

Le renvoi de Berklav fait ressortir ce que plusieurs observateurs estiment être le point noir de la domination russe d'après-guerre—l'exploitation économique. Les Russes ont dépensé des sommes élevées pour créer une industrie dans les pays baltes, mais les produits de cette industrie sont expédiés hors de ces pays. Ce qui est pire encore, c'est que l'Estonie, la Lettonie et la Lithuanie reçoivent des marchandises d'une qualité inférieure au reste de l'URSS. Des marins suédois et des journalistes, visitant Riga en 1956, ont été consternés de constater la pauvreté qui régnait chez les habitants.

Cependant, le tableau économique est trop complexe pour pouvoir rejeter tout le blâme sur l'URSS. Entre 1919 et 1940, alors que les trois pays baltes étaient indépendants, le commerce et les constructions navales étaient presque arrêtés. Cela était dû à la crise économique, surtout celle qui régnait alors en Angleterre et en Allemagne, principaux clients des pays baltes, et à l'absence de capitaux russes. La situation économique de ces pays était déjà mauvaise lorsque la Russie s'en empara. Bien que les Baltes ne jouissent pas de tous les conforts, ils possèdent néanmoins des usines, des instruments aratoires et un marché tout prêt à recevoir leurs marchandises.

Les Etats baltes sont naturellement riches. La Lettonie et la Lithuanie en particulier possèdent beaucoup de terres

tous partie de l'URSS et tout est tranquille». D'autres sont d'un avis contraire. Des visiteurs récents venus d'Amérique ont trouvé que les habitants étaient surtout préoccupés de maintenir leurs traditions, leurs monuments et leurs vestiges, afin de convaincre les Occidentaux de leur caractère particulier. Riga se fait une gloire de ses anciens châteaux et églises, de ses rues tortueuses et pavées et de ses cafés achalandés. Ses habitants manifestent un vif intérêt pour la mode, la cuisine et les informations étrangères. La situation est à peu près pareille à Tallinn, capitale de l'Estonie, où les habitants se montrent très fiers des centaines de mai-

arables. Avant 1940, ces deux pays étaient essentiellement agricoles et ils produisent encore des quantités considérables de seigle, de blé et de pommes de terre. La Lettonie a aussi toujours produit de grandes quantités de beurre. Depuis 1940, toutefois, l'industrie a absorbé un grand nombre d'ouvriers agricoles. En Lettonie, par exemple, 75 pour cent des travaux agricoles ont été mécanisés. La production progresse aussi en Estonie, qui fut pendant longtemps le plus industrialisé des trois États, grâce à ses riches gisements de schiste et de tourbe.

Tous ces progrès cependant n'arrivent pas à réconcilier les Estoniens, les Lettons et les Lithuaniens à leur sort. S'ils admettent que les investissements russes aident à l'expansion économique de leurs pays, ils estiment que l'occupation russe n'y aide en rien. Les peuples baltes se sentent lésés, car ils possèdent les

moyens d'obtenir leur indépendance économique, mais ils ne l'ont pas. Leur indépendance politique d'autre part se résume à un rêve brumeux.

Il y a des siècles, des peuplades étrangères descendirent du nord des plaines vertes de l'Asie, poussant devant elles leurs troupeaux. Elles s'établirent le long de la côte orientale de la Baltique. A cette époque, l'Europe était encore une forêt primitive, et ces peuplades, que nous appelons aujourd'hui les Lettons, les Estoniens et les Lithuaniens étaient de fougueux adorateurs du feu et du soleil. Leurs langues étaient les plus anciennes de l'Europe, s'apparentant au sanscrit de l'Inde antique. Les Estoniens faisaient paître leurs troupeaux sur les landes verdoyantes des régions s'étendant entre le golfe de Finlande et le golfe de Riga. Les Lithuaniens se sont établis entre la Vistule et la Salis.

DES OUVRIERS construisent une grue en acier à Vilna, Lithuanie.

LA LETTONIE fabrique de nombreux instruments de précision, tels que des calculateurs.

Les Lettons pour leur part se seraient installés entre l'une et l'autre de ces régions.

A partir du moyen âge, ces territoires devinrent le théâtre de luttes sanglantes. La Russie, la Pologne et les pays scandinaves se disputèrent le contrôle de ces pays, et finalement la Lithuanie fut annexée à la Pologne. Au moment du partage de la Pologne en 1772, toute la région tomba sous la domination russe.

Pendant la Première Guerre mondiale, les armées allemandes envahirent les provinces baltes. Il y eut beaucoup de combats, au cours desquels de nombreux châteaux et propriétés des anciens barons furent détruits, quantité de villes et de villages brûlés. Ce n'est que vers la fin de la guerre que les paysans obtinrent des armes qui leur permirent de lutter pour leur liberté. Ayant chassé les Russes en 1918, ils proclamèrent leur indépendance et formèrent trois nations séparées.

Ils réussirent à conserver leur indépendance jusqu'à la Deuxième Guerre mondiale. En 1939, la Russie les avait obligées d'accepter l'établissement de bases navales sur leurs côtes. Un an plus tard, la Russie occupa les trois pays, sous le prétexte que leurs gouvernements étaient ennemis de la Russie. De 1941 à 1945, les troupes allemandes occupèrent la région. Après la défaite de l'Alle-

magne, la Russie annexa de nouveau l'Estonie, la Lettonie et la Lithuanie.

Durant la longue période de la domination tsariste, il ne leur avait pas été permis d'apprendre leur langue maternelle à l'école. Pendant quarante ans, les Lithuaniens firent imprimer des livres à l'étranger et les introduisirent clandestinement dans le pays. Plusieurs milliers de Lettons furent à un moment déportés en Sibérie pour s'être servis de livres de prière qui avaient été introduits en fraude. De 1918 à 1940, quand ces trois pays furent des républiques indépendantes, chacune rétablit sa langue maternelle. Depuis le retour de la domination russe, on continue à se servir de ces langues. Les poteaux indicateurs dans les rues sont en deux langues, donnant les noms et les directions dans la langue natale et en russe.

Les occupations des Baltes

Avant 1940, la majeure partie de la population était constituée de fermiers, de pêcheurs et de bûcherons. L'Estonie et la Lettonie sont encore en grande partie des pays agricoles et presque toutes les fermes sont collectivisées. Le seigle est la céréale qui s'adapte le mieux au climat septentrional. La pomme de terre y pousse également très bien. Elle constitue l'aliment principal des Estoniens, à tel point que jadis on appelait leur pays la république de la pomme de terre. La Lithuanie possède également de nombreuses fermes collectives et elle fait de grands progrès dans l'industrie.

Les pays baltes sont recouverts de vastes étendues de forêts, surtout de pins et de sapins. En Estonie, on trouve des gisements de schiste de qualité supérieure, qui fournit du gaz naturel ainsi que des carburants liquides synthétiques. Le gaz naturel est envoyé jusqu'à Léningrad par pipeline. Des tourbières recouvrent environ 10 pour cent de la superficie de la Lettonie.

En hiver, les eaux du golfe de Finlande et de la Baltique gèlent. Autrefois, lorsqu'un vaisseau était pris dans les glaces en hiver, l'équipage courait un grand danger, car il ne pouvait connaître

UN COURS DE CITHARE DANS UN VILLAGE DE LETTONIE

La cithare, comme le banjo, est souvent utilisée pour accompagner les chansons populaires. Cependant, on peut aussi en tirer, lorsqu'elle est jouée seule, des mélodies d'une qualité très particulière. Quatre des cordes se jouent à l'aide d'un médiator porté par le pouce droit. La main gauche touche les autres cordes qui sont au nombre de vingt-cinq à quarante.

LES MAGASINS LETTONS SEMBLENT FORT BIEN APPROVISIONNÉS

Des saucisses et des saucissons, des jambons et de la charcuterie de toutes sortes, ainsi que d'imposantes rangées de bouteilles nous laisseraient à penser qu'on ne manque de rien en Lettonie. Cependant, bien qu'on annonce périodiquement que les prix vont baisser, certaines viandes et le beurre sont encore fort chers et peu de gens peuvent en acheter.

RIGA, L'ANCIENNE CAPITALE DE L'ESTONIE, VUE DE LA DVINA

Derrière les nouveaux édifices érigés sur la Daugava (Dvina) se dressent encore les flèches des églises de Riga. Cette ville faisait partie de la Ligue hanséatique qui était une confédération der villes de la région de la Baltique, de l'Allemagne et de la Hollande. Ces villes atteignirent leus apogée aux treizième et quatorzième siècles.

UNE FERME COLLECTIVE EN LETTONIE

La plupart des petites fermes de la Lettonie ont été incorporées dans de grandes fermes collectives et sont gérées sur le plan soviétique. Les instruments aratoires proviennent d'un centre agricole et vont de ferme en ferme. La Lettonie est une contrée agricole, mais l'élevage et l'industrie fo-restière sont importants. Entre les deux guerres mondiales ce pays fut indépendant.

sa position. Il était impossible d'appeler au secours et quelquefois l'équipage mourait de faim. Aujourd'hui, un vaisseau emprisonné dans les glaces n'a qu'à envoyer un signal de T.S.F. et un avion volera à son secours, apportant même de la nourriture. L'équipage peut tuer le temps en écoutant un programme de radio. Les marins de la Baltique furent toujours renommés pour leur courage, et jadis, pour quelque chose de moins glorieux, car en effet il y avait parmi eux de nombreux pirates toujours à l'affût de vaisseaux sans

défense. L'un des plus redoutables de ces pirates fut le baron Ungern Sternberg. Il était seigneur d'une île, et, par les nuits d'hiver, il suspendait de sa demeure de fausses lumières pour attirer sur les récifs les navires qui s'y broyaient. Là-dessus il tuait leur équipage et s'emparait de leurs cargaisons.

Pendant longtemps personne n'osa l'arrêter, mais à la fin il fut pris, et lorsqu'on perquisitionna sa maison l'on trouva sous le plancher d'immenses quantités de butin provenant de vaisseaux disparus. Il fut

PIX

SUR LE QUAI D'UN DES DEUX PORTS DE TALLINN

Tallinn, ou Revel comme on l'appelle en russe, est située sur une petite baie du golfe de Finlande. On en exporte du bois et l'on y trouve des chantiers de construction navale. Ses ports ne sont pris par les glaces que pendant quarante-cinq jours par an environ. Son nom signifie Danois et date de la fin du moyen âge quand la ville appartenait aux Danois.

UNE CLASSE DE JEUNES ÉCOLIERS À PARNU, ESTONIE

En Estonie, les enfants sont tenus d'aller à l'école pendant sept ans. L'enseignement se fait sur le modèle soviétique, mais on tâche de conserver les anciennes traditions culturelles du pays.

UN TROUPEAU DE VACHES SUR UNE FERME MODÈLE EN ESTONIE

Jouissant de pluies suffisantes et d'un climat tempéré à cause de sa proximité à la mer, l'Estonie est surtout un pays agricole, où la production laitière est importante. Les laiteries sont constituées en coopératives et la majorité des fermes sont collectives. En plus des bovins, on y fait l'élevage de la volaille, des moutons, des cochons et des chevaux.

179

EN ESTONIE, LA RÉPARATION DES FILETS DE PÊCHE

En plus de leur occupation principale, bien des pêcheurs exploitent une petite ferme. Les produits fournis par une vache et des poules font beaucoup pour le confort des pêcheurs estoniens.

PHOTOS, SDVFOTO

UN DÉFILÉ PENDANT UN FESTIVAL DE CHANT À TALLINN

A Tallinn, un défilé de jeunes filles dans leurs costumes régionaux aux vives couleurs et aux fines broderies se rend à un concours de chant qui réunit toutes les provinces d'Estonie.

UNE VIEILLE TOUR DE GUET SURVEILLE LA VILLE DE TALLINN

Cette tour, au nom germanique de «Kiek in de Kok», ce qui signifie «Regarde dans la cuisine»,
date du commencement du seizième siècle et faisait partie de la vieille enceinte.

VUE DE VILNA, ANTIQUE CAPITALE DE LA LITHUANIE

Vilna est bâtie en partie sur les bords de la Vilija et en partie sur les collines qui la bordent. De nouveaux édifices ont beaucoup changé l'aspect de cette ville qui fut fondée au Xe siècle.

PAQUEBOTS FLUVIAUX SUR LE NIÉMEN, EN LITHUANIE

Le Niémen est le cours d'eau le plus important de la Lithuanie; il s'y étend sur 266 milles, la moitié environ de son cours. On utilise surtout ses eaux pour le flottage des bois.

DANS UNE FABRIQUE DE PAPIER DE PETROSHUNY, LITHUANIE

Ses forêts et son agriculture sont les principales ressources de la Lithuanie. Près de deux millions d'acres de forêts donnent du bois pour l'exportation et du papier pour les besoins du pays.

mis en prison, vêtu en paysan, et conduit à son procès avec des chaînes aux mains et aux pieds, car on le craignait toujours. Exilé en Sibérie, il fut destitué de ses titres de noblesse.

Jadis, alors qu'il y avait peu de routes et que les paysans ne pouvaient se transporter que difficilement d'un endroit à l'autre, ils passaient une grande partie de l'hiver à tailler de beaux meubles et à broder de magnifiques ornements. Vous voyez dans les illustrations des gens de cette région portant les souliers brodés d'autrefois, des femmes avec leurs corsages de toile blanche brillamment ornés, leurs jupes rayées et leurs hautes coiffes multicolores.

L'Instruction en Honneur

Les villageois, même lorsqu'ils étaient serfs, prisaient l'instruction, et maintenant qu'ils sont libres, ils tiennent à faire instruire leurs enfants. Aussi ces pays de la Baltique dépensent-ils des sommes relativement élevées pour l'entretien de bonnes écoles et universités, dont quelques unes, comme celle de Dorpat, ont des siècles d'existence.

Le Pain Noir, Aliment Principal

Le pain noir, fait de seigle, est l'aliment principal des paysans, et est très estimé même des personnes plus riches. Les fromages forts accompagnent aussi la plupart des repas. Une spécialité de ces régions est un gâteau recouvert d'un glaçage élaboré. Le poisson des rivières a toujours eu une place importante dans le régime alimentaire. On le mange frais, fumé ou mariné.

Dans ces pays les longs hivers sont très froids, aussi la plupart des campagnards portent-ils des «valenka,» bottes à la mode russe. Ces bottes de feutre sont très chaudes mais non imperméables. Ceux qui en ont le moyen portent des fourrures, les autres des vêtements bourrés de laine. En hiver, le moyen de transport est la sleigh, et c'est une expérience des plus agréables que de faire une course sur la neige au son joyeux des clochettes de l'attelage.

Le printemps amène souvent des désastres, car à la débâcle les morceaux de glace,

en s'amassant, forment souvent des digues qui causent des inondations. L'eau envahira fréquemment des villages entiers. L'on désagrège ces amas de glace au moyen de la dynamite, mais il y a toujours danger que la glace ainsi libérée, en précipitant au fil du courant, n'emporte les ponts et n'endommage les bâtisses riveraines.

La ville maritime de Reval, aujourd'hui Tallinn, est la capitale de l'Estonie. Elle était à l'origine une place forte, l'une des plus grandes de l'Europe septentrionale. Le château, et la plus grande partie de la muraille, sont encore debout. Immédiatement au-dessous s'étendent les anciennes rues où l'on verra des troïkas dont les conducteurs portent des ceinturons rouges. On n'y voit guère d'automobiles. Les maisons se distinguent par leurs toits de tuiles rouges et les églises par leurs tours rondes et leurs fines flèches. Autour de la place du marché l'on voit des portes surmontées d'arches et des cours entourées de hautes murailles qui nous rappellent une époque éloignée de quatre siècles.

Reval, Ville Murée

Pour Reval, sa forteresse et sa puissante muraille furent de tout temps indispensables, car cette cité a été le théâtre de combats innombrables. Pendant des centaines d'années les armées se la sont disputée et ont cherché à la prendre d'assaut.

Au cours des derniers cents ans, l'Estonie a changé de maîtres plusieurs fois. Avant la première guerre mondiale, elle faisait partie de l'ancien empire des tzars ; pendant cette guerre, elle fut occupée par les armées allemandes, puis elle jouit d'une vingtaine d'années de liberté. Les Allemands l'occupèrent à nouveau pendant la deuxième guerre mondiale. En 1940, la Russie en fit une république soviétique.

Riga, capitale de la Lettonie, et le plus grand des ports de la Baltique, est une ville moderne, mais elle a un vieux quartier où les femmes balaient toujours d'étroites rues pavées, livrent des bidons de lait et roulent des brouettes. La ville nouvelle est vaste. Les Russes et les Allemands y ont construit de belles maisons, de splendides parcs, des manufactures

LES ESTONIENS sont apparentés aux Magyars de Hongrie. Leur costume national se distingue par une longue jupe d'étoffe solide et un corsage sans manches qui se porte sur une guimpe lavable. Les bandes multicolores des manches, les manchettes, les ceintures et l'ourlet ne sont pas si distinctifs que les lourds colliers d'argent.

LE JOUR DU MARCHÉ À MEMEL, UNE VILLE AU PASSÉ MOUVEMENTÉ

Memel, qui fit longtemps partie de l'Allemagne, fut cédée à la Lithuanie après la première guerre mondiale. Reprise par les Allemands en 1939, elle fait depuis 1945 partie de l'Union soviétique.

modernes et des jardins publics. Dans la vieille ville se trouvent les vestiges de jours plus prospères.

Riga fit autrefois partie de la Hanse et fut un grand centre pour le commerce entre les pays scandinaves et l'Empire byzantin. C'est au cours du dix-neuvième siècle que Riga atteignit son apogée. Sous le régime russe, des marchands allemands développèrent le port. A l'approche de la première guerre mondiale, Riga avec plus d'un demi million d'habitants était la troisième ville de la Baltique par son importance. Seuls Stockholm et St. Pétersbourg (actuellement Léningrad) la dépassaient. Presque un quart des exportations russes passaient par son port. A la suite de la première guerre mondiale, Riga devint la capitale et le centre industriel de la nouvelle Lettonie. Important nœud ferroviaire et terminus du bois d'œuvre amené sur la Dvina occidentale, la ville prenait un essor de plus en plus important. On y fabriquait des postes de T.S.F., des téléphones, des locomotives et des tramways électriques ainsi que des accessoires électriques pour les autos.

Riga s'élève sur les deux bords de la Dvina, à dix milles de l'endroit où le fleuve se jette dans le golfe de Riga. A quelque distance du cœur de la ville, se trouvent de belles plages qui attirent des milliers de visiteurs pendant la belle saison.

Un autre port important de la Lettonie est Liepaja—plus connu sous le nom de Libau, Libava en russe. Contrairement à Riga qui est bloqué par les glaces en hiver, Liepaja est d'habitude ouvert toute l'année à la navigation. Il faisait également partie de la Hanse et il appartint successivement à la Lithuanie, à la Pologne, à la Suède, à l'Allemagne et à la Russie. Actuellement, c'est une base navale russe.

L'ancienne capitale de la Lithuanie

Vilnius (ou Wilno, ou Vilna), la capitale de la Lithuanie, est une des villes les plus anciennes de la région de la Baltique. En importance, elle vient tout de suite après Riga et Tallin, en Estonie. Pendant plusieurs siècles Vilnius fut le centre du commerce de la Pologne du nord-est, de la Russie occidentale et de la Lithuanie. Une université y fut fondée au seizième siècle.

En 1920, la Pologne enleva la ville aux Bolchéviks. La Lithuanie réclama le retour de sa capitale historique, mais la Pologne refusa de s'en défaire, même sur l'ordre de la Société des Nations. En 1923, un traité injuste donna la ville à la Pologne et jusqu'en 1939, Vilna demeura un point critique. Cette année-là, la Pologne fut envahie, battue et partagée entre la Russie et l'Allemagne. D'après les clauses du pacte de non-agression germano-russe, qui précéda le partage de la Pologne, la Russie occupa le territoire de Vilna et donna la ville à la Lithuanie. Les Lithuaniens y transférèrent aussitôt leur capitale de Kaunas mais cela ne dura qu'un temps. En 1940, les Russes annexèrent la Lithuanie, l'Estonie et la Lettonie et en firent des républiques soviétiques. Les parlements et les affaires civiles de ces pays passèrent aussitôt sous le joug militaire russe.

La capitale de l'Estonie, Tallin (ou Revel), est aussi une ancienne cité de la Baltique. Elle possède un excellent port sur le golfe de Finlande, en face de la capitale de la Finlande, Helsinki.

Les peuples baltes

L'histoire des peuples baltes est une succession de bouleversements. Leurs ports et leurs villes sont les centres du commerce du nord de l'Europe. A part une période de grandeur lithuanienne au moyen âge, les Baltes n'ont jamais cherché à s'étendre au dehors de leurs frontières. Ils sont restés chez eux pour y travailler, quelquefois comme esclaves, pour des maîtres étrangers qui venaient exploiter leurs richesses. Leur seule période de liberté—une vingtaine d'années après la première guerre mondiale—fut arrêtée par la deuxième guerre mondiale. Aujourd'hui il semble peu probable qu'ils recouvrent avant longtemps leur indépendance.

Un certain nombre de tribus barbares erraient sur les territoires des peuples baltes pendant le premier millénaire du

POUR UNE FÊTE à Tallinn, Estonie, les jeunes gens ont sorti leurs costumes traditionnels. Ils leur rappellent le temps où leur pays était libre.

DES CHARGEMENTS DE HARENGS passent des navires aux trains, à Riga, Lettonie. Cette ville est un port très actif de la Baltique.

188

christianisme. Les Slaves rejetèrent jusqu'aux côtes les premiers habitants qui parlaient les langues primitives indo-européennes, et qui devinrent les Lithuaniens et les Lettons. Ils repoussèrent aussi vers l'ouest, dans leurs territoires respectifs, les Estoniens, les Finlandais et les Lapons, qui chassaient sur les terres du nord de la Russie.

Dans l'ancienne Russie, la région de la Baltique était connue sous le nom de Territoire de l'ouest qui, depuis l'époque de Pierre le Grand, était le centre du commerce avec l'occident. On l'appelait la «fenêtre de Pierre sur l'Europe». D'une fenêtre, on peut sourire aimablement à son voisin, mais on peut aussi le menacer.

Ces fenêtres semblent à présent fermées au monde extérieur. Bien peu de ce qui se passe derrière parvient au dehors. Depuis 1940, lorsque ces pays furent annexés, contre leur gré, par la Russie soviétique, bien des habitants de ces malheureux pays ont réussi à fuir et à chercher refuge à l'occident.

Beaucoup de ceux qui n'ont pu faire de même ont été exilés au loin à l'intérieur de la Russie. A l'heure actuelle la côte de la Baltique est devenue un vaste arsenal militaire russe.

L'ESTONIE, LA LETTONIE ET LA LITHUANIE: RÉSUMÉ STATISTIQUE

L'ESTONIE

Bornée à l'est par la Russie, au sud par la Lettonie, à l'ouest par le Golfe de Riga et la Baltique et au nord par le Golfe de Finlande. Superficie totale, 17,370 milles carrés; population, 1,100,000. Lors de la révolution russe de 1917, l'Estonie déclara son indépendance qui fut reconnue par la Russie en 1918 par la Traité de Tartu et s'érigea en république le 20 décembre 1918. Depuis 1940, l'Estonie fait partie de l'Union des Républiques Socialistes Soviétiques.

L'agriculture et les fermes laitières occupent environ 33 pour cent de la population. Les récoltes principales sont les pommes de terre, l'avoine, l'orge, le seigle et le blé. Les fermes laitières, dont 87 pour cent sont coopératives, produisent une quantité considérable de beurre, qui est le principal article d'exportation. Les forêts couvrent 21.5 pour cent de la superficie; on exporte le bois. Les autres industries sont les manufactures de textiles, de papier, de ciment, d'allumettes, de cuir et de lin. Il y a une grande installation hydroélectrique sur la Narva. Chemins de fer, 1,250 milles. La majorité de population est luthérienne; le reste, orthodoxe et catholique. Il y a 2 universités. Capitale, Tallinn (Revel), 146,500; Tartu, 60,000.

LA LETTONIE

Bornée au nord par le Golfe de Riga et l'Estonie, à l'est par la Russie, au sud par la Lithuanie et à l'ouest par la Baltique. Superficie totale, 25,000 milles carrés; population, 2,000,000. En 1918, quand la Lettonie devint indépendante, elle se constitua en république. Depuis juillet 1940, le pays fait partie de l'Union des Républiques Socialistes Soviétiques.

L'agriculture est l'occupation principale, mais les industries deviennent de plus en plus importantes. Les récoltes principales sont le seigle, l'orge, l'avoine et les pommes de terre. L'élevage de bétail est important. Les industries comprennent des distilleries, des brasseries et des fabriques de sucre et de lin. Le bois de charpente est l'exportation principale.

Il y a 1,863 milles de chemins de fer et 2,775 milles de cours d'eau intérieurs navigables. Il y a 2,265 milles de lignes télégraphiques et 24,879 milles de lignes téléphoniques. La majorité de la population est protestante; le reste, catholique et orthodoxe. En plus des écoles élémentaires et secondaires, il y a l'Académie des Sciences (16 instituts de recherches) et l'université de Riga. Riga, la capitale, 600,000; Liepaja (Libau), 100,000.

LA LITHUANIE

Bornée au nord par la Lettonie, au sud par la Pologne, et à l'ouest par la Baltique. La superficie totale est de 25,000 milles carrés; la population est de 2,700,000. L'indépendance de la Lithuanie fut proclamée en 1918 et formellement reconnue en 1922. La première constitution, adoptée la même année établit un système républicain. En 1926 une dictature nationale fut établie qui dura jusqu'en 1940, époque à laquelle la Lithuanie ainsi que les deux autres états baltes entrèrent dans l'Union des Républiques Socialistes Soviétiques.

La majorité du peuple se livre à l'agriculture ou à l'industrie; les récoltes sont le blé, l'orge, l'avoine, les pommes de terre, les pois, les fibres et les graines de lin. L'élevage de bétail et des volailles, et l'apiculture sont importants. Les 16.3 pour cent du pays sont couverts de forêts. Les exportations comprennent le bois, les comestibles et le lin; les importations sont les textiles, les conserves et les machines agricoles. Il y a 1,917 milles de chemins de fer et 397 milles de cours d'eau navigables. La majeure partie de la population est catholique. Il y a en tout 1,300 écoles primaires et secondaires. L'université de Kovno fut inaugurée en 1922. Les villes principales sont Vilnius (Vilna), la capitale, 160,000; Kaunas (Kovno), 150,000; Klaipeda (Memel), 47,000; Siaulai (Shavli), 31,600.

La Tchécoslovaquie

LA Tchécoslovaquie est enserrée entre la Pologne, pays satellite jouissant d'un peu plus de liberté, et la Hongrie qui fut le théâtre d'une violente révolte en 1956. Ses frontières touchent aussi la Russie et l'Allemagne de l'Est, sans parler de deux pays occidentaux, l'Autriche et l'Allemagne de l'Ouest. D'autre part, la Tchécoslovaquie est le pays le plus riche et le plus productif de l'Europe de l'Est.

Pour ces diverses raisons, la Russie n'ose pas adopter une politique trop libérale vis-à-vis de ce pays et elle s'efforce même de décourager le nationalisme tchèque. Elle sait que les sentiments de la population sont pro-occidentaux et que le pays se trouve très près de l'Occident, ce qui est un danger du point de vue soviétique.

D'autre part, les Russes se voient obligés d'accorder un traitement de faveur aux Tchèques à cause de leur abondante production agricole et industrielle. Il serait dangereux de faire autrement, car les Tchèques, contrairement aux peuples des autres pays satellites, sont habitués à un certain confort.

La Tchécoslovaquie d'avant-guerre était prospère. Au début, les Russes exploitè-rent le pays, ce qui fit baisser le niveau de vie des habitants. Aujourd'hui, les choses semblent s'améliorer. Les villages sont propres, les fermes bien tenues et les terres cultivées avec soin. Prague, la capitale, a retrouvé sa beauté d'avant-guerre. Les Tchèques sont mieux vêtus que du temps de Staline et les magasins, d'après les standards des pays satellites, sont passablement achalandés.

Mais l'état d'esprit qui règne à Prague est autre chose. En 1956, les intellectuels tchèques manifestèrent ouvertement contre les tentatives communistes d'entraver la liberté de pensée. Les habitants de Prague furent enchantés de leur nouvelle mesure de liberté. Pour la première fois depuis des années, le gouvernement permit aux étudiants de Prague de tenir leur défilé traditionnel de mai. Ces défilés ont toujours revêtu un caractère satirique et celui-ci maintint cette tradition. Une foule immense s'était réunie pour voir défiler les étudiants qui exprimèrent de façon timide peut-être, mais significative néanmoins, certains des griefs qu'ils portaient au régime existant. Une jeune fille passa dans un char ; elle était couverte de pansements. Une pancarte en donnait la raison :

un pays entre deux mondes

LE MONUMENT de Staline qui domine Prague est un des plus imposants du dictateur dans les pays communistes. En dépit de son éreintement par Khrouchtchev, en 1956, sa statue est toujours là.

UN ASPECT DE PRAGUE vue de la statue de Staline. Le pont est un des douze qui franchissent la Moldau au cœur de la belle ville baroque aux cent clochers.

elle s'était débattue pour que l'on accorde un certain choix dans le programme universitaire. Un groupe d'étudiants, vêtus de costumes d'enfants, défilèrent sous une banderolle protestant contre les réformes académiques ; ils donnaient à entendre que leur université était devenue un jardin d'enfants. Un troisième groupe portait un cercueil où se lisait : Bureaucratie. Cette dernière pointe était la plus osée que pouvaient se permettre les étudiants contre le régime actuel.

Pendant quelque temps, les Tchèques purent jouir d'un peu plus de liberté, mais, suite à la révolte hongroise, la bride fut reserrée. En 1959, la situation était redevenue ce qu'elle était auparavant. L'Union des écrivains tchèques faisait de nouveau l'éloge du socialisme et blâmait le traditionalisme bourgeois de l'Occident. Les éditoriaux des journaux tchèques étaient anti-polonais et anti-yougoslaves. Il semble aujourd'hui que les Russes devront de nouveau relâcher leur emprise et accorder aux Tchèques certaines des libertés politiques et intellectuelles dont jouissent les Polonais. Une blague court à Prague qui veut qu'un chien tchèque soit allé en Pologne parce qu'au moins là, il pouvait aboyer.

La voie ferrée la plus importante de la Tchécoslovaquie se dirige de Prague, vers l'est, traverse Zilina en Slovaquie et se rend jusqu'à Cierne, sur la frontière de la Tchécoslovaquie et de l'URSS. Depuis l'annexion par l'URSS en 1945 de la province orientale de la Ruthénie, la Russie et la Tchécoslovaquie ont soixante milles de frontière commune. Au delà de la frontière, la voie ferrée continue vers Lwow et Kiev. C'est une des plus anciennes de la Tchécoslovaquie ; elle a été construite en 1880, lorsque le pays faisait partie de la monarchie des Habsbourgs. C'était alors un chemin de fer à voie unique et peu utilisé, car peu de voyageurs se dirigeaient vers l'Est à cette époque.

En 1955, une voie double remplaça la voie unique ; les travaux coûtèrent plus d'un milliard de koruny (couronnes), soit environ $140,000,000. L'on perça des tunnels et l'on construisit de nouveaux remblais, de nouveaux viaducs et de nouveaux

UNE HORLOGE astronomique sur l'Hôtel de ville de Prague. Un cadran indique la marche du soleil et celle des autres astres célestes.

L'AUTRE CADRAN de l'horloge représente un calendrier. Au centre, on voit la copie d'une peinture de l'emblème de l'ancienne ville.

ponts en acier ; plus de neuf millions de tonnes de roc furent remuées et plus de trente-trois centres urbains élevés sur le parcours. Les maîtres de la Tchécoslovaquie ont estimé que cette dépense en valait la peine, le volume du trafic étant de trente fois supérieur à ce qu'il était une dizaine d'années auparavant. C'est par cette voie que les matières premières arrivent de la Russie aux usines tchèques, pour repartir en produits œuvrés vers l'Union soviétique. Par contres, les voies doubles, autrefois à circulation intense, entre Prague et les frontières occidentales, sont peu utilisées. Seuls quelques trains de voyageurs roulent quotidiennement entre Prague et Vienne, la capitale de l'Autriche.

Ces faits ne font que souligner le caractère tragique de l'histoire récente de la Tchécoslovaquie. De tous les pays qui se trouvent aujourd'hui dans l'orbite russe, la Tchécoslovaquie était la plus occidentalisée. Son histoire, ses traditions, son système d'éducation, ses mœurs et le caractère de son peuple étaient orientés vers l'Occident. Des millions de Tchèques et de Slovaques avaient émigré aux Etats-Unis, au Canada et en Amérique du Sud. On disait que Chicago était la plus grande

LES MOUVEMENTS de l'horloge fascinent ces visiteurs. Le cadran du calendrier se trouve au-dessus de leurs têtes, l'autre, plus haut.

LE TRAFIC sur la place Venceslas, Prague, tourne autour de la statue de ce bon roi de Bohême qui convertit son peuple au christianisme. La statue se trouve sur l'artère principale de Prague. Venceslas régna de 925 à 929.

ville tchèque du monde, ce qui était évidemment exagéré. Les émigrés toutefois gardaient un contact étroit avec la mère-patrie. Beaucoup d'entre eux, après avoir fait fortune dans le nouveau monde, se retiraient dans leur patrie pour y passer leurs dernières années. Après la Première Guerre mondiale, on nomma la plus grande station de chemin de fer de Prague la gare du président Wilson.

Il est facile de comprendre pourquoi les Tchèques hésitent à quitter leur pays ou aiment à y retourner lorsqu'ils l'ont quitté.

La campagne est magnifique et productive ; à certains endroits, le sol est extrêmement fertile. A l'ouest, le plateau de Bohême est entouré de montagnes, la chaîne des Sudètes, le massif de l'Erz et les monts de Bohême. Au nord-est, la grande chaîne des Carpathes, y compris la Haute Tatra, s'élève vers le ciel. Une partie de la frontière méridionale est formée par le Danube, qui coule entre des collines boisées.

Une autre différence entre les régions orientale et occidentale du pays est le

193

LE MUSÉE SMETANA (à gauche) à Prague domine la Vltava ou Moldau. Le site convient tout à fait à l'une des œuvres les plus célèbres du compositeur tchèque—la Moldau.

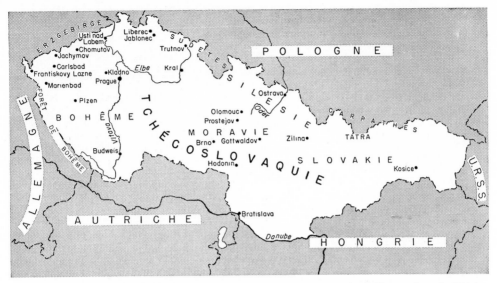

LA TCHÉCOSLOVAQUIE est constituée par la Bohême, la Moravie, la Slovaquie et la Silésie.

climat. La Tchécoslovaquie est située sur la frontière climatique de l'Europe. A l'ouest, les températures extrêmes sont très rares. En janvier, par exemple, Prague jouit d'une température moyenne de 27° F. et en juillet d'une moyenne de 67° F. Cette région reçoit environ vingt pouces de pluie chaque année, surtout en été. Par contre, d'épais brouillards couvrent la Bohême et la Moravie en hiver et il peut y faire très froid. En Slovaquie, il fait très chaud en été et très froid en hiver.

Bien que la population de la Tchécoslovaquie soit en grande partie slave, on y distingue divers groupes, dont les Tchèques et les Slovaques sont les plus importants. Ce sont des hommes robustes, au corps bien proportionné, avec une tête et un visage ronds, des cheveux blonds ou bruns et des yeux bleus ou bruns. Les pommettes saillantes et les nez retroussés sont communs. Les Tchèques de l'ouest ont généralement le teint plus clair que les Slovaques de l'est.

Les langues tchèques et slovaques sont très voisines. Presque tous ceux qui savent l'une comprennent l'autre bien qu'ils ne puissent pas toujours l'écrire. Il y a d'ailleurs eu tant de mariages mixtes entre Tchèques, Slovaques, Allemands, Juifs et Hongrois dans cette partie de l'Europe que la majorité de la population forme un mélange robuste de plusieurs races. Des tribus allemandes, des races bavaroise, saxonne et silésienne vivent ici depuis le moyen âge. On en trouve des traces dans plusieurs petites villes où les anciens styles d'architecture et de costumes ont subsisté.

Parmi les petits groupes distincts, il y a la tribu Chod dans le sud-est de la Bohême, dont le dialecte est le chodsky. Les Valaques, les Slonzaks et les Polaks des Marais de la Moravie parlent un dialecte particulier, mélange de tchèque et de polonais. Dans la Moravie méridionale, il y a plusieurs villages de Croates qui ont conservé leur ancienne langue.

Jadis, environ quatre-vingt mille Tziganes arrivèrent en Slovaquie. Ils réussirent à vivoter en faisant les métiers de camelots et de musiciens. Aucune fête de village n'aurait pu avoir lieu sans la présence de quelques musiciens tziganes. Les Tziganes faisaient partie du paysage ; on voyait passer leurs voitures, attelées de chevaux et suivies d'enfants en haillons, de chiens marauders et de femmes aux cheveux noirs cherchant à s'emparer d'un poulet ou d'une oie sur la route. Aucun effort des autorités n'avait réussi à leur faire changer d'existence. Le gouvernement actuel a finalement réussi l'impossible : aujourd'hui, un grand nombre de Tziganes se voient contraints de travailler

AU PAYS DES TCHÈQUES, les habits de fête sont de couleurs vives et brodés. Les jupes sont courtes pour laisser voir les hautes bottes de cuir. La robe de mousseline que porte la fillette paraît bien modeste à côté du costume éclatant de la mère, mais peut-être n'est-ce pas sa robe du dimanche. Sous le toit, des épis de maïs sèchent au soleil.

E. N. A.

DES BANNIÈRES PEINTES sont arborées dans les processions religieuses en Slovaquie. Cette procession qui a lieu en l'honneur du saint patron passe à travers les rues d'un village slovaque. Les hommes portent leurs habits de gala—vestes sans manches avec plusieurs rangées de boutons, chemises blanches à larges manches et pantalons brodés.

UNE FONTAINE au centre de la place d'un village du pays des Sudètes. Cette région sur la frontière de l'Allemagne avait une forte population d'Allemands avant la dernière guerre.

dans les usines et dans les mines.

Les relations entre les Tchèques et les Slovaques n'ont jamais été des plus cordiales. La Bohême et la Moravie ont un passé glorieux, un sol fertile et des industries prospères. Les Slovaques, dominés par les Magyars pendant des siècles, ont toujours été pauvres. Ils n'ont jamais joui du niveau d'instruction et du régime économique de leurs cousins slaves des provinces occidentales.

On a rarement conseillé aux touristes qui visitent la Bohême et la Moravie de pousser jusqu'en Slovaquie, et cela pour de bonnes raisons. La Slovaquie, pays montagneux, est surtout une région agricole. Il y a environ 180 habitants au mille carré comparé à environ 300 personnes au mille carré dans les régions occidentales du pays. Pendant les siècles de domination hongroise, les riches propriétaires terriens vivaient comme à l'époque féodale, alors que les paysans travaillaient comme les serfs du moyen âge. D'après la loi, chaque fils devait recevoir une part égale de l'héritage paternel; ils acceptaient tous leur part, qu'elle soit bonne, pauvre ou sans valeur. Voilà pourquoi, vue d'un avion, la Slovaquie fait songer à un tapis aux dessins bizarres. Souvent un fermier pauvre possédait une douzaine de lopins de terre, si éloignés les uns des autres qu'il n'arrivait même pas à les cultiver. Lorsqu'il mourrait, ses

terres étaient partagées encore une fois. Quelque temps avant la Deuxième Guerre mondiale, 30 pour cent des cultivateurs slovaques ne possédaient que des terres infimes et 20 pour cent n'en possédaient pas du tout. Il ne leur restait qu'à émigrer dans la partie occidentale du pays ou en Amérique du Nord.

Les anciens villages slovaques n'ont jamais présenté un aspect riant. Leurs petits bâtiments couverts de chaume n'avaient pas de cheminées. Le bétail habitait sous le même toit, souvent dans la même pièce que la famille. Dans certaines régions, on cultivait le tabac, la vigne et le maïs. En général, les produits slovaques étaient inférieurs à ceux des provinces occidentales.

De tels contrastes maintenaient les anciens ressentiments qui persistent encore. Même, lorsque la république fut fondée, après la Première Guerre mondiale, les Tchèques voulaient gouverner la Slovaquie de Prague et les Slovaques craignaient d'être absorbés par les Tchèques. Cette mésentente diminua lorsque des hommes d'Etat tels que Masaryk, Benès et le chef slovaque Milan Hodza, parvinrent à établir des relations plus cordiales pendant quelque temps.

Les premiers habitants de la Tchécoslovaquie ne furent cependant pas des tribus allemandes ou slaves, mais deux groupes celtes, les Boii et les Cotini. Les

198

Boii occupaient la Bohême et lui donnèrent le nom qu'elle a conservé. Les premières tribus tchèques firent leur apparition au milieu du cinquième siècle, dans la vallée de l'Elbe. Pendant les cinq siècles suivants, plusieurs royaumes se succédèrent en Bohême, entre autres le royaume des Premyslides, près du confluent de la Moldau et de l'Elbe.

La paix ne régna cependant guère longtemps dans le pays. Slaves, Allemands et Magyars ne cessaient de se le disputer. Tel est le sort tragique de la Bohême qui, entourée de nations différentes et éloignée de tout accès à la mer, a tous ses côtés vulnérables à l'attaque.

La dynastie Premyslide disparut en 1306. Quatre ans plus tard, un prince allemand, Jean de Luxembourg, fut élu roi de Bohême. L'époque la plus glorieuse de l'histoire tchèque se déroula sous le règne de son fils, Charles. Vers l'époque où celui-ci devint roi de Bohême en 1346, il devint aussi empereur du Saint-Empire, sous le nom de Charles IV. Pendant quelque temps, Prague devint la capitale de l'empire. L'architecture de la ville rappelle encore cette brillante période de l'histoire. Charles fit reconstruire les deux grandes forteresses de Hradcany et de Vysehrad. Le palais principal de Hradcany fut conçu et construit par Mathieu d'Arras. Cet architecte reconstruisit aussi la cathédrale gothique de St-Vit, qui, sous le règne du roi Jean, avait remplacé une ancienne basilique normande. Plusieurs empereurs du Saint-Empire et plusieurs rois de Bohême sont enterrés dans la cathédrale, y compris le bon roi Venceslas, que célèbre l'hymne du peuple tchèque.

Le pont Charles, le plus célèbre des nombreux ponts de la Moldau à Prague, fut achevé en 1357 par Pierre Parler, un architecte allemand. Avec les tours qui

MARIANSKE LAZNE (Marienbad), niché dans les montagnes de la Bohême occidentale, est une station thermale depuis le seizième siècle. Ses maisons rappellent son ancienne splendeur.

L'OR, LE ROUGE ET LE BLEU sont les couleurs habituelles des habits de fête de la paysanne tchèque. Le reste du vêtement est toujours d'un blanc immaculé. Elle ne porte que rarement de la soie et du satin, mais sur les étoffes ordinaires elle exécute des broderies en fil d'or jusqu'à ce qu'elle ait donné à son costume un éclat qui rehausse sa propre beauté.

gardent son entrée et les statues de saints, y compris celle de Jean Népomucène, le saint patron de la Bohême, c'est une construction magnifique. Il relie la vieille ville, qui date du quatorzième siècle, avec la nouvelle ville, où de nombreux artisans tchèques s'établirent. Le pont Charles et la silhouette gothique du château Hradcany dominent toujours la beauté éternelle de Prague.

Fondation de l'Université Charles

Charles patronna une école de peinture à Prague, fit rédiger un dictionnaire latin-tchèque et fonda l'Université Charles, une des plus anciennes de l'Europe. Elle se trouvait entre les deux quartiers de la ville. Un de ses collèges fut nommé en l'honneur de Charles—Carolinum. De nombreux étudiants—des Tchèques, des Saxons, des Bavarois et des Polonais—en suivaient les cours. Son niveau scholastique était un des plus hauts du continent. Ses cours de philosophie et de théologie ont formé ceux qui pendant des siècles ont guidé les destinées du pays. Un des Tchèques les plus célèbres de tous les temps, Jean Hus, fut nommé recteur de l'université en 1402. C'était un réformateur religieux et ses enseignements déclenchèrent un long conflit, en partie religieux et en partie politique, appelé les guerres hussites.

Deux des principaux chefs des Hussites furent Jan Zizka de Trocnov et Georges de Podiebrad. Georges fut roi pendant quelque temps. Après sa mort en 1471, le sort de la Bohême prit une mauvaise tournure.

A ce moment, les Habsbourgs, la famille autrichienne régnante, devenaient de plus en plus puissants. Ils régnaient sur l'Autriche depuis 1282 et étaient devenus les souverains du Saint-Empire depuis 1438. Les Habsbourgs soutenaient la cause du catholicisme quand, au début du seizième siècle, plusieurs groupes abandonnèrent l'Eglise pour fonder des sectes protestantes. Dans l'histoire, ce mouvement s'appelle la Réforme. La contre-réforme fut instituée pour la combattre. Comme nous l'avons vu, les Hussites furent les chefs de la Réforme en Bohême.

Le 8 novembre 1620, les troupes hussites furent vaincues par les forces des Habsbourgs à la bataille de la Montagne Blanche, aux portes de Prague. Ce jour-là, les provinces de la Bohême et de la Moravie perdirent leur indépendance, qu'elles ne devaient plus retrouver avant trois cents ans. Cette bataille fut une des premières de la guerre de Trente Ans, qui devait ravager l'Europe de 1618 à 1648. Elle se termina par la servitude complète des Tchèques. Ils ne devaient retrouver le respect d'eux-mêmes avant 1848. Cette année-là, la révolution gronda dans plusieurs pays de l'Europe, y compris la Bohême. Les Tchèques n'obtinrent pas tout ce qu'ils avaient espéré, mais la révolution donna naissance à une puissante bourgeoisie. La liberté personnelle et la dignité leur furent rendues. Dans leur état nouveau, le ressentiment des Tchèques contre les Allemands et les Magyars augmenta sans cesse.

La situation particulière des Tchèques fut encore accentuée par la formation de l'Empire austro-hongrois en 1867. Les relations entre l'Autriche et la Hongrie étaient longtemps demeurées confuses et souvent tendues, bien que la Hongrie ait aussi été gouvernée par les Habsbourgs. Comme nous l'avons dit, la Bohême et la Moravie étaient sous la domination de l'Autriche et la Slovaquie sous celle de la Hongrie. A la suite de la formation du nouvel empire, tout le territoire qui constitue la Tchécoslovaquie actuelle fut gouverné par un monarque unique.

Au début de la Première Guerre mondiale, des dirigeants et des intellectuels tchèques serrèrent les rangs; plusieurs furent emprisonnés, ce qui n'arrangea pas les choses. Les Tchèques voyaient une occasion d'obtenir l'indépendance et ils ne voulaient pas la manquer. Un grand nombre de troupes tchèques qui avaient été forcées de se battre sur le front oriental, dans l'armée autrichienne, désertèrent et formèrent la Légion tchèque.

Un grand homme d'Etat

Le plus grand homme d'Etat tchécoslovaque fut Thomas Garrigue Masaryk (1850–1937). Sa femme était américaine.

KOSTICH

DES MÉTIERS BIEN DIFFÉRENTS DE CEUX DE GRAND'MÈRE

Cette jeune ouvrière tchécoslovaque, en costume du pays, monte un métier mécanique dans une fabrique. L'industrie textile est exploitée par l'Etat, comme d'ailleurs presque toute l'industrie du pays. Sous la forme de l'économie communiste, en vigueur dans ce pays derrière le rideau de fer, les principales industries sont sous le contrôle de l'Etat, comme en Russie soviétique.

Leur fils Jan apprit à parler couramment l'anglais, l'allemand et le tchèque.

Pendant la guerre, Masaryk et son disciple Edouard Benès travaillèrent activement au Canada et aux Etats-Unis pour la libération de leur pays du joug des Habsbourgs. Leurs efforts furent couronnés de succès lorsque l'indépendance de la Tchécoslovaquie fut proclamée à Washington, D. C., le 18 octobre 1918. Plus tard, la nouvelle république fut reconnue par les traités de paix et Masaryk devint président.

Une période heureuse

Ce qu'on appela la première république fut une période agréable. La population consistait surtout en une bourgeoisie qui comprenait le sens de la démocratie et de la liberté. Après la guerre, les pays voisins à la Tchécoslovaquie étaient en proie à la guerre civile et à la dictature. Seule la Tchécoslovaquie était sortie de la tourmente comme une république démocratique et ordonnée. Sa constitution avait emprunté les meilleurs éléments des constitutions de la France et des Etats-Unis.

Dans les villes, il n'y avait ni fortunes, ni misères exagérées. Le peuple était bien nourri, bien habillé et il affrontait les problèmes de la vie avec énergie et bonne humeur.

Le problème le plus ardu était celui de l'agriculture. Le pays est une des régions agricoles les plus riches de l'Europe. Les antiques châteaux que l'on voit près des villes ou sur les hauteurs boisées rappellent au visiteur le passé quand les grands domaines étaient régis par des seigneurs terriens. Quand ces riches seigneurs se fatiguaient de la vie à la campagne, ils allaient habiter leurs palais de style baroque et leurs résidences de la ville. La terre était ainsi cultivée par des paysans qui ne pouvaient en devenir propriétaires. Un des premiers actes du nouveau gouvernement, en 1919, fut de partager tous les grands domaines en petites fermes et de les distribuer au peuple. En peu de temps, plus de deux millions d'acres furent distribués à des familles qui ne possédaient pas de terres ou bien dont les fermes étaient trop petites.

En dépit de ces difficultés et d'autres problèmes, la première république semble avoir été un rêve merveilleux pour la majorité de la population d'aujourd'hui. La liberté d'expression et de pensée existait. Bien qu'il y eût dix-sept partis politiques, les débats se déroulaient dans l'atmosphère démocratique d'une nation libre. Personne n'était emprisonné pour ses opinions personnelles.

L'éducation était à la portée de tous. Prague avait une université tchèque et une université allemande. La musique, les pièces de théâtre, les livres et les idées arrivaient de l'Ouest et de l'Est. Il y avait trois opéras à Prague et les amateurs de musique avaient le choix entre plusieurs concerts tous les soirs. Prague avait toujours été une ville adonnée à la musique. Mozart, qui composa son *Don Juan* pour le Théâtre des Corporations de Prague, où il dirigea la première représentation, remarqua qu'à Prague le peuple comprenait mieux sa musique que partout ailleurs.

Il y avait de nombreux théâtres à Prague : allemands et tchèques, théâtres classiques et d'avant-garde, répertoires sérieux ou comiques. Les Tchèques ont toujours aimé se moquer de la politique. Un des livres les plus populaires d'avant-guerre, *le Brave soldat Schweik,* est une satire dévastatrice de l'étroitesse et de la mesquinerie de la vie militaire et gouvernementale. Ecrit par Jaroslav Hasek, un journaliste tchèque, le livre raconte les aventures d'un preneur de chiens de la fourrière de Prague. Comme simple soldat dans l'armée autrichienne pendant la Première Guerre mondiale, il réussit à embrouiller complètement les opérations de l'armée, en suivant à la lettre les ordres qu'on lui donne.

L'attrait de Prague

Avant 1938, Prague était une étape favorite des étrangers qui visitaient l'Europe. Sa beauté n'est pas aussi frappante que celle de Paris ; il faut la découvrir. Les façades de ses anciennes maisons sont irrégulières et ses vieilles rues pavées sont tortueuses. Prague possède la plus ancienne synagogue d'Europe, remarquable par sa curieuse architecture gothique du milieu du treizième siècle. On y voit le siège du célèbre rabbin Ben Joseph. Derrière la synagogue se trouve un cimetière juif fondé en 1420. Le ghetto de Prague, un colonie médiévale des Juifs askenazim (de l'Europe du Nord) était entouré de murs, et les portes étaient fermées par de lourdes chaînes, du coucher du soleil le vendredi jusqu'au coucher du soleil le samedi—le jour du sabbat des Hébreux—, afin que personne ne puisse y entrer ou en sortir. On racontait que le Golem, un personnage de la légende hébraïque, avait pris corps et hantait la ville. Au cours du siècle passé, plusieurs écrivains—Mayrink, Kafka, Brod, ont recréé l'atmosphère bizarre du ghetto de Prague.

La beauté de Prague

Il y avait de vastes palais de style baroque, des places romantiques, avec de pittoresques fontaines en pierre, des passages mystérieux, des églises anciennes avec des tombes profondément enfoncées dans la terre. Tout près, on voyait un édifice d'affaires, moderne, construit en béton et en verre et en traversant une rue, on était transporté du vingtième au quatorzième siècle. C'était ce mélange du médiéval et du moderne qui donnait à Prague son caractère particulier.

Les magasins étaient aussi luxueux que ceux de Paris, Vienne ou Rome, et les restaurants étaient parmi les meilleurs d'Europe. Une des raisons de la bonne constitution physique des Tchèques est leur éternel intérêt à la gastronomie. Les buffets automatiques de Prague étaient aussi populaires que les restaurants des Halles de Paris. Tout le monde les fréquentait: des ministres, des ouvriers, des vendeuses de magasin et de riches bourgeois. Des monceaux de sandwichs étaient disposés sur de vastes étagères; on y dégustait aussi des saucisses, des jambons et un grand assortiment de plats chauds, de plats sucrés et de boissons. Les hommes d'affaires y concluaient des marchés, de jeunes couples se tenaient par la main en grignotant du pain grillé à l'ail, et des politiciens amateurs y péroraient.

Presque aussi populaires que les restaurants automatiques étaient les boutiques de saucisses fumées; celles-ci faisaient généralement partie d'une boucherie. Dans la salle d'entrée, on vendait des saucisses, des jambons et toutes sortes de viandes fumées; dans l'arrière-boutique, de la viande fraîche. Certains préféraient de longues saucisses maigres appelées *parky;* d'autres, de grosses saucisses courtes appelées *vursty*. Les amateurs discutaient pendant des heures sur les mérites de telle boutique de saucisses. Ils s'en régalaient toute la journée, en commençant par le petit déjeuner. Les jambons de Prague étaient les meilleurs du monde, fumés à la perfection, presque non salés, tendres et fondants. On les mangeait chauds. Les mangeurs de jambon étaient considérés comme membres d'une classe supérieure à celle des mangeurs de saucisses.

Les Tchèques contemplaient philosophiquement les petits ennuis de la vie. Cette attitude et leur sens profond de l'humour leur ont permis de survivre à bien des tribulations. Ils menaient leurs affaires avec ponctualité, moins faciles et moins charmants que les Viennois, pas aussi romantiques que les Polonais de Varsovie et pas aussi amusants ni aussi détachés que les citoyens de Budapest. La nature tchécoslovaque est parfaitement exprimée dans la musique de ses deux plus célèbres compositeurs, Smetana et Dvorak—un merveilleux mélange de nostalgie, de joie de vivre et de mélancolie.

Orchestres et fanfares

La Bohême a fourni des musiciens à toute l'Europe, aussi bien dans les grands orchestres symphoniques que dans les fanfares de villages. En effet, les musiciens de Bohême sont autant un produit d'exportation que la verrerie et la bière du pays. Dans presque toutes les familles tchèques on trouve au moins un membre qui joue d'un instrument. Les villages ont leur fanfare, les petites villes leur orchestre et les villes de plus de 40,000 habitants leur opéra, qui est ouvert dix mois de l'année. Même les stations thermales ont leurs orchestres qui jouent pendant que les visiteurs boivent les

UNE ÉTOILE DE MÉTAL—énorme pièce d'un générateur. Ce hangar fait partie des grands établissements métallurgiques Skoda à Pilsen. Aujourd'hui, l'usine est un arsenal communiste.

LA PRÉPARATION DES MÉTIERS dans une filature de coton. Celle-ci se trouve près de Liberec dans le nord de la Bohême, important centre textile depuis le début du dix-neuvième siècle.

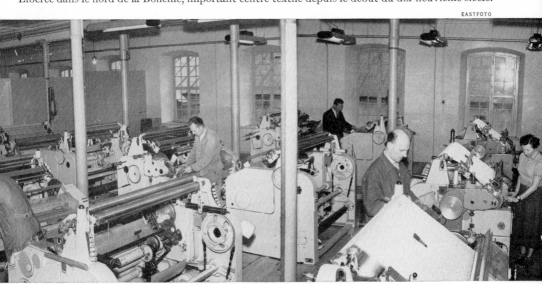

UN RÉGAL POUR LES YEUX et pour le palais—des bonbons joliment présentés dans des papiers multicolores. La fabrique se trouve à Bratislava, ville du sud-ouest de la Slovaquie.

eaux bienfaisantes de leurs sources.

Les célèbres sources thermales de la Bohême, Karlovy Vary (Carlsbad), Marianske Lazne, Frantiskovy Lazne et Jachymov ont soulagé des malades venus des quatre coins du globe, souffrant de la goutte, de l'arthrite chronique et de plusieurs autres maladies. La plus fameuse, Carlsbad, était très en vogue auprès des gens qui avaient trop bien vécu durant onze mois de l'année ; ils y venaient faire amende honorable, le douzième mois, pour leurs péchés gastronomiques. Non loin, à Marianske Lazne, les personnes trop corpulentes pouvaient perdre du poids en en buvant les eaux, en faisant de longues promenades dans les magnifiques forêts et en suivant un régime sévère.

Une des plus petites et des plus ravissantes stations thermales était Jachymov (Joachimsthal), connue depuis plus de cinq cents ans pour ses gisements miniers, y compris ceux d'argent, et ses eaux minérales. Les rajahs hindous et les millionnaires nord-américains qui voulaient éviter les mondanités des stations plus à la mode fréquentaient Joachimsthal. Ses rues tranquilles étaient bordées de coquettes villas aux noms pittoresques. Rien n'était plus agréable que de se promener dans la forêt jusqu'aux petites auberges des monts de l'Erz, où l'air était embaumé de la senteur des pins et où les prix étaient raisonnables.

Depuis des siècles, on extrait des minéraux de la chaîne de l'Erz, ou Monts Métalliques, qui se trouve sur la frontière germano-tchécoslovaque. On y exploite de l'argent, de l'étain, du plomb, du bismuth, du zinc, et de l'antimoine. En 1727, de vastes gisements de pechblende, un minerai d'aspect résineux allant du brun sale au noir d'asphalte, y ont été découverts. Le pechblende contient de l'uranium et du radium. Ce fut du pechblende de la Bohême que les Curie, après des années de recherches, ont finalement extrait le radium.

La Tchécoslovaquie est riche non seulement en ressources minérales et en terres fertiles, mais aussi en capacité industrielle. L'habileté et l'esprit inventif du

UN COIN CHARMANT blotti dans la forêt de Bohême—la petite ville de Prachatice. En plus de son site admirable, ses maisons ont conservé tout leur cachet ancien.

peuple tchécoslovaque sont connus de longue date. Au quinzième siècle, des récipients en verre étaient fabriqués avec le sable de quartz des monts de Bohême, dans de petites forges alimentées par du charbon de bois. Dans toute l'Europe, la verrerie de Bohême était aussi réputée que celle de Venise. La réputation de la porcelaine de Karlovy Vary remonte à la même époque. Ces deux industries furent développées par deux Habsbourgs éclairés, Marie-Thérèse et Joseph II.

Filatures de Bohême

Des filatures furent créées très tôt dans le nord de la Bohême et en Moravie. Lieberec (Reichenberg) fabriquait des étoffes de laine et Trutnov de la toile. Le tissage de la soie commença en Moravie, non loin de Vienne. Au dix-neuvième siècle, le coton remplaça la laine et le chanvre. Au début du vingtième siècle, il y avait plus de trois millions de broches dans le pays.

Les filatures de Bohême et de Moravie fournissaient le tissu pour les uniformes de l'ancienne armée autrichienne, plus connue pour la splendeur de ses uniformes que pour sa valeur militaire. Pendant la bataille de Königgrätz en 1866, un grand nombre d'officiers autrichiens furent tués parce que, suivant la consigne, ils portaient des bandes d'un jaune éclatant sur la poitrine, ce qui en fit une cible voyante pour les Prussiens. Une autre cible très visible, les pantalons rouges de la cavalerie autrichienne, fut le résultat d'un drame historique. Les filatures de Bohême et de Moravie avaient fabriqué de grandes quantités d'étoffe écarlate pour l'armée de l'empereur Maximilien du Mexique. Après la fin lamentable de la dynastie des Hapsbourgs au Mexique, les filatures se trouvèrent avec des stocks importants de cette étoffe. Pour leur éviter la faillite, le ministère de la Guerre autrichien acheta le tissu et le fit porter par la cavalerie.

Après la Première Guerre mondiale, les industries tchèques envahirent les marchés mondiaux. La verrerie, la porcelaine, les chaussures et les tissus furent vendus dans le monde entier. Un fait curieux de l'industrie textile est qu'une grande quan-tité d'étoffes de laine tchèques furent envoyées par plusieurs fabricants, en Angleterre, d'où elles étaient renvoyées comme des produits fabriqués dans ce dernier pays et vendues au prix d'articles importés.

La Tchécoslovaquie fut fortement atteinte par la crise économique mondiale des années 1930. A un moment, il y eut presque un million d'ouvriers en chômage dans un pays de seize millions d'habitants. Les affaires reprirent peu après 1934. Les industries du coke, du fer et de l'acier, des produits chimiques et du ciment recommencèrent à prospérer. Les noms de ces entreprises étaient connus dans le monde entier.

Un autre problème surgit en 1930. La nation avait une grande minorité allemande, trois millions d'habitants, qui étaient hostiles aux Tchèques et qui faisaient leur possible pour causer des difficultés au gouvernement. La plupart de ces Allemands vivaient près de la frontière allemande dans la région des Sudètes. Bien qu'ils aient été prospères et qu'ils aient joui de liberté personnelle, ils considéraient Berlin et non Prague comme leur capitale. Ils étaient naturellement encouragés par les Nazis. Il paraissait certain que la cession du pays des Sudètes à Hitler en 1938 n'assurerait pas la paix. Quelques mois plus tard, les troupes allemandes pénétrèrent en Moravie et en Bohême. La Tchécoslovaquie devint un protectorat gouverné par les Allemands. En mars 1939, les Slovaques constituèrent une république indépendante sous la protection du Reich allemand. Quelques mois plus tard, la Deuxième Guerre mondiale éclatait.

Sous l'occupation nazie

L'occupation allemande de la Tchécoslovaquie ruina l'économie de ce pays très industrialisé. Dans la région des Sudètes, toutes les usines appartenant aux Tchèques et aux Juifs furent saisies par les envahisseurs ainsi que leurs stocks et leurs matières premières. Dans le pays entier, les ressources industrielles furent mises au service de la machine de guerre allemande. Les ouvriers tchèques furent dé-

LES ANCIENS COSTUMES et les vieilles coutumes subsistent toujours dans certaines régions de la Slovaquie. Ce berger tire des accords d'un fuyara—pipeau d'une taille inusitée.

portés comme travailleurs forcés ; les ingénieurs furent arrêtés, les directeurs congédiés. Les Allemands s'emparèrent des banques, des usines et des mines, et y installèrent leurs directeurs ou leurs hommes de paille. A la déclaration de guerre, il y eut une pénurie de denrées qui eut un effet paralysant sur l'économie du pays. La résistance passive et une opposition silencieuse se répandirent dans tout le pays. Le peuple simulait de ne pas comprendre les ordres donnés en allemand et le «schweikisme» fut à l'ordre du jour. Dans beaucoup d'usines, il y avait des groupes de saboteurs. Les machines s'arrêtaient mystérieusement, le courant ne fonctionnait plus, les matériaux disparaissaient ainsi que les wagons de marchandises des voies de triage. A mesure que la guerre se poursuivait, les attaques aériennes alliées se multipliaient. Plusieurs districts industriels furent bombardés et les villes à proximité des aérodromes alle-

mands furent fortement endommagées.

Edouard Benès avait été élu deuxième président en 1935. En 1938, il partit en exil, recommençant encore une fois à lutter pour l'indépendance de son pays. Peu de temps après le début de la Deuxième Guerre mondiale, un gouvernement en exil fut constitué, et Benès fut mis à sa tête.

Ses efforts ne devaient pas avoir les mêmes résultats heureux que ceux de la Première Guerre mondiale. En 1945, alors que les Allemands étaient repoussés sur tous les fronts, les troupes soviétiques pénétrèrent en Tchécoslovaquie. Benès et son gouvernement rentrèrent de l'exil, mais ils furent bientôt obligés de faire des concessions à la Russie, dont la cession de la Ruthénie. D'autre part, à cause de son alliance pendant la guerre avec la Russie, il existait maintenant un fort parti communiste en Tchécoslovaquie. Dans les élections générales de 1946, ce parti remporta 38 pour cent de tous les suffrages.

Peu après la fin de la guerre, environ trois millions d'Allemands furent expulsés de la région des Sudètes. Parmi ceux-ci se trouvaient les artisans qui produisaient la verrerie, la porcelaine, les tissus, la bijouterie de fantaisie et les instruments de musique. Dans les villes de Kraslice et de Schönbach, des dizaines de milliers de violons, de violoncelles, de trompettes et d'autres instruments étaient fabriqués par des manufacturiers qui distribuaient du travail aux habitants. Certains artisans n'exécutaient que le corps de l'instrument, d'autres les crosses, les touches, les chevilles ou les chevalets; d'autres assemblaient les différentes pièces. Les femmes s'occupaient du vernissage.

Bien qu'il en coûtât aux Tchèques de l'avouer, la perte des artisans allemands fut un coup dur porté aux industries du pays. Quoi qu'il en soit, les Tchèques se remirent au travail; ils reconstruisirent leurs industries et tâchèrent de regagner les marchés mondiaux. Ils furent beaucoup aidés par l'UNRRA. A cause de la Russie, ils furent cependant obligés de refuser l'aide du plan Marshall.

L'uranium de Joachimsthal

C'est à ce moment que les «touristes» russes, qui ne s'étaient jamais montrés à Joachimsthal, commencèrent à y affluer. Ils se montrèrent très intéressés par ce qu'ils y découvrirent. Bientôt la station thermale et les environs furent fermés à tous par les Russes; les habitants furent expédiés dans le centre de la Bohême et les Russes commencèrent à exploiter la région. Le minerai qu'on y extrait a un fort contenu de pechblende. Les cinquante mille mineurs qui y travaillent produisent plus d'uranium que les mines exploitées par les Russes en Allemagne orientale, plus au nord, où dix fois plus de mineurs sont employés. Pendant quelque temps, les Tchèques essayèrent d'arrêter les négociations avec les Russes. Finalement, ils durent leur céder les droits exclusifs aux mines d'uranium ainsi qu'à la plupart des autres mines du pays.

En 1946, un plan de deux ans fut inauguré pour augmenter la production d'articles de consommation courante et d'équipement industriel de base. On s'engagea aussi dans la voie de la nationalisation des industries. Les chemins de fer avaient toujours été la propriété de l'Etat. Il fut alors décidé qu'on nationaliserait plusieurs industries minières, des usines de conserves alimentaires, ainsi que toutes les usines et firmes qui employaient plus de cinq cents personnes.

Chute de Bénès

En dépit de ces mesures et d'autres, prises pour satisfaire les partis de la gauche, le pays était de plus en plus attiré dans l'orbite russe. Le coup final fut porté le 9 février 1948. Ce jour-là, les communistes, avec Klement Gottwald à leur tête, s'emparèrent du pays. Une constitution, copiée sur celle de l'U.R.S.S., fut vite adoptée. Le président Benès fut obligé de démissionner et Gottwald lui succéda. Jan Masaryk, le fils du fondateur de son pays, demeura ministre des Affaires étrangères. Le 10 mars, il mourut après s'être jeté par la fenêtre de son cabinet au palais Czernin. Sa mort décida du sort du pays. Il n'y eut aucune opposition armée. Des comités d'action communiste, récemment formés, s'emparèrent des leviers du pouvoir à tous les niveaux.

La Tchécoslovaquie, dès lors, suit la même voie que tous les pays qui se trouvent dans l'orbite soviétique. Toutes les industries et les entreprises commerciales furent nationalisées. La propriété privée disparut. Même les petits commerçants, tels que les coiffeurs et les chapeliers, sont devenus des rouages de la machine communiste. Les petites boutiques ne sont plus que des succursales d'un puissant organisme. Ainsi, tous les magasins d'alimentation sont dirigés par l'organisme géant «Pranem». Les anciens propriétaires sont devenus des employés. Certains groupes ont cependant été entièrement liquidés au point de vue économique. La classe moyenne prospère des médecins, des avocats, des ingénieurs, et des directeurs a disparu. Ceux-ci ont eu le choix de devenir des employés peu rétribués ou de travailler dans les aciéries ou les mines de charbon à un salaire plus élevé. Plusieurs

DES BETTERAVES À SUCRE EN ROUTE POUR LES RAFFINERIES

La betterave à sucre est un produit important dans la plupart des pays du centre nord de l'Europe. Une fois raffiné, son sucre se distingue difficilement de celui de la canne à sucre.

DES VEAUX PRIVILÉGIÉS—CHACUN A SA PROPRE ÉTABLE

Ces veaux sont élevés dans une ferme expérimentale dans le sud de la Bohême. On leur donne une nourriture spéciale; en les tenant séparés, on peut contrôler ce que chacun d'eux mange.

ont choisi de devenir membres de la nouvelle classe ouvrière. En même temps, d'anciens manœuvres sont devenus chefs d'entreprises et constituent une classe de nouveaux riches. La vie est réglée suivant certaines normes, certains coefficients, d'après les chiffres établis par le plan.

Un arsenal du communisme

A cause de sa capacité industrielle et du savoir-faire de son peuple, la Tchécoslovaquie est devenue un des arsenaux du monde communiste. L'industrie de l'armement dépend de l'extraction du charbon et de la fabrication de l'acier. Pour attirer les ouvriers dans ces industries, de hauts salaires sont payés et d'autres avantages assurés. Comme dans l'Union soviétique, le mineur est un des ouvriers les mieux payés.

Ostrava est aujourd'hui le plus grand centre minier et métallurgique du pays. Le gouvernement y a construit de nombreuses cités ouvrières aux environs de la vieille ville d'Ostrava.

Une société nouvelle se développe dans ces villes, qui ignore ce qui se passe dans le reste du monde, qui ignore le sens de la liberté. L'enseignement est dirigé par le gouvernement. On apprend aux enfants que l'Etat passe avant les parents et qu'ils doivent les espionner. Ils passent leurs premières années dans des pouponnières d'Etat. Dans les écoles primaires et secondaires, l'éducation politique, c'est-à-dire l'enseignement communiste, fait prime. Lorsque garçons et filles quittent l'école, le gouvernement les envoie dans les usines, les fermes ou au collège. En d'autres mots, c'est l'Etat qui décide de leur avenir, et non pas les parents ou les enfants eux-mêmes.

En dehors des grandes villes, dans les villages et les petites localités, les changements sont moins apparents. La moitié de la population s'occupe d'agriculture ; les paysans cultivent la terre comme le faisaient leurs ancêtres il y a des centaines d'années. Dans le bassin de l'Elbe, au nord-ouest et à l'est de Prague et en Moravie, on cultive la betterave à sucre. On y cultive aussi le blé et l'orge et la production laitière est importante. En

Moravie et en Slovaquie, le blé et l'orge sont les principales cultures, au-dessous de 1,300 pieds d'altitude ; le seigle et l'avoine sont cultivés sur les terres plus élevées. Dans le sud de la Bohême, on cultive les céréales et la pomme de terre ; dans les montagnes on fait l'élevage du bétail. En Silésie, les paysans font l'élevage des bovins et des porcs. Le porc rôti, accompagné de beignets et de choucroute est le plat national de cette région.

Une ferme typique

Un fermier typique possède environ six acres de terre—pas d'un seul tenant, mais répandues dans la campagne, et délimitées par des bornes. Il possède généralement une vigne et un verger. Non loin, se trouve sa maison aux murs blancs ou bleus, ayant l'eau courante et l'électricité. Sur ses six acres, le fermier cultive le blé, l'avoine, l'orge, le seigle, les pommes de terre, le maïs, la betterave à sucre, les abricots, les pommes, les prunes, les noix, les groseilles, les légumes et quelquefois du raisin dont il fait son propre vin. Il possède généralement quatre vaches, un bœuf blanc, un cheval, quelques veaux, des porcs, des poules, des oies et des canards. On se sert toujours de charrues attelées de chevaux ; l'ensemencement et la récolte se font à la main, bien que même les petites fermes possèdent souvent un broyeur de grain, une écrémeuse, un hachoir à fourrage et une batteuse.

Les fermiers de la Bohême et de la Moravie travaillent dur mais ils vivent assez bien. Avant la Deuxième Guerre mondiale, le standard de vie y était aussi élevé que dans l'ouest de l'Allemagne ou en Autriche. Le fermier et sa famille avaient suffisamment à manger—du lait, des œufs, des légumes, des fruits, des oies et des poulets. Ils obtenaient un bon prix à la ville pour les bœufs, les veaux et les foies d'oie. Il n'y avait aucune différence entre les fermiers riches et les fermiers pauvres, car les premiers n'avaient que trois fois plus de terres que les autres. Presque tous les fermiers avaient des ouvriers agricoles, qui habitaient la ferme.

«La vie du paysan est une succession d'ennuis, mais il les supporte allégrement»

DE LA DENTELLE AU FUSEAU EN BOHÊME

Il faut beaucoup de patience et des heures de travail pour exécuter une pièce de ce genre. Le fil employé est très fin et chaque petit nœud fait au fuseau doit être à sa place exacte.

LA FABRICATION D'UN ACCORDÉON EXIGE DES MAINS EXPERTES

Aucune noce ou fête de village ne pourrait avoir lieu en Tchécoslovaquie sans les sons de l'accordéon. Ces instruments étant toujours très demandés, les fabricants ne chôment pas.

dit une chanson du pays. Le fermier tchèque est laborieux et peu exigeant. Après une rude journée de travail, il rentre chez lui pour son souper accompagné d'un verre de bière. Sa vie sociale se limite presque exclusivement à sa famille. Il va quelquefois à l'auberge du village pour y rencontrer des amis et y discuter les problèmes communs. Le dimanche, tout le monde se rencontre soit devant, soit à l'intérieur de l'église; les hommes se tiennent d'un côté, les femmes de l'autre. Les femmes portent quelquefois leurs costumes traditionnels, joliment brodés, avec des blouses blanches et des jupons de couleur. Les dernières années ont apporté peu de changement dans les campagnes. Les guerres, l'occupation et les crises mondiales y ont laissé moins de traces qu'ailleurs. On peut toujours voir des charrettes pittoresques, des femmes liant des gerbes, ou des fêtes de la récolte. Le peuple tient toujours à ses anciennes coutumes et à la vie familiale. Cet amour du chez-soi se retrouve dans la littérature et la musique, dans les poésies et les chansons folkloriques.

La situation en Slovaquie

En Slovaquie, le tableau est un peu différent. Peu après la guerre, les communistes entreprirent l'industrialisation de la région. Un grand nombre de fermiers furent tentés de prendre des emplois dans les usines. D'autres trouvèrent du travail dans les fermes collectives. Là, ils travaillent aujourd'hui avec des tracteurs et un outillage moderne inconnu jusque là en Slovaquie. Le sort des enfants a été amélioré. Garçons et filles portent maintenant des souliers et reçoivent des repas chauds à l'école et des soins médicaux quand ils sont malades. Ces progrès n'ont d'ailleurs eu aucun effet sur le peuple en général. Les Slovaques sont conservateurs et préfèrent demeurer isolés du reste du monde. Ce sont des catholiques dévots qui sont plus enclins à suivre les conseils de leurs prêtres que les ordres des dirigeants communistes de Prague. Les Slovaques accusent les Tchèques de n'avoir tiré aucune leçon de la guerre. Cela provient en partie de leurs anciens ressentiments. Les Slovaques se sont toujours plaint d'être traités en inférieurs par les Tchèques.

Pays idéal de sports d'hiver

La Tchécoslovaquie est un pays idéal pour les sports d'hiver. Chaque année, du mois de décembre au mois d'avril, des milliers de personnes passent leurs vacances dans la Haute Tatra, une magnifique chaîne de montagnes, dont le point culminant est le pic Masaryk, (8,737 pieds). Eparpillés parmi les formations abruptes de granit se trouvent des lacs aux eaux bleues profondes, des ruisseaux où abonde la truite et de riantes vallées. De coquets chalets s'égarent au milieu de forêts primitives. Aujourd'hui, la plupart de ces chalets appartiennent aux syndicats (organismes du gouvernement), qui ont aussi construit de grands centres récréatifs. Ces centres comprennent un hôtel, un groupe de villas, des patinoires et d'autres commodités. Le prix d'un séjour dans ces centres est modeste, une partie étant payée par les assurances sociales. Le tout est d'y être accepté; cela dépend de l'opinion politique du candidat et de l'appui qu'il reçoit de son supérieur politique.

Quelques villas sont réservées aux clients payants, en général des diplomates étrangers, qui désirent passer des vacances dans une tranquilité relative. Tous les autres centres sont administrés par le gouvernement. Les leçons de ski sont données gratuitement et les skis et les bottines sont aussi prêtés gratuitement.

Les sports d'hiver ont toujours été populaires en Tchécoslovaquie. Le hockey sur glace est le sport national. Plusieurs villes et localités ont des patinoires naturelles. Les grandes usines ont leurs propres équipes qu'elles entretiennent royalement. Les compétitions et les rencontres internationales sont suivies avec intérêt par la nation entière. Pendant les dernières décades, les équipes tchécoslovaques de hockey sur glace ont été les meilleures de l'Europe. Les équipes canadiennes et américaines vont souvent à Prague, et le Stade d'Hiver y est alors aussi bondé que les stades de l'Amérique du Nord pour les championnats de baseball. Les Tatras disposent de nombreux téléphériques et pistes pour bobsleigh. Au-dessus de six mille pieds, on peut faire du ski, longtemps après l'arrivée du printemps. Les courses de ski les plus populaires ne sont pas le «slalom» (sur une pente en zigzag) comme en Autriche, mais le «cross» comme en Russie.

Personne ne peut prévoir quel sera l'avenir de la Tchécoslovaquie. La grande majorité de la population est restée de tendance occidentale. On parle toujours avec nostalgie de l'époque où tout le monde était libre, travaillait et vivait en paix. Même les jeunes qui n'ont connu que l'enseignement communiste demeurent attirés vers l'Occident.

Les Tchèques sont un peuple d'individualistes. Quand on leur dit de marcher du côté droit de la rue, un grand nombre marcheront du côté gauche. Ils aiment ronchonner et se moquer de leurs dirigeants et ils sont ennemis de la bureaucratie et de ceux qui détiennent l'autorité. Ils ont repris l'attitude de Schweik, car c'est leur seul moyen de manifester leur opposition. D'autre part, le peuple est religieux et leurs églises sont toujours pleines le dimanche. Ils disent : «Nous avons survécu à d'autres dictatures et nous survivrons à celle-ci». Leur humour est demeuré entier et les aide à traverser les années mornes de l'enrégimentation comme de suivre les normes qui dirigent toutes leurs activités.

Un fait est certain. Le pays s'industrialise de plus en plus et le peuple doit travailler plus qu'autrefois. Chaque année, de nouvelles constructions s'élèvent : cokeries, aciéries, fabriques de ciment et de briques. Il y a plus de télévisions, de chemins de fer, de barrages, de cinémas, de bibliothèques, de laveuses et de réfrigérateurs. Cependant, il y a moins de bonheur dans ce magnifique pays au passé romantique. On y rit moins, les gens sont tendus, comme s'ils attendaient qu'un événement se produise. Les Tchécoslovaques savent que le sort de l'Europe et du monde entier peut se décider encore une fois en Tchécoslovaquie, pays qui se trouve au cœur de l'Europe.

Joseph Wechsberg

TCHÉCOSLOVAQUIE: RÉSUMÉ STATISTIQUE

LE PAYS

République populaire communiste, la Tchécoslovaquie est bornée au nord par la Pologne, à l'est par l'Union soviétique, au sud par la Hongrie et par l'Autriche et à l'ouest par l'Allemagne. Superficie, 49,354 milles carrés ; population, 13,500,000.

GOUVERNEMENT

Les communistes s'emparèrent du gouvernement en 1948. D'après la constitution adoptée cette année-là, le gouvernement comprend une Assemblée nationale d'une chambre ; le Présidium, le plus haut corps législatif quand l'Assemblée n'est pas en session ; et un cabinet. L'Assemblée élit le président de la république pour un mandat de 7 ans.

COMMERCE ET INDUSTRIES

La Tchécoslovaquie n'est pas seulement une nation très industrialisée, mais elle possède aussi de grandes ressources naturelles. Environ 40 pour cent de la population s'occupent d'agriculture et de l'exploitation des forêts. Le blé, le seigle, l'orge, l'avoine, le maïs, les pommes de terre et la betterave à sucre poussent en abondance. La culture du houblon est importante. Les minerais comprennent le charbon, le graphite, les grenats, l'argent, le plomb et le sel gemme ; importante exploitation de mines d'uranium. Outre les armes, la grande usine de Skoda fabrique aussi des locomotives et de l'outillage lourd ; il y a aussi des filatures, des papeteries, des verreries, des fabriques d'ameublement et de produits chimiques. Les principales exportations sont les tissus et l'outillage lourd. Les importations sont les céréales, le coton, la laine, les métaux non-ferreux, les engrais. Presque tout le commerce se fait avec la Russie. Unité monétaire : la koruna (la couronne).

COMMUNICATIONS

La Tchécoslovaquie a plus de 8,000 milles de chemin de fer et plus de 44,000 milles de routes. Plusieurs lignes aériennes desservent le pays.

RELIGION ET ÉDUCATION

Les trois quarts de la population sont catholiques. D'après une loi adoptée en 1949, les membres du clergé sont fonctionnaires de l'État.

Tout le système d'enseignement est dirigé par le gouvernement ; 8 années d'école sont obligatoires. Les principales universités sont l'Université Charles de Prague et les universités de Brno et de Bratislava.

VILLES PRINCIPALES

Prague, la capitale, population 978,000 ; Brno, 306,000 ; Bratislava, 247,000 ; Ostrava, 199,900 ; Pilsen, 134,000. 67 pour cent de la population sont Tchèques, 25 pour cent sont Slovaques ; le reste se compose d'Allemands, de Hongrois, de Polonais et de Juifs.

L'Autriche

...une terre si belle

LES premières années de l'existence de la nouvelle république autrichienne, créée à la suite de l'accord signé en 1955 entre l'Est et l'Ouest, ont causé un vif étonnement. On avait prévu en effet que le pays était voué à la ruine financière ou que Vienne allait devenir un centre de coopération harmonieuse entre l'Ouest et l'Est.

Aucune de ces prédictions ne se s'est réalisée. En 1956, des milliers de réfugiés hongrois ont franchi la frontière autrichienne, accessible en dépit de toutes les menaces russes. Le gouvernement actuel de la Hongrie ne manifeste donc guère de cordialité envers les Autrichiens, et ceux-ci ont abandonné tout espoir de voir l'Est et l'Ouest se réconcilier dans cette partie du monde. Certes, l'Autriche maintient une politique neutre; le traité de 1955 l'exige de sa part. Mais, au fond, le cœur des Autrichiens est avec l'Occident.

Le redressement de l'Autriche est dû non seulement à l'aide américaine, mais,

aussi étrange que cela puisse paraître, à l'Allemagne nazie. Lorsque les Allemands s'emparèrent du pays en 1938, ils y installèrent aussitôt des industries. Lorsque les Alliés chassèrent les Allemands en 1945, ceux-ci y laissèrent de nombreuses industries, notamment le V.O.E.S.T., ou Aciéries réunies de l'Autriche. Ces usines avaient fonctionné à fond pour l'Allemagne pendant la Deuxième Guerre mondiale; c'est pourquoi les Russes exigèrent des réparations de la part de l'Autriche dans le traité de 1955. En dépit des paiements qu'elles ont dû effectuer, ces usines ont constitué un facteur important dans l'économie autrichienne. La production industrielle est deux fois plus importante qu'elle ne l'était en 1938. Bien que la balance commerciale demeure légèrement défavorable, elle s'est beaucoup améliorée. D'ailleurs, une industrie touristique florissante y contribue largement. Ces dernières années, le tourisme a augmenté de 80 pour cent.

Ce renouveau économique s'est accompli même si l'Autriche, jadis une nation commerçante, a perdu presque tous ses marchés après la dernière guerre. La situation s'aggrava encore à la suite du départ des troupes d'occupation en 1955. Seule enfin, l'Autriche devait trouver de nouveaux débouchés. Il apparaît clairement qu'elle les a trouvés. Quatre-vingt-cinq pour cent de ses exportations sont dirigées vers les pays de l'Ouest et 79 pour cent de ses importations viennent de ces pays. Cette transformation radicale du commerce autrichien soulève des problèmes politiques embarrassants. Selon le traité de 1955, les Autrichiens se sont engagés à ne pas se joindre à une union politique ou économique avec l'Allemagne. L'Autriche a néanmoins adhéré à l'Association européenne du marché libre (les Sept). Sa situation géographique centrale présente un danger pour sa position

politique. Les principales routes terrestres d'Europe convergent vers l'Autriche. Pendant des siècles, son excellent réseau routier a attiré les touristes. Les Autrichiens continuent à construire des routes, et aujourd'hui la meilleure de toutes, une grand-route de 190 milles, suit la même direction que leur commerce. Elle va de Vienne à Salzbourg et est reliée directement à l'*Autobahn* allemand.

Les bonnes routes ne sont pas seules à prouver la survivance de la tradition autrichienne. L'Opéra de Vienne a été reconstruit, après avoir été détruit par les bombardements au cours de la Deuxième Guerre mondiale. Il avait fallu huit ans pour construire l'ancien; il en a fallu dix (1946–55) pour le nouveau. Ecrasés sous le poids de l'occupation étrangère, les Viennois durent couvrir les frais eux-mêmes et obtenir de l'aide là où ils pouvaient la trouver. Aujourd'hui, la saison d'opéra à Vienne a presque entièrement retrouvé sa splendeur et sa gaieté d'antan.

Même les chauffeurs de taxi ont retrouvé la prospérité. Un visiteur dut attendre dix minutes pour trouver un taxi et quand il en eut trouvé un, il s'aperçut que c'était une nouvelle Mercedes de 180 chevaux. Cela indiquait un standard de vie qu'on ne s'attendait pas à trouver dans l'Autriche moderne.

Deux mille ans d'histoire

L'histoire de l'Autriche est longue et glorieuse. Près de la petite ville de Hallstatt, en Haute-Autriche, on a découvert des centaines de tombes d'Illyriens, peuple qui habitait le pays il y a deux mille ans. Ces tombes renfermaient une telle profusion d'objets, qu'elles ont laissé croire que Hallstatt devait être un centre important au début de l'âge de fer, de 900 à 500 av. J.-C. C'est ainsi que la ville a donné son nom à une culture très distincte, l'époque hallstattienne de l'âge de fer.

En 1908, au cours de la construction d'une voie ferrée, près de Willendorf, dans la vallée du Danube, des ouvriers mirent au jour des vestiges qui remontaient à une époque encore plus ancienne. En creusant dans des couches épaisses de loess, leurs pioches frappèrent des objets

UN PITTORESQUE MARCHÉ à Linz, sur le Danube. Cette ville ancienne, capitale de la Haute-Autriche, reçoit des milliers de visiteurs chaque année.

DANS SON ATELIER, un sculpteur du Tyrol crée des figurines traditionnelles et des masques en bois.

LECH SUR L'ARLBERG. Cette montagne dans le Tyrol est le lieu de naissance du ski dans les Alpes.

LES BALCONS de ce chalet tyrolien, couverts de roses et de pétunias, sont du plus charmant effet.

HEILIGENBLUT est blottie dans une vallée de la Carinthie, dans le sud de l'Autriche. De cette localité, une route, la Grossglocknerstrasse, relie en serpentant la Carinthie à Salzbourg, plus au nord, en passant par le Hohe Tauern.

à moitié enfouis dans le sol. C'était des débris d'os et de silex ; un ingénieur poussa plus loin ses recherches et ne tarda pas à découvrir des traces de feux de camp ; il en conclut qu'on venait de mettre au jour un campement préhistorique. A quelques centaines de pas de là se trouvait une briqueterie où, vers 1883, on avait trouvé les restes de nombreux camps de chasseurs de mammouths de l'âge paléolithique. Parmi ces vestiges se trouvait la Vénus de Willendorf. On croit que cette petite statue en pierre calcaire habilement sculptée, a soixante mille ans d'existence.

En 1956, en creusant les fondations d'une maison au cœur de Vienne, les ouvriers ont mis au jour les ruines des bains du camp romain de Vindobona. Le camp constituait un des avant-postes de l'empire à l'ouest.

Des découvertes de ce genre ont été si fréquentes qu'elles rempliraient des volumes. Ces découvertes, de même que les anciens monastères, églises et châteaux, et les trésors qui remplissent les musées, rappellent à l'Autrichien qu'il a hérité d'une terre où l'histoire se déroule depuis des milliers d'années.

Non loin de Vienne se trouve la croisée des chemins de l'Europe préhistorique ; c'est là que la route de l'Ambre franchissait le Danube. C'est sur cette route que l'ambre, résine fossile hautement prisée des anciens, était apportée de la Baltique à la Méditerranée. On a trouvé de l'ambre dans les tombeaux des anciens Égyptiens.

Chasseurs, colons et envahisseurs

Le Danube coule à travers l'Autriche, en longeant le versant des Alpes orientales. C'est à travers la vallée du Danube que l'homme aurignacien (un type disparu) pourchassait les troupeaux de mammouths et de rennes. C'est par cette voie que les commerçants illyriens expédiaient le sel. Au cours des siècles, plusieurs peuples empruntèrent cette voie : les Teutons, les Huns, les Avars, les Slaves, les Magyars, les colons allemands et les envahisseurs turcs.

A l'endroit où le Danube pénètre dans la plaine hongroise, au-dessous des derniers contreforts des Alpes, Charlemagne,

en 803, fortifia les frontières de son empire contre les Avars, qui arrivaient de l'Asie. La Marche (terre frontalière) qu'il établit alors s'étendait depuis la région qu'on appelle aujourd'hui la forêt de Vienne en amont du Danube jusqu'aux provinces modernes de la Haute et Basse-Autriche. La Marche orientale changea de mains à plusieurs reprises avant de tomber d'une façon presque permanente aux mains des Habsbourgs au treizième siècle. L'Empire germanique d'alors se désintégrait petit à petit. Conrad IV, le dernier roi allemand et empereur du Saint-Empire, de la dynastie des Hohenstaufen, mourut en 1254. Les princes germaniques demeurèrent alors une vingtaine d'années sans avoir de maître véritable. En 1273, ils élirent comme roi un seigneur alsacien peu connu, Rodolphe de Habsbourg. Le nouveau monarque accepta tout d'abord le désordre existant sans chercher à y remédier. Puis il se rendit compte que pour pouvoir exercer son autorité de roi, il lui fallait d'abord augmenter son prestige personnel. Il consacra donc toute son énergie à consolider la position de sa famille.

Les Habsbourgs au pouvoir

L'occasion ne tarda pas à se présenter : le roi de Bohême Ottokar Premysl refusa de reconnaître l'accession de Rodolphe au trône allemand. Celui-ci déclara Ottokar déchu de ses fiefs, dont le duché d'Autriche et lui déclara la guerre. En 1278, Ottokar fut tué dans une bataille. C'est ainsi que fut établie la domination des Habsbourgs sur le haut Danube. Elle devait durer jusqu'en 1918.

C'est au XVe et au XVIe siècle que la domination des Habsbourgs prit le plus d'expansion. A la suite de plusieurs mariages, la Bourgogne, l'Espagne et ses possessions en Amérique, la Bohême et la Hongrie tombèrent sous le joug des Habsbourgs.

Au cours des siècles, les Habsbourgs perdirent leurs possessions sur le Rhin, la Bourgogne, les Pays-Bas et l'Espagne. Ils s'emparèrent par contre de nouveaux territoires, la Galicie, la Dalmatie et, en 1878, des anciennes provinces turques de la Bosnie et de l'Herzégovine. Les

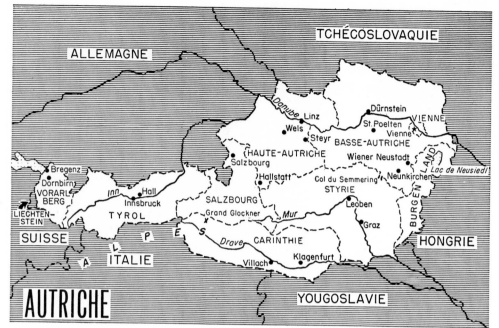

Habsbourgs atteignirent l'apogée de leur puissance après le déclin de la Turquie. Les Turcs, qui avaient été repoussés aux portes de Vienne en 1529, furent battus une seconde fois, au même endroit, en 1683.

Jusqu'en 1914, la monarchie dualiste d'Autriche-Hongrie, où l'on parlait douze langues différentes, réussit à maintenir la paix et l'ordre dans un territoire comptant plusieurs nationalités différentes. Puis survint la Première Guerre mondiale, déclenchée par l'assassinat de l'archiduc Franz Ferdinand à Sarajevo. Se trouvant dans le camp des vaincus, le vieil empire se désintégra. De ses ruines jaillirent de nouveaux états—la Tchécoslovaquie, la Hongrie et l'Autriche moderne. D'autres territoires autrichiens furent cédés à la Pologne, à la Roumanie, à l'Italie et à la Yougoslavie.

C'est ainsi que l'Autriche moderne naquit d'une défaite. Elle possédait peu d'industries et seul un cinquième de la terre était arable. En plus, il fallait faire vivre Vienne, une capitale de 2,000,000 d'habitants, qui jadis avait été à la tête d'un empire qui en comptait 50 millions. La nouvelle Autriche se trouva aussitôt aux prises avec des crises économiques et des luttes internes. Appauvrie, comme l'étaient

la plupart des pays d'Europe entre les deux guerres, et, abandonnée par les grandes puissances, la première république autrichienne devint la proie de la politique d'hégémonie d'Hitler en 1938.

Pendant le deuxième conflit mondial, l'Autriche subit, de nouveau, les ravages de la guerre. Environ 195,000 hommes, femmes et enfants furent tués, et 76,000 comptés disparus. A la fin de la guerre, l'Autriche fut occupée par la France, la Grande-Bretagne, les Etats-Unis et l'U.R.S.S. Elle servit de pion dans la lutte entre l'Ouest et l'Est et l'occupation dura jusqu'en 1955. C'est néanmoins pendant cette époque que l'Autriche, aidée par l'étranger, prépara l'avènement de la Deuxième république et qu'elle devint enfin une nation pleinement souveraine et indépendante.

Aujourd'hui, l'Autriche a une étendue de 362 milles en allant de l'est à l'ouest; du nord au sud, sa plus grande largeur est de 182 milles. A son point le plus étroit, dans la région de l'Arlberg, le pays n'a que 20 milles de largeur.

Les Alpes, comme on le sait, couvrent la majeure partie de l'Autriche au sud du Danube, et le plateau de Bohême et de Moravie constitue la plus grande partie du pays au nord du fleuve. Ainsi,

UNE NOCE DE VILLAGE.
La cérémonie vient de prendre fin et les assistants, en habits de dimanche, forment le cortège.

RAPHO-GUILLUMETTE, PHOTO, MARGARET DURRANCE

LE TOIT DORÉ, une des curiosités d'Innsbruck, surmonte le balcon d'une maison du quinzième siècle.

RAPHO-GUILLUMETTE. PHOTO. HANS HANNAU

DES JETS D'EAU jaillissent de statues classiques dans le vivier de l'abbaye de Kremsmuenster, fondée en 777, dans la Haute-Autriche, par les Bénédictins.

UN VIEUX MONSIEUR de Mondsee arbore fièrement un costume local de la région de Salzbourg. La ville est située sur les rivages d'un lac, au pied des Alpes. C'est ici que l'on a découvert les vestiges d'un lac préhistorique.

presque les trois quarts du pays sont montagneux. Environ les deux cinquièmes se trouvent à 3,000 pieds, ou plus, au-dessus du niveau de la mer. Le Grossglockner, le plus haut sommet, entre le Tyrol et la Carinthie, s'élève à 12,461 pieds. Les hameaux les plus élevés, les Rofenhöfe, dans le Tyrol, ont environ 6,500 pieds. A l'est, le pays est plat et uni.

Bien qu'il y ait dans les Alpes de nombreux sommets dénudés, couverts de neiges éternelles, 37 pour cent du pays sont boisés. Depuis des siècles, les montagnards savent que les forêts leur fournissent plus que du bois pour bâtir et chauffer leurs maisons. Les forêts protègent les villages et les fermes situés dans les vallées étroites et sur les versants escarpés des avalanches et des éboulements. Elles aident aussi à absorber les pluies et empêchent ainsi l'érosion. Depuis des années, une sage administration du domaine forestier, qui comprend surtout des sapins sur les pentes élevées, a épargné à l'Autriche le sort de certaines régions méditerranéennes, où il subsiste une végétation à peine suffisante pour nourrir les moutons et les chèvres.

Dans les forêts, on rencontre le cerf, un proche parent de l'élan de l'Amérique du Nord, le chevreuil, le sanglier et, à des hauteurs vertigineuses, le chamois au pied sûr. Dans certaines régions, on trouve le daim (importé d'Asie au moyen âge) ainsi qu'une espèce de mouton sauvage, venu, à l'origine, de la Sardaigne et de la Corse. Il y a aussi quelques troupeaux de bouquetins. Le coq de bruyère, le plus grand des tétras, et une espèce plus petite sont des trophées prisés des chasseurs. Les lièvres, les lapins de garenne, les perdreaux et autres petits gibiers abondent. Pendant leurs migrations, des milliers de canards et d'oies sauvages viennent se poser sur les nombreux lacs et ruisseaux. Ceux-ci abondent en poissons, appât tentant pour les pêcheurs.

L'eau est la principale source de force motrice en Autriche. Des centrales électriques captent les eaux qui descendent des montagnes. De cette richesse naturelle dont le rendement maximum est estimé à quarante milliards de kilowatts heures, l'Autriche en a déjà capté un quart. Des

BÖHRINGER

A DIX MILLES PIEDS D'ALTITUDE dans les Alpes d'Otztal, dans le sud du Tyrol. De l'hôtel, on jouit d'une vue magnifique sur le Seelenkögl, dont le sommet est à 11.500 pieds.

travaux sont en cours pour produire encore plus de force hydro-électrique.

Le visiteur qui aime les sports peut faire du ski sur les pentes du Grossglockner pendant la matinée et nager dans les lacs tièdes de la Carinthie l'après-midi. A cause des montagnes, le climat du pays est très varié. Les régions les plus chaudes se trouvent à l'est et au nord-est de Vienne et au sud de Graz. Là, la température moyenne annuelle est d'environ 50° F. A plus de 6,000 pieds, la moyenne est au-dessous de zéro.

Comme les vents soufflent de l'ouest pendant presque toute l'année, la pluie et la neige sont plus abondantes dans la partie occidentale du pays. Là et sur le versant septentrional des Alpes, il tombe de 72 à 120 pouces de pluie et de neige chaque année. La région la plus sèche, où les précipitations ne sont que de 20 à 24 pouces, se trouve au nord-est.

Des vallées d'un beauté surprenante traversent les Alpes. De coquets villages s'y blottissent ou s'accrochent aux pentes des montagnes. Quelquefois, ils sont isolés pendant plusieurs jours du reste du monde par la chute de neige. C'est peut-être à cause de leur isolement que ces villages de montagne sont restés fidèles aux coutumes du passé. C'est en bordure des Alpes, au pied des collines et dans les vallées que sont situées les principales villes du pays : Vienne, Graz, Linz, Salzbourg, Innsbruck et Klagenfurt.

La plus belle d'entre elles est Vienne qui a été pendant des siècles le cœur du Saint-Empire romain-germanique et plus tard de la monarchie dualiste. Pendant quelques années, la ville qui avait longtemps été la capitale la plus gaie de l'Europe, souffrit de terribles privations. Elle subit une éclipse temporaire pendant l'occupation nazie et au cours de la longue occupation qui suivit la Deuxième Guerre mondiale. Cependant, en dépit des prévisions pessimistes, Vienne n'est pas morte, mais plus vivante que jamais. La fumée monte des cheminées d'usines des faubourgs à l'est et au sud de la ville. Théâtres et music-halls sont bondés. Avec leurs merveilleux étalages de produits autrichiens et étrangers, les magasins attirent à la fois les Autrichiens et les visiteurs. Les musées exposent leurs célèbres collections. Dans les rues, il y a toute l'animation et l'agitation d'une grande métropole.

Bien qu'il y ait plusieurs magnifiques églises médiévales—entre autres la célèbre cathédrale de Saint-Etienne—ce sont les édifices religieux et les palais de style baroque qui dominent cependant. Ils sont les témoins du faste qui régnait dans Vienne au dix-huitième siècle.

Un petit pays charmant

En dépit de la petite superficie du pays, l'architecture des villages et des villes est très variée. La géographie du pays, les matériaux employés, l'origine des architectes, les considérations militaires, ont, parmi d'autres facteurs, exercé leur influence. C'est ainsi que, dans les régions sujettes aux fréquentes invasions ou aux combats, les vieilles maisons sont blotties les unes contre les autres, souvent autour d'un château ou d'une église fortifiée. Les fermes isolées ressemblent quelquefois à des châteaux avec leurs murs épais et leurs meurtrières. Fait curieux, dans un pays qui possède tellement de forêts, un nombre infime d'habitations, même parmi les plus anciennes, sont construites entièrement en bois. Les bâtisseurs se rendaient compte qu'en utilisant des briques et de la pierre, ils construisaient pour les générations futures. En fait, la maison devait rester dans la famille.

Une gloire de jardins et de fleurs

Là où le climat et l'espace le permettent, les fermes sont entourées de vergers et de jardins potagers. On voit des fleurs à toutes les fenêtres. Comme si cela ne donnait pas assez de couleur, les Tyroliens et les Salzbourgeois ne peuvent résister au plaisir de badigeonner les murs de leurs maisons à la chaux. Les murs sont souvent peints de vives couleurs ou de scènes représentant des sujets religieux ou folkloriques. Dans le Tyrol et dans la province de Salzbourg, on rencontre un style de maisons qui remonte à la nuit des temps. Les pièces d'habitation, la grange et les étables sont toutes sous le même toit. Les bardeaux, taillés à la main, sont maintenus en place sur le toit par de lourdes pierres.

Lorsqu'on voyage en train ou en autocar, on traverse des champs, des prairies, des vergers et, dans les régions les plus chaudes, des vignobles entrecoupés de forêts. Dans la partie orientale de l'Autriche surtout, on est frappé par l'étroitesse des champs, quelques-uns pas plus larges que quelques sillons. Cela est dû au partage des terres entre les enfants. On ne peut appliquer les méthodes modernes d'agriculture à des terres ainsi divisées, mais on a commencé à remédier à cette situation en procédant à l'échange de champs et de pâturages de dimensions et de qualité égale. On arrive ainsi à créer des fermes d'un seul tenant.

Les provinces qui constituent aujourd'hui l'Autriche étaient, jadis, surtout agricoles. Aujourd'hui, environ 50 pour cent de la production du pays vient de l'industrie et 15 pour cent seulement de l'agriculture. Malgré le peu d'étendue des terres arables, les fermiers autrichiens réussissent à fournir 81 pour cent des produits alimentaires nécessaires au pays. Partout où cela a été possible, on a adopté des méthodes modernes. Le tracteur remplace de plus en plus le cheval. Cependant, il y a encore des régions où, seul, le travail de l'homme est possible.

CETTE FONTAINE ornée de chevaux cabrés et de feuillage en pierre est un des lieux de rendez-vous favoris de Salzbourg.

LE VIEUX QUARTIER de Salzbourg est un dédale pittoresque de rues pavées, bordées de maisons étroites datant de 1500.

UN CYGNE se prélasse sur les bords du Traunsee, charmant lac à l'est de Salzbourg. Au fond, on voit le château d'Orth avec sa haute tour.

L'UHRTURM, une curieuse tour d'horloge au Schlossberg. Ce château se trouve à Graz, dans le sud-est de l'Autriche.

UN JOLI COUP D'ŒIL—les jardins Mirabell à Salzbourg. Des arbustes, des parterres fleuris et au fond le château.

Les pâturages étant rares dans les vallées étroites, les troupeaux sont emmenés, l'été, dans les hautes prairies alpestres. A l'approche de l'hiver, le retour des animaux est l'occasion de réjouissances. Le son des cloches des vaches remplit l'air, tandis que les animaux, gaîment parés, descendent par les sentiers étroits. Rentrant chez eux après de longs mois de solitude, les pâtres rapportent sur leurs dos d'énormes fromages fabriqués dans les métairies alpestres.

La vie du *Bergbauer* est difficile; celui-ci est hardi, fier et attaché à sa terre natale. Mais 85 pour cent des fermes autrichiennes ont moins de cinquante acres, et elles n'arrivent généralement pas à faire vivre tous leurs enfants. Presque tous ceux qui doivent partir trouvent des emplois dans l'industrie. C'est ainsi que la population fermière fournit la main-d'œuvre industrielle de la nation.

L'esprit conservateur des fermiers a maintenu plusieurs des anciennes coutumes. Dans certaines régions de l'Autriche, à la venue du printemps, on brûle le démon de l'hiver, en effigie, et on réveille au son de claquements de fouets les forces de la vie encore endormies dans la terre. Le solstice d'été est toujours célébré dans toute l'Autriche par de grands feux de joie qu'on allume sur les sommets et qu'on peut voir de loin.

Le costume des fermiers révèle aussi l'amour du passé. A l'occasion de fêtes, telles que les mariages, surtout dans le

LE TEMPS DE LA FENAISON dans la vallée alpine de l'Inn. Au delà des champs, on aperçoit un charmant village blotti dans la vallée.

KOSTICH

ENTRAÎNEMENT à l'Ecole de cavalerie espagnole de Vienne. Des chevaux blancs sont dressés à faire des exercices très compliqués.

Tyrol, on voit un fermier et sa famille revêtus de costumes datant de la période baroque ou du moyen âge. Les Tyroliens aiment la couleur rouge. Au moyen âge, seuls les hommes libres avaient le droit d'arborer cette couleur. De même que les Suisses et les Frisons des Pays-Bas, les Tyroliens sont parmi les rares fermiers qui ne furent jamais des serfs.

Nous avons déjà parlé des forêts et de la houille blanche. Une autre importante ressource et matière première autrichienne est le fer. L'Erzberg, la montagne de fer en Styrie, avait déjà été exploitée par les Celtes et les Romains. Aujourd'hui, elle fournit les trois quarts de la production autrichienne du fer et de l'acier. En plus du fer et du sel, l'Autriche est aussi riche en graphite et en magnésite; elle possède aussi des gisements importants de plomb, de zinc, de cuivre, de molybdène et d'antimoine. Bien qu'elle n'ait pas assez de charbon, l'Autriche produit assez de pétrole et de sous-produits pétroliers pour sa propre consommation et pour l'exportation. Le champ pétrolifère de Zisterdorf produit environ 3,500,000 tonnes de pétrole par an.

Les principales industries du pays sont celles du fer et de l'acier. Les établissements métallurgiques de Böhler fabriquent environ cinq cents espèces d'acier qui sont exportées dans le monde entier. Les autres principales industries sont celles de l'aluminium, du papier, des produits chimiques, des tissus, des machines et des machines-outils, des véhicules, des matériaux de construction et des appareils électroniques. Les principales exportations de l'Autriche sont le bois, le fer, l'acier et le papier. Sa situation géographique au cœur de l'Europe en fait un endroit idéal pour les foires industrielles.

Tout en s'efforçant d'élever le niveau de vie par une production en série, les Autrichiens n'ont pas négligé les arts et les produits de l'artisanat pour lesquels ils sont renommés depuis longtemps. Comme au moyen âge, un artisan doit toujours faire un apprentissage de trois ou quatre ans avant de pouvoir devenir un compagnon et plus tard peut-être un maître-ouvrier. Le résultat de cet entraînement se fait sentir dans la qualité des produits autrichiens, tels que la verrerie, la maroquinerie, la poterie, la céramique, le fer forgé, les carabines et les fusils fabriqués à la main, la bijouterie, la dentelle et le petit-point, qui trouvent des marchés dans de nombreux pays. On entend toujours le bruit du marteau sur l'enclume du forgeron. Le charron sait toujours fabriquer une roue, et le tonnelier un baril. Le charpentier se montre habile avec le marteau et l'herminette, et le cordonnier est digne de son nom.

L'Autriche possède un réseau très étendu de voies ferrées et de routes. On rencontre peu de localités qu'on ne puisse atteindre par un moyen quelconque de locomotion. Certaines routes suivent toujours le tracé des voies romaines qui menaient aux frontières de l'empire. Cependant, la présence de collines et de rues étroites dans les villes anciennes pose souvent un problème sérieux à la circulation automobile. Tout en adoptant les procédés modernes qui conviennent mieux aux exigences de ce siècle, les urbanistes s'efforcent de préserver la beauté et le charme tellement caractéristiques des agglomérations anciennes. Dernièrement, lorsqu'il fallut agrandir le passage pour les autos sur la rive gauche du Danube, dans le Wachau, on décida non pas d'élargir la rue principale et de détruire les anciennes maisons, mais de percer un tunnel dans le versant de la montagne, ce qui était beaucoup plus onéreux.

À VIENNE—l'imposant édifice du parlement, de style classique grec, sur la vaste Ringstrasse.

L'ANCIENNE GRANDEUR IMPÉRIALE de Vienne. Les parterres devant la masse grandiose du château de Schoenbrunn.

LA FLÈCHE de la cathédrale de Saint-Etienne, à Vienne, s'élève au-dessus des toits à pente raide du vieux quartier de la ville. Sa construction commença en 1137.

LE BURG THÉÂTRE de Vienne, tel qu'il a été reconstruit après la Deuxième Guerre mondiale. Le premier remontait aux années 1770.

DREIMÄDERLHAUS (la Maison des Trois Jeunes Filles) à Vienne. Franz Schubert y demeura.

231

C'est sur cette montagne que se dresse la pittoresque petite ville de Dürnstein. Dans son château, Richard Cœur de Lion fut emprisonné en 1193. Selon la tradition, Blondel, son troubadour préféré, se mit en route pour trouver le roi. Il alla de château en château, jouant les mélodies que Richard aimait. Finalement, Blondel entendit s'échapper d'une des étroites fenêtres du château impénétrable de Dürnstein la voix de Richard qui reprenait une des mélodies familières. Blondel se hâta de rentrer en Angleterre pour faire part de la nouvelle de l'emprisonnement du roi. Là, les fidèles sujets de Richard s'empressè-rent de réunir la rançon qui le libéra.

La première importante voie ferrée de montagne fut construite en Autriche au col de Semmering, à cinquante-quatre milles au sud-ouest de Vienne. C'est aussi en Autriche qu'on construisit le premier téléphérique. Il en existe maintenant plusieurs; des centaines de remonte-pentes rendent également les sommets éloignés plus accessibles aux skieurs.

En réalité, l'Autriche est devenue un des terrains de sports préférés de l'Europe. Elle offre des paysages grandioses, des stations de villégiature pittoresques, de nombreuses stations thermales et de magnifiques terrains pour les sports en plein air. Ses autres attraits sont les festivals de musique et de théâtre, un folklore intéressant et des trésors artistiques inestimables. Un autre attrait, et non des moindres, est l'hospitalité autrichienne.

L'Autriche moderne comprend neuf provinces. La plus à l'est est le Burgenland, qui signifie littéralement la terre des châteaux. Cette ancienne terre frontalière était sujette à de continuelles invasions nécessitant l'érection de fortifications et de châteaux-forts. En dépit de son nom, la Basse-Autriche est située au nord-est. Là se trouve la romantique forêt de Vienne, à l'ouest et au sud-ouest de Vienne. Vienne est une province en même temps que la capitale du pays. A cause de ses forêts, on appelle la Styrie «la terre verte». La Haute-Autriche est connue pour ses fermes fertiles. C'est là aussi que se trouvent les principales industries du pays. La province de Salzbourg a le même nom que sa capitale. Elle ne fit partie du domaine des Habsbourgs qu'après les guerres napoléoniennes. Avant 1816, c'était un archevêché indépendant. La Carinthie est la région des lacs. Le Tyrol est connu dans le monde entier pour ses magnifiques paysages alpestres. On reconnaît le costume tyrolien à première vue. Le Vorarlberg est la province la plus occidentale. Le nom signifie la terre devant l'Arlberg. L'Arlberg est une montagne en même temps qu'un défilé, la ligne de partage des eaux séparant le Vorarlberg du Tyrol. C'est sur les pentes de l'Arlberg que le ski alpin est né.

LE CÉLÈBRE COMPOSITEUR Mozart naquit dans cette maison à Salzbourg. Aujourd'hui, la maison est un musée rempli des souvenirs de ce génie de la musique.

EWING GALLOWAY

UNE FANFARE JOYEUSE mène cette procession à travers Zell am Ziller. Ce coquet village, dans les Alpes de Zillertal, Tyrol, attire de nombreux visiteurs.

Les provinces ou états forment une fédération. Le pouvoir est partagé entre les provinces et le gouvernement fédéral. Toutefois, le gouvernement en Autriche est assez centralisé. Il n'existe pas, par exemple, de tribunaux provinciaux. Au niveau national, les pouvoirs législatifs, exécutifs et judiciaires sont séparés.

Le Parlement comprend deux chambres, le *Bundesrat* et le *Nationalrat*. Les provinces sont représentées au *Bundesrat;* ses membres sont élus par les législatures provinciales. Le *Nationalrat* détient les véritables pouvoirs législatifs. Le système ressemble un peu à celui de la Chambre des communes anglaise. Ses membres sont élus au suffrage universel. Les pouvoirs exécutifs sont en grande partie détenus par le chancelier et ses ministres, qui forment le cabinet. Ces derniers sont responsables devant le Parlement et doivent avoir sa confiance. Seul, un cabinet composé des membres du parti majoritaire peut rester au pouvoir. Les pouvoirs du président de la République autrichienne sont surtout d'ordre cérémonial.

Une cour suprême veille au maintien de la constitution et de la justice. De même que les autres systèmes judiciaires du continent, les lois civiles et criminelles sont en grande partie basées sur le droit romain. La peine capitale a été supprimée.

Les couleurs du drapeau autrichien sont rouge, blanc, rouge. Selon la légende, le duc d'Autriche, Léopold V, combattit si vaillamment devant Acre pendant la troisième croisade que son surcot blanc fut couvert du sang des ennemis qu'il avait tués. La bataille terminée, il enleva sa ceinture. La partie du surcot qui avait été couverte par la ceinture étant restée blanche, les grands seigneurs de France, d'Allemagne et d'Angleterre, témoins de ce spectacle, déclarèrent que dorénavant les couleurs de l'Autriche devaient être celles-ci, pour rappeler les prouesses de son valeureux champion.

De quel peuple descendent les Autrichiens? Nous avons déjà parlé d'un des

WIDE WORLD

anciens peuples du pays, les Illyriens. Il y eut aussi les Celtes. Ces peuples tombèrent peu à peu sous l'influence de la culture romaine. Plus tard, les Lombards et d'autres peuples teutoniques s'établirent dans le pays. Des traces de tous ces peuples furent découvertes par les Bavarois, les Francs et les Souabes qui s'établirent dans le pays au dixième siècle, après la victoire

233

des armées d'Othon 1ᵉʳ sur les Magyars. Au nord et au nord-est, il y avait des Slaves. Après les guerres contre la Turquie, les Croates s'installèrent dans les territoires ravagés de l'est. Pendant les dernières années du dix-neuvième siècle, des émigrants tchèques et slovaques vinrent augmenter la population de Vienne et des autres régions industrielles.

Tous ces peuples se sont mélangés. Aujourd'hui, il n'existe pas de problème de minorités en Autriche. Au cours d'un récent recensement, 90 pour cent de la population ont indiqué l'allemand comme langue maternelle. L'écrasante majorité de la population étant catholique, il n'existe pas non plus de problème religieux. La liberté de conscience est garantie par la constitution. Le peuple autrichien est très religieux. A la campagne, où les fermiers dépendent tellement de la grâce divine pour la réussite de leurs labeurs, on rencontre d'innombrables petits sanctuaires et des croix, le long des routes et au sommet des montagnes. Dans les villes et villages, on voit beaucoup d'églises et de cathédrales. Partout, on rencontre des monastères, anciens centres de civilisation, dont quelques uns datent du huitième siècle.

Les Autrichiens sont gais et ils savent jouir de la vie. Ils adorent la musique et le théâtre. Le contribuable autrichien subventionne volontairement l'Opéra de Vienne et quatre autres scènes régies par le gouvernement. On va plus au théâtre qu'aux manifestations sportives. La reconstruction de l'Opéra de Vienne, qui avait été détruit pendant la Deuxième Guerre mondiale, et sa réouverture en 1955 ont intéressé tous les Autrichiens.

Fidèles à leurs traditions, les Autrichiens ont aussi maintenu l'Ecole d'équitation espagnole, une institution de la cour au temps des Habsbourgs. Depuis 1565, on enseigne toujours aux étalons blancs les mêmes exercices que ceux exécutés par les chevaliers du moyen âge revêtus de leurs armures.

Habitants d'une terre aux paysages grandioses, les Autrichiens aiment la vie en plein air. Ce sont des skieurs émérites et quand vient la belle saison, ils aiment la marche. Comme dans les autres pays européens, ce sont des fervents des matchs de football-association.

PHOTOS, BUREAU DU TOURISME AUTRICHIEN

UN PONT DE CHEMIN DE FER franchit la petite rivière Trisanna, dans une vallée profonde du Tyrol.

LE GRAND OPÉRA de Vienne. Ce bel édifice est la joie et la fierté des musicomanes.

Les Autrichiens aiment aussi la bonne cuisine. L'influence de leurs voisins allemands, slaves, hongrois et latins se fait sentir dans plusieurs des plats excellents que comporte la cuisine viennoise. Les pâtisseries font les délices des visiteurs. Les gâteaux et le café à la crème fouettée jouissent d'une réputation méritée. Le *Wiener schnitzel,* escalope de veau panée préparée à la mode de Vienne, est servie dans de nombreux pays.

Par certains aspects, la vie mondaine de Vienne rappelle encore celle du moyen âge. Cependant, on ne fait vraiment aucune distinction entre les différentes classes sociales. Toutes les carrières sont ouvertes à ceux qui sont doués pour y accéder. L'éducation élémentaire est obligatoire depuis l'époque de l'impératrice Marie-Thérèse, qui régna de 1740 à 1780. Tous les enfants doivent aller en classe jusqu'à l'âge de quatorze ans. Il existe de nombreuses écoles secondaires (Mittelschulen) qui donnent une bonne éducation générale. Celle-ci permet aux étudiants d'entrer dans une des quatorze institutions d'études supérieures. La plus ancienne, l'Université de Vienne, fut fondée en 1365. Presque toutes les écoles sont publiques. L'analphabétisme est pour ainsi dire inexistant.

L'Autriche est la patrie des grands musiciens—Haydn, Mozart, Schubert. Même si Johann Strauss et son fils ne comptent pas parmi les plus grands, leurs valses ont néanmoins fait danser la terre entière. L'Autriche a également produit de célèbres hommes de science, dont douze ont obtenu le prix Nobel. Parmi ceux-ci, mentionnons Karl Landsteiner qui a établi l'existence des groupes sanguins, et Victor Hess qui a découvert la radiation cosmique.

Les Autrichiens sont fiers de leurs traditions et n'ont jamais perdu leur amour de la vie. Ce ne sont toutefois pas des rêveurs. Ils travaillent dur pour obtenir le bonheur et ils veulent vivre en paix entre eux et avec leurs voisins. Ils sont prêts aussi à défendre une liberté qu'ils n'ont obtenue qu'au prix de grands sacrifices.

WILHELM SCHLAG

L'AUTRICHE: RÉSUMÉ STATISTIQUE

LE PAYS

Limité au nord et nord-ouest par l'Allemagne et la Tchécoslovaquie; à l'est par la Hongrie, au sud par la Yougoslavie et l'Italie, et à l'ouest par la Suisse et le Liechtenstein. Comprend 9 provinces ou états: Burgenland, Basse-Autriche, Vienne, Haute-Autriche, Styrie, Carinthie, Salzbourg, Tyrol, Vorarlberg. Superficie, 32,369 m.c.; population, 7,000,000.

GOUVERNEMENT

Une république souveraine et indépendante, avec un président élu au suffrage universel. Le cabinet est présidé par un chancelier. Le Parlement comprend 2 chambres: le *Bundesrat,* 50 membres élus par les législatures provinciales; le *Nationalrat* (chambre basse), 165 membres, élus pour 4 ans au suffrage universel. Les femmes ont le droit de vote.

COMMERCE ET INDUSTRIES

L'agriculture est toujours l'occupation principale, bien que le pays s'industrialise rapidement. Produits agricoles: pommes de terre, navets, seigle, avoine, blé et orge. Elevage de bovins, porcs, moutons et chèvres. Ressources minérales: le sel, le fer, la magnésite, le plomb, le zinc, le cuivre, le molybdène, l'antimoine et le graphite. Importantes ressources hydro-électriques et forestières. Industries: fer et acier, aluminium, papier, produits chimiques, tissus, machines, machines-outils, autos, appareils électroniques. Export.: bois, fer, acier, papier; import.: produits alimentaires, coton. Unité monétaire, le schilling.

COMMUNICATIONS

Rés. ferroviaire, 3,727 milles; routes, 55,000 milles; nombreux téléphériques. Une compagnie aérienne nationale et des compagnies étrangères desservent le pays.

RELIGION ET ÉDUCATION

La majorité de la population est catholique; la liberté de conscience est garantie par la constitution. Il y a plus de 5,000 écoles élémentaires et secondaires, la plupart publiques, 14 institutions d'études supérieures et des universités à Vienne, Graz et Innsbruck. Chaque petit village a au moins une église.

VILLES PRINCIPALES

Vienne, la capitale, 1,625,000; Graz, 227,000; Linz, 185,000; Salzbourg, 103,000; Innsbruck, 95,000; Klagenfurt, 63,000; St-Polten, 40,000; Wels, 38,000; Steyr, 37,000; Leoben, 36,000.

La Hongrie

... *terre des Magyars*

Pendant les derniers mois de la Deuxième Guerre mondiale, les troupes russes avancèrent rapidement vers l'ouest. A la fin de la guerre, elles occupaient une grande partie de l'Europe de l'est, y compris la Hongrie. Dans ce pays, elles restèrent comme troupes d'occupation. Lors des élections nationales qui eurent lieu en novembre 1945, les communistes n'obtinrent que 17 pour cent des voix et la république fut proclamée en février 1946. Un an plus tard, les leaders, qui étaient anti-communistes, furent accusés de conspirer contre les autorités russes. Plusieurs furent arrêtés, d'autres réussirent à s'échapper. Plus rien n'empêchait la Hongrie d'entrer dans l'orbite de la Russie. En 1948, le pays était passé sous la domination entière de la Russie et son gouvernement aux mains des communis-

UNE MANIFESTATION anti-soviétique à Budapest, le 24 octobre 1956. Pendant quelques jours, les manifestants eurent le dessus, puis ils furent écrasés par les tanks russes.

236

tes. La répression s'ensuivit, menée en grande partie par la police secrète, sous le contrôle direct de Moscou.

L'avenir de la Hongrie paraissait sombre. Puis, en février 1956, éclata la bombe Khrouchtchev—discours dans lequel il attaquait Staline et ses méthodes despotiques. En Hongrie, le premier résultat fut le relâchement du contrôle communiste. Il n'a pas suffi toutefois à arrêter la marée montante de la révolte. Elle fut déclenchée en octobre 1956, sous la forme d'une manifestation contre les liens renforcés avec l'URSS. En quelques heures, la manifestation avait dégénéré en révolte ouverte.

Déclenchée par suite du mécontentement causé par les conditions d'existence et le manque de liberté, la révolte devint une rébellion ouverte contre les communistes. Pendant presque une semaine, Budapest et les régions environnantes furent aux mains des insurgés. Mais cela ne servit à rien. Mal équipés, les Hongrois ne purent lutter contre les troupes russes et les tanks envoyés pour les réprimer. Le 14 novembre, le dernier bastion de résistance tombait. Des milliers de Hongrois s'enfuirent du pays.

Depuis la révolte, la politique russe a quelque peu changé. En 1950, les Russes avaient imposé un plan de cinq ans pour transformer l'économie hongroise de l'agriculture à l'industrie. Le plan s'effondra d'une année à l'autre pour finalement échouer complètement en 1956. Un plan

de deux ans pour 1958–60 et un autre de cinq ans pour 1960–65 sont moins ambitieux et plus réalistes.

La Russie commence à comprendre que tout plan en vue de l'expansion industrielle de la Hongrie doit tenir compte de certains facteurs. La main-d'œuvre spécialisée est rare, de même que les ressources naturelles. Bien que riche en bauxite (minerai d'aluminium), le pays manque de force hydroélectrique pour l'exploiter. Il n'y a pas de minerai de fer ni de coke pour la transformation du fer en acier. C'est pour ces raisons que la Russie n'exige plus de la Hongrie une forte production d'acier et de charbon. On se contentera de développer les industries du pétrole et des produits chimiques. Plus important encore pour l'homme de la rue, on va pousser de l'avant les industries légères afin d'augmenter la production des articles courants.

Il en était d'ailleurs grandement temps. Les Hongrois ont joui de peu de confort sous la domination russe. Le revenu par habitant a généralement été au-dessous de celui d'avant-guerre. Une forte industrialisation ne peut corriger cet état de choses. Idéalement placée, de par sa situation géographique, pour le commerce international, la Hongrie est néanmoins demeurée un pays agricole avant tout. Le sol est très productif : trois quarts des terres sont arables et le reste est couvert de forêts. La grande plaine hongroise produit du blé, du seigle, de l'orge, de l'avoine, du maïs, des pommes de terre et de la betterave à sucre.

La domination russe est le résultat indirect du règne de Hitler. Lorsque ce dernier s'empara du pouvoir, un groupe de Hongrois virent dans l'Allemagne nazie une alliée pouvant les aider à réaliser leurs aspirations nationales. De plus, la forte pression exercée par l'Allemagne força la Hongrie à se lancer dans la Deuxième Guerre mondiale. Après la défaite de l'Allemagne, les Russes occupèrent le pays appauvri. Depuis 1948, Budapest, autrefois ville très gaie, n'est plus que la capitale morne d'un autre pays satellite de la Russie. La Hongrie est encore plus triste aujourd'hui, avec la fleur de sa population tuée ou exilée. Deux cent mille réfugiés hongrois sont aujourd'hui dispersés à travers le monde.

Pendant plus de mille ans, la Hongrie a été occupée par des peuplades qui venaient de l'est de l'Oural, mais ces races se sont mélangées au cours des siècles. Selon la légende, des hordes de nomades pénétrèrent dans le pays en 895 ou 896 sous la conduite du khan Arpad et en chassèrent les Slaves. Ces Magyars demeurent aujourd'hui la race dominante, mais la diversité ethnique a longtemps compromis la stabilité nationale du pays. La Hongrie a célébré son millième anniversaire en 1896.

Au début du XIᵉ siècle, le roi Etienne

Iᵉʳ consolida les tribus en un Etat organisé et établit le christianisme. Dès lors, la Hongrie devint un rempart contre l'invasion de l'Europe par les peuples asiatiques. En 1526 les Turcs s'emparèrent finalement de la partie centrale du pays. Ils furent chassés en 1683 par les rois d'Autriche et de Pologne. A partir de ce moment, les Magyars furent surtout sous la domination des rois autrichiens. En 1848, des révoltes éclatèrent dans plusieurs pays d'Europe, y compris la Hongrie. Le résultat fut l'établissement en 1867 de la monarchie austro-hongroise. Lorsque François-Joseph, le populaire empereur d'Autriche, mourut cinquante ans plus tard, le nationalisme hongrois s'affirma de nouveau. Le 16 novembre 1918, l'indépendance fut déclarée et la République hongroise proclamée.

Cependant, la Première Guerre mondiale avait semé le désordre derrière elle. En 1920, le Traité de Trianon assigna 71 pour cent du territoire hongrois à divers groupes ethniques autrefois incorporés à l'empire. Affaiblie et isolée, la Hongrie se trouva donc entraînée dans un alignement désastreux et presque forcé avec les puissances de l'Axe. Le sort lui porta un autre coup, lorsqu'elle fut entraînée dans l'orbite russe après le deuxième conflit mondial. La révolte de 1956 était plus dirigée contre la domination russe que contre le communisme.

En dépit de son histoire tragique, le peuple possède une gaieté naturelle que même la situation politique actuelle ne peut supprimer entièrement. Le Hongrois, haut de taille, aux pommettes saillantes et aux yeux légèrement bridés, aime les courses de chevaux, les jeux de hasard ; il peut danser des heures, aux sons de l'enivrante musique tzigane. Le rythme endiablé des rhapsodies hongroises de Liszt est inspiré de la musique tzigane, de même que les chansons hongroises du compositeur allemand Johannes Brahms.

Les paysannes hongroises présentent un tableau pittoresque, avec leurs bas rouges, leurs amples jupons, leurs brillants tabliers et leurs beaux cheveux enrubannés. Elles ne manquent jamais une

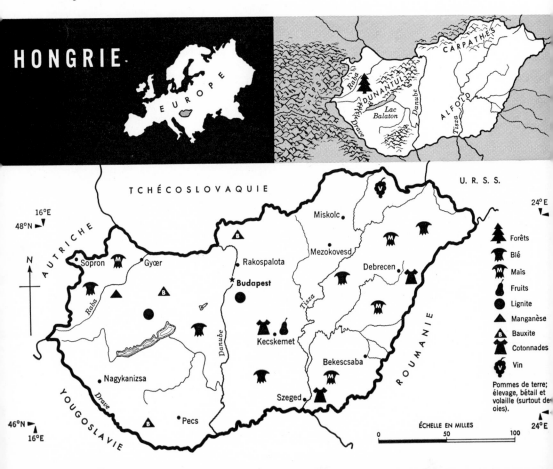

HONGRIE

EUROPE

CARPATHES

Raba
DUNANTUL
Lac Balaton
Danube
ALFOLD
Drave
Tisza

TCHÉCOSLOVAQUIE — U. R. S. S.

AUTRICHE

Sopron — Gyœr — Rakospalota
★ Budapest
Miskolc
Mezokovesd
Debrecen
Tisza
Kecskemet
Bekescsaba
Nagykanizsa
Szeged
Pecs

ROUMANIE

YOUGOSLAVIE

N
16°E
48°N
Raba
Drave
Danube

24°E
24°E
46°N
16°E

Forêts
Blé
Maïs
Fruits
Lignite
Manganèse
Bauxite
Cotonnades
Vin

Pommes de terre; élevage, bétail et volaille (surtout des oies).

ÉCHELLE EN MILLES
0   50   100

DES VACHES PAISSANT PRÈS DU LAC BALATON

La prairie sur les bords du lac Balaton, le plus grand lac de l'Europe centrale, offre d'excellents pâturages aux troupeaux. La région, appelée transdanubienne, produit des quantités de céréales.

LA RECONSTRUCTION DE BUDAPEST OCCUPE HOMMES ET FEMMES

En vue du pont François-Joseph, cette jeune femme déblaye les ruines d'un ancien édifice. Environ soixante-dix pour cent de Budapest fut détruit au cours de l'hiver de 1944–45, quand l'armée rouge dut livrer des combats acharnés dans chaque rue de la ville pour en chasser les Allemands. Le déblaiement des décombres est un travail des plus pénibles et des plus déprimants.

ENFANTS HONGROIS PARÉS DE LEURS PLUS BEAUX ATOURS

Ce petit garçon à la mine si sérieuse est vêtu comme ses deux sœurs de vêtements ornés de brode-ries compliquées. Ces habits de fête des bambins sont exactement pareils à ceux que portent leurs parents les jours de cérémonie. Les blouses, vestes, jupes, tabliers—et même le tapis de table—sont presque raides tant ils sont couverts de broderies. Les franges du tapis de table et des tabliers sont aussi faites à la main. Chaque article a coûté à la maman des mois de patient travail.

occasion de s'endimancher. A Pâques, la première jeune fille rencontrée doit se soumettre, bon gré mal gré, à une asper-sion avec de l'eau parfumée, et si elle est assez hardie pour s'aventurer au dehors elle sera saisie, conduite au premier puits, et elle pourra se dire chanceuse si elle s'en tire avec une douche d'un seul seau d'eau. Les hommes s'habillent avec autant d'éclat que les femmes. Ils portent de petits cha-peaux ronds ornés de plumes et de fleurs, des gilets sans manches sur une large chemise blanche (dont les manches seront le plus souvent enjolivées de broderies), et des pantalons blancs qui ressemblent à des jupons. Les femmes portent un cor-sage sans manches, une chemise blanche et une ample jupe brodée. Leur costume sera complété, le plus souvent, par un beau châle et un mouchoir de tête, mais d'ordi-naire elles iront nu-pieds. Il est deux vêtements particulièrement affectionnés des bergers, et qu'ils portent jour et nuit: le *suba* est un long manteau de peau élégamment brodé et dont la laine est re-tournée en dedans. Le *szur*, autre manteau long et très orné, est fait d'une étoffe feutrée.

On trouvait jadis en Hongrie beaucoup de misère et de grandes fortunes. Celles-ci ont presque disparu depuis la défaite subie par le pays en 1945 et les change-

LES PÂTURAGES S'ÉTENDENT À PERTE DE VUE PRÈS DE MEZOKOVESD

La plus grande partie de la Hongrie consiste en une vaste plaine, coupée de cours d'eau. Elle fournit d'excellents pâturages pour le bétail et les moutons et de magnifiques récoltes.

DES CHAUMIÈRES HONGROISES AUTOUR D'UNE COUR DE FERME

Au premier plan, on aperçoit des briques de pisé séchant au soleil. On s'en sert pour les murs des chaumières qui sont ensuite passés à la chaux. Les toits sont couverts de chaume.

ments politiques qui ont suivi. La Hongrie est à présent derrière le rideau de fer et il est difficile de savoir comment le peuple vit. On sait que les communistes ont reconstitué une puissante armée. Et on sait aussi que le gouvernement cherche à développer l'industrie lourde.

Il y a trop de gens qui vivent de la terre. Bien que la grand plaine hongroise ou *puszta* soit une des plus fertiles de l'Europe, il n'y a pas assez de terre pour tous. Les récoltes ne suffisent pas à nourrir la population. Et parce que les ordres viennent de Moscou, ce qui se produit de nourriture n'est pas toujours mangé par les Hongrois.

EASTFOTO

UNE JUPE PLISSÉE SUR D'INNOMBRABLES JUPONS

Une mère surveille l'habillement de sa fille pour une fête de village. Des contrastes frappants de couleurs se jouent au milieu d'un assortiment de dentelles, de broderies et autres falbalas.

UNE FILATURE DE SZEGED, DONT L'ÉQUIPEMENT A ÉTÉ IMPORTÉ DE L'UNION SOVIÉTIQUE

Les métiers de cette filature de Szeged transforment la fibre de coton en fil à coudre, en fil à tisser et en cordonnet, destinés à la fabrication de vêtements. La production en série et un équipement moderne, dont une grande part vient de la Russie, sont les facteurs principaux du programme gouvernemental pour développer l'industrie. En rapport étroit avec le programme industriel de la Russie, les filatures hongroises reçoivent le coton brut des républiques soviétiques de l'Asie. Toutefois, en dépit de la production croissante, les articles restent chers et de qualité inférieure.

EASTFOTO

LE TEMPS DES SEMAILLES EN HONGRIE

Ce champ faisait autrefois partie d'un grand domaine en Hongrie. A la fin de la deuxième guerre mondiale, les grandes propriétés furent confisquées et morcelées. En 1950, le gouvernement institua un plan quinquennal, fixant une quote-part aux paysans. La pomme de terre est le principal aliment, surtout à la campagne et la ménagère sait les apprêter de plusieurs manières.

LA RÉCOLTE DU MAÏS EN AUTOMNE

Lorsqu'on récolte le maïs en Hongrie, on laisse les feuilles qui entourent l'épi. Ces feuilles sont alors tressées et la guirlande dorée est suspendue aux chevrons sous le toit de chaume pour sécher. Le maïs sert non seulement d'aliment aux paysans mais il sert aussi à nourrir le bétail en hiver. L'agriculture est maintenant sous le régime collectif en Hongrie.

UNE SALLE DE RÉUNION COMMUNISTE À BUDAPEST

Un ingénieur et des ouvriers d'une manufacture d'instruments d'optique de Budapest examinent leur nouveau centre culturel. Au cours des dernières années, on a construit de nombreux édifices de ce genre près d'usines et dans les grands centres agricoles. Ils comprennent des salles de lectures, de récréation, des salles de spectacles, de conférences et des pouponnières.

246

UNE FABRIQUE DE FIGURINES DE PORCELAINE

Lorsque la délicate statuette sort du four, elle a une surface poreuse et terne. Elle est ensuite trempée dans un bain de couverte, pâte liquide contenant des substances vitrifiables, qui pénètre la statue et adhère à la surface. Elle est ensuite remise au four à une température très élevée, d'où elle sort avec une surface lisse et résistante.

PHOTOS, EASTFOTO

UNE LEÇON DE PEINTURE SUR PORCELAINE

C'est grâce à ces artisans entraînés depuis leur plus jeune âge que la porcelaine hongroise jouit d'une grande renommée pour la beauté et la variété de ses ornements décoratifs. Malgré son âge, la main de cet artisan est ferme et sûre, son motif original et son coloris délicat. Les apprentis qui l'observent sont sûrs de tirer profit de son enseignement.

LE PONT SZECHENYI ET BUDE AVANT LA DEUXIÈME GUERRE MONDIALE

Le pont Szechenyi, franchissant le Danube, était un des plus grands ponts suspendus du monde avant sa destruction au cours de la guerre. Aujourd'hui, des ponts de pontons relient la ville.

UN MARCHÉ ANIMÉ DANS LA VILLE DE PEST

Les habitants de Budapest flânent devant ces étalages tentants d'articles de ménage. Pris entre des salaires bas et des prix élevés, ils cherchent à profiter d'une occasion.

UNE ÉGLISE DE STYLE GOTHIQUE MODERNE À RAKOSPALOTA

A quelques milles de l'ancienne cité de Budapest cette édifice moderne a toutes les caractéristiques
du style gothique—arcs à ogive, clochers élancés, moins l'ornementation détaillée.

MINEURS ET CHEMINÉES sont le symbole des changements survenus en Hongrie du sud. Le petit village de Komlo s'est transformé en un centre de production minérale.

SALLE d'exposition d'une industrie communiste à Budapest—le montage des appareils se fait dans une salle extrêmement moderne.

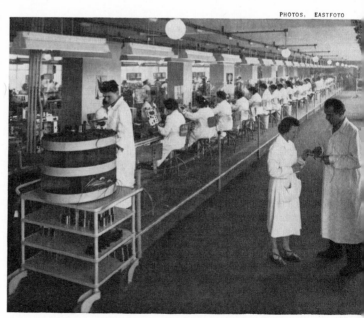

PRESQUE CHAQUE FERME EN HONGRIE FAIT L'ÉLEVAGE DES OIES

La Hongrie est avant tout un pays agricole et la plupart des habitants vivent des produits de leurs terres et de leur bétail. Presque toutes les fermes sont de petites propriétés.

LA HONGRIE: RÉSUMÉ STATISTIQUE

LE PAYS

Une république depuis 1946. Borné à l'ouest par l'Autriche, au nord par la Tchécoslovaquie et l'URSS, à l'est par la Roumanie, au sud par la Yougoslavie. Sa superficie depuis la fin de la Deuxième Guerre mondiale est de 35,912 m.c.; population, 9,800,000.

GOUVERNEMENT

La Hongrie se lança dans la seconde guerre mondiale comme alliée de l'Allemagne mais elle fut éventuellement occupée par les troupes allemandes. En 1944, les Russes entrèrent en Hongrie et en chassèrent les nazis. En 1945, un gouvernement provisoire signa un armistice avec les Alliés et l'Assemblée nationale proclama la république en 1946. En 1948, les communistes s'emparèrent du pouvoir et une nouvelle constitution fut adoptée en 1949. En 1956, les Hongrois se sont révoltés contre le régime communiste. La révolte fut réprimée par les Russes.

COMMERCE ET INDUSTRIES

L'agriculture et l'industrie lourde et légère sont les principales occupations. Le blé, le maïs, le seigle, l'orge, l'avoine, les pommes de terre, et les vignobles constituent les récoltes principales. L'élevage et la pêche ont aussi beaucoup

d'importance. Les produits minéraux sont le charbon et le lignite; les mines de bauxite comptent parmi les plus importantes du monde. Parmi les industries il faut citer les scieries, les distilleries, les sucreries et les manufactures de produits textiles. Il y a aussi des usines de fer et d'acier. Principales exportations: volaille, tissu de coton, machines et appareils électriques. Importation: principalement le coton. Depuis 1946, la plupart des industries ont été nationalisées. Le forint est l'unité monétaire.

COMMUNICATIONS

Chemin de fer, 7,100 milles; routes, 15,000; voies navigables, 687 milles. Il y a 122,000 téléphones et presque 1,000,000 de postes récepteurs.

RELIGION ET ENSEIGNEMENT

La plupart des Magyars sont catholiques romains. L'instruction est obligatoire de 6 à 14 ans. En plus de nombreuses écoles secondaires, on compte des écoles pour adultes et quelques universités.

VILLES PRINCIPALES

Budapest, la capitale, 1,780,000; Szeged, 136,-752; Debreczen, 130,000; Kecskemet, 88,000; Miskolc, 77,300.

La Suisse

... *république alpine*

SOUS plusieurs aspects, la Suisse incarne le pays de rêve. Depuis plus d'un siècle, son peuple n'a pris part à aucune guerre. Le gouvernement est un modèle de démocratie et les luttes politiques sont pour ainsi dire inexistantes. Les Suisses sont en bons rapports avec le monde entier, et au cours des guerres ils ont rendu de tels services qu'ils ont effacé tout ressentiment qu'on aurait pu avoir contre eux.

A l'origine, la Suisse était une confédération assez libre de petits Etats, qui se sont unis pour leur protection mutuelle. Une grande rivalité existe toujours entre les divers cantons. La politique locale paraît beaucoup plus importante à la majorité des citoyens que la politique nationale. Pour prouver jusqu'à quel point ils sont

LES PENTES ESCARPÉES du Cervin défient les alpinistes les plus hardis. Son sommet imposant se trouve à la frontière de la Suisse et de l'Italie, dominant le village suisse de Zermatt. Du côté suisse, le Cervin semble isolé, mais il forme en réalité le point culminant d'une chaîne.

parvenus à la décentralisation, les Suisses affirment avec fierté : «Un bon citoyen suisse ne connaît pas le nom de son président». Même si elles vivent en pays démocratique, les femmes ne jouissent pas de droits de suffrage entiers. Bien que le parti socialiste soit assez puissant, sa doctrine est des plus mitigées. Les banques suisses regorgent de fonds privés. Ceux-ci ne représentent pas que les économies des habitants. Les étrangers y possèdent également des dépôts considérables. Leurs noms sont tenus secret et leurs comptes ne sont indiqués que par un numéro.

Les Suisses tiennent autant à leur neutralité qu'à leurs traditions. «On croirait», disent-ils, «que nos ancêtres ont prévu l'époque où un petit Etat n'aurait pas d'autre choix que de renoncer à la guerre». Cette décision importante a tempéré leur enthousiasme politique. Les trois principaux partis politiques—les partis socialiste, conservateur catholique et radicaliste—augmentent ou perdent rarement de sièges au cours des élections nationales, tenues tous les quatre ans. C'est un référendum en 1959 qui a attiré le plus grand nombre de votants. La question posée était le suffrage féminin. Comme résultat, les femmes obtinrent le droit de voter dans toutes les élections cantonales.

La tradition contre les réformes

Les arguments employés par les Suisses pour expliquer leur attitude fournissent un aperçu intime du caractère national. En premier lieu, la question soulevait un précédent. Bien que la constitution suisse n'interdise pas le suffrage des femmes, elle a toujours été interprétée comme le faisant. Les Suisses ne voient pas pourquoi ils devraient changer un état de choses qui a fait ses preuves depuis si longtemps. D'autre part, il existe deux traditions, fermement ancrées, tout au moins dans l'élément germanique, que l'on ne cesse de rappeler. L'une est que le droit de vote est intimement lié à l'habileté de porter les armes pour la défense du pays. L'autre, que la femme perdrait la place d'honneur qu'elle occupe au foyer, le jour où elle entrerait en compétition avec l'homme dans l'arène politique. Un membre de la législature a déclaré : «Le suffrage universel mettra les femmes en lutte avec les hommes. Au lieu de conserver la dignité qui lui est propre, elle deviendra une espèce de sous-homme». L'homme considère que cette réforme politique serait une atteinte non seulement à sa souveraineté mais au genre de vie auquel il est attaché depuis nombre d'années.

Il faut admettre que ce passé auquel les Suisses se reportent si souvent leur a apporté d'excellents résultats. Malgré de nombreuses difficultés, ils ont trouvé une certaine prospérité. Il est presque miraculeux qu'ils aient conservé leur neutralité intacte pendant quelque trois cents ans. Elle n'est pas due au bon vouloir de leurs voisins, mais bien au courage de l'armée qui a su vaincre toute agression.

Parce qu'elle est un pays neutre, la Suisse est depuis longtemps le siège de nombreuses organisations internationales. L'une d'entre elles, la Croix Rouge, fut fondée en Suisse en 1863. La Croix Rouge tient un registre des prisonniers de guerre et veille à leur bien-être. Elle ne conserve pas seulement le numéro matricule des soldats, mais elle a son propre fichier qui compte quelque 45,000,000 de cartes.

Il n'est donc pas étonnant que cette organisation ait obtenu le prix Nobel de la paix en 1917 et en 1944, de même que l'ont obtenu plusieurs autres organisations internationales suisses—le Bureau permanent de paix internationale (1910), le Bureau international Nansen pour les réfugiés (1938), le Haut Commissariat pour les réfugiés (1957). La ville de Genève est le siège de plusieurs bureaux de l'ONU, de conférences au sommet, du Conseil mondial des Eglises. A quelques milles de la ville se trouve l'Organisation européenne des études nucléaires, constituée en 1954. Cet organisme a construit le plus puissant synchroton, qui peut produire 25,000,000,000 de volts d'électrons.

La prudence suisse

Une autre raison de la neutralité suisse est la prudence presque excessive de son peuple. La Suisse ne fait pas partie de l'ONU. Lorsque l'ONU fut organisée en 1945, la Suisse n'a pas voulu que le Conseil de sécurité siège sur son sol de crainte qu'une mesure belligérante n'y soit prise contre un pays quelconque. La Suisse n'a fait partie du plan Marshall qu'à la condition qu'aucun engagement ne lui soit imposé qui pourrait menacer sa neutralité. Aujourd'hui, la Suisse commerce activement avec l'Est et l'Ouest ; elle fait aussi partie de l'Association européenne du libre échange (les sept).

Comme il se doit, les gouvernements des divers cantons détiennent une autorité considérable. Chacun a sa manière propre d'élire ses représentants au parlement national. Chacun possède sa propre constitution, qui peut être amendée par un référendum direct (comme peut aussi l'être la constitution nationale), et chacun a sa propre forme de législation. Chaque

CE GLOBE est une sphère armillaire. Don de la Fondation Woodrow Wilson, il se trouve devant le Palais des Nations à Genève, ancien siège de la Société des Nations et maintenant bureau de l'ONU.

canton est autonome en ce qui concerne ses lois civiles et criminelles, sa police, ses travaux publics. La citoyenneté suisse est donc dans une large mesure communale. Un Suisse se considère avant tout comme un bourgeois attaché à sa propre commune et non pas au gouvernement national. Il estime qu'il est de son devoir d'aider le pauvre et le nécessiteux de sa commune.

Ce principe constitue aussi la base du système d'éducation. Les cantons administrent leurs propres écoles et universités. Il existe une grande diversité parmi ces systèmes, surtout en ce qui concerne la question de la langue. Dix-neuf des cantons sont de langue allemande, cinq de langue française, un de langue italienne et un où l'on parle allemand, italien et romanche.

Pics argentés et vertes prairies

La Suisse est un petit pays traversé par deux grandes chaînes de montagnes séparées par un étroit plateau. Des pentes couvertes de sapins enserrent les plantureux pâturages des vallées ; des pics aux neiges scintillantes se dressant à deux milles ou plus dans le ciel entourent des lacs alpestres aux eaux très bleues. Cette terre ravissante qui ne compte que quelque cinq millions d'habitants, sans compter les touristes, devient en hiver un immense théâtre blanc pour les sports d'hiver. Les lacs forment des patinoires naturelles ; les prairies deviennent des chemins pour traîneaux et les pentes abruptes, des pistes idéales pour les amateurs de ski. Les Alpes, cependant, demeurent la principale attraction du pays.

Au sud se trouvent les sommets les plus élevés des Alpes qui forment une barrière entre la Suisse et la France et l'Italie, depuis le lac de Genève jusqu'au lac de Constance. Au nord, la chaîne du Jura rejoint le principal massif des Alpes à l'ouest. Entre ces deux hautes chaînes coulent deux grands fleuves, le Rhône qui se dirige vers l'ouest, et le Rhin, qui se dirige à l'est. Les pics les plus élevés sont le Cervin, 14,701 pieds ; la Jungfrau, 13,653 pieds et l'Aletschhorn, 13,774 pieds. Des centaines de pics moins connus sont presque aussi élevés. Les Alpes atteignent leur plus haute altitude dans l'Oberland bernois. Le passage du Grand Saint-Bernard a 8,110 pieds d'altitude.

Grâce au limon déposé au cours des siècles, le plateau entre les chaînes possède un sol riche qui se prête à la culture intensive. Une bonne moitié de la Suisse est couverte de prairies et même les clairières des forêts sont transformées en pâturages. L'autre moitié du pays est boisée

S. BERNI

CES SKIEURS descendent les pentes enneigées des Alpes près de Klosters. Cette localité est une station très populaire des sports d'hiver du canton des Grisons, en Suisse orientale.

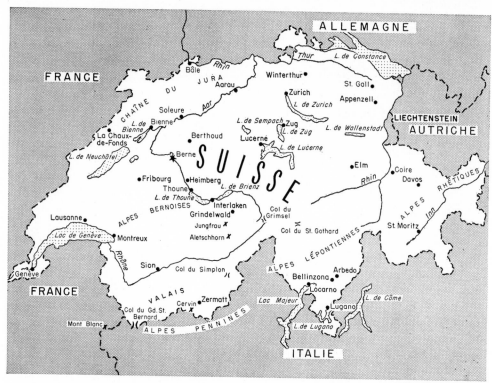

UNE JOURNÉE ENSOLEILLÉE À BRUGG, une ville dans le nord de la Suisse, sur l'Aar.
A côté des boutiques modernes, Brugg a une tour romane et d'anciennes maisons à pignons.

CES JEUNES SUISSESSES portent le costume particulier à Hallau, minuscule village du Schaffhausen. Ce petit canton, à l'ouest du lac Constance, est le plus septentrional des cantons suisses, et paraît même avancer dans la commune de Baden, en Allemagne. C'est le seul canton qui soit entièrement au nord du Rhin.

CES ENFANTS vivent à Uri, canton natal de Guillaume Tell. Près d'un tiers de ce canton est couvert de glaciers. C'est l'automne, et les garçonnets paraissent avoir besoin de capuchons pour protéger leur crâne tondu, bien que la fillette soit nu-pieds. Le support de bois, au dos du plus âgé des garçons, sert au transport des fardeaux.

259

UN DES CÉLÈBRES SAUVETEURS DU GRAND-ST-BERNARD

Un moine de l'hospice du Grand-Saint-Bernard et un de ses «élèves.» Ici, sur un col de la Suisse d'une hauteur de 8,111 pieds, les moines dressent leurs célèbres chiens à sauver les voyageurs égarés dans les neiges. Au cours des dernières années, les méthodes modernes de transports ont fourni peu d'occasions à ces excellents sauveteurs d'exercer leurs talents.

260

ICI LE PANTALON A ÉTÉ PORTÉ DEPUIS LONGTEMPS PAR LES FEMMES

Dans le val d'Illiez, près de la frontière franco-suisse, se trouve la petite localité de Champéry. Ici les femmes portent le pantalon qui est très commode pour les durs travaux des champs. Ils sont faits avec des étoffes du pays; les paysannes se coiffent d'habitude d'un mouchoir écarlate, ce qui ajoute une note de couleur à ce costume très moderne.

261

À CÔTÉ D'UN CHALET qui sert d'étable à leurs chèvres, un paysan de l'Oberland bernois et sa femme regardent au loin. Ils voient peut-être un chamois qui bondit d'un rocher à l'autre, sur la montagne en face d'eux. Le chasseur de chamois doit poursuivre l'animal le long de précipices dangereux et, après l'avoir tué, il a beaucoup de mal à ramener sa proie.

LES PÂTURAGES DES MONTAGNES sont, d'ordinaire, propriété communale. Au crépuscule, le son argentin des cloches des vaches se fait entendre dans la vallée. Les troupeaux sont
conduits de plus en plus haut à mesure qu'avance l'été, tandis qu'on fume les prés pour la
prochaine saison. Sur ces hauteurs alpestres, chaque ferme fabrique ses fromages.

ou rocailleuse; elle n'apporte au paysage qu'un élément de beauté.

Alliés pour leur Défense Mutuelle

Quelle fut l'influence des montagnes sur l'histoire de la Suisse, et comment les habitants tirent-ils leur subsistance de cette région des Alpes? L'histoire de la Suisse, en somme, est celle de la solidarisation graduelle de groupes venus de l'Italie, de l'Allemagne et de la Bourgogne, pour leur défense collective contre les Habsbourg. En 1291, trois petits districts forestiers allemands formèrent une ligue défensive. Cette ligue, où l'influence germanique domina d'abord, conquit graduellement son indépendance au cours des cent cinquante années qui précédèrent l'année 1648. Bien que la Révolution française ait, dans une certaine mesure, influencé l'âme suisse, ce n'est qu'en 1803 que l'élément français obtint l'égalité politique. Le groupe de langue italienne ne l'obtint qu'en 1815. Cette année-là la neutralité perpétuelle de la Suisse fut garantie par l'Autriche, la Grande-Bretagne, la Russie et d'autres pays.

D'abord une simple alliance de petits états, la Suisse devint, en 1848, un état fédéral proprement dit, l'idée d'une nationalité suisse s'étant peu à peu développée. Les Suisses ont toujours eu un caractère indépendant, et aujourd'hui il y a peu de pays plus démocratiques. Ils sont très économes, blonds et trapus (sauf ceux qui habitent le plus près de l'Italie, dont les caractéristiques sont méridionales), bien instruits et tirant le meilleur parti possible de leurs ressources limitées.

Chalet Suisse Typique

L'habitation de la plupart des paysans montagnards est un chalet de billots de pin auxquels le temps donne une riche teinte brune. Lorsque, par sa situation, il est exposé aux éléments, de lourdes pierres sur la couverture empêchent celle-ci d'être emportée par les vents violents et la fonte printanière des neiges. Un balcon fait le tour de la maison et est protégé par un prolongement du toit qui s'avancera souvent à dix pieds au-delà des murs. La cave en pierre sert d'entrepôt pour les produits laitiers ou vinicoles. Les toits et les galeries ont souvent une ornementation élaborée, ciselée dans le bois. La pièce principale est grande et bien aérée. Les meubles sont de confection domestique. La maison est chauffée par un grand fourneau de tuile verte dans un coin de la pièce principale.

Dans les districts où se fait l'élevage des moutons, la maîtresse de maison, aidée de ses filles, tisse des lainages. A certains endroits les femmes font d'exquises dentelles. En hiver les hommes s'occupent à faire de l'ébénisterie, à laquelle ils excellent. Le fruit de leur travail, comme la dentelle, est vendu aux touristes.

Outre les hôteliers suisses, qui offrent aux touristes l'hospitalité la plus parfaite, un grand nombre de montagnards ajoutent à leurs revenus en servant de guides, et sous ce rapport, ils n'ont pas d'égaux, car dès son enfance le garçon apprend à escalader les pics. Les écoliers partiront souvent en groupes avec leurs instituteurs. Munis de pics, de sacs et de cordes, ils passeront quelquefois des jours en excursion. En certains endroits les autorités militaires leur prêteront des couvertes.

Huttes du Club Alpestre

Le Club Alpestre de Suisse a érigé des huttes de pierre où les grimpeurs peuvent se réfugier lorsqu'ils sont surpris par de violents orages et des tempêtes de neige subites, sur les hauteurs. Ces huttes contiennent, outre le combustible, un nécessaire pharmaceutique et des sabots pour les pieds fatigués.

Toutefois, ceux qui désirent prendre leurs vacances d'une façon moins laborieuse, peuvent atteindre les hauteurs dans des trains qui souvent passeront dans des tunnels sous les monts et les glaciers. Il y a des arrêts à différents intervalles pour permettre aux voyageurs de se rendre à quelque hauteur avoisinante pour contempler le panorama.

Les montagnes exercent une puissante influence sur ceux qui les habitent. En hiver le facteur fait sa tournée avec un toboggan. De même, la ménagère se sert de ces traîneaux pour aller chercher ses

L'ALPENHORN EST TOUJOURS PRÉSENT AUX FÊTES DE LA SUISSE

L'alpenhorn a de trois à douze pieds de longueur et il est fait en bois. Il a une forme évasée et son embouchure est cupulaire. On s'en sert d'habitude pour appeler les troupeaux, et pour jouer l'air traditionnel du Ranz des vaches. Beethoven s'est servi du leitmotiv de cet air pour sa *Symphonie pastorale* si célèbre et le compositeur italien Rossini pour son opéra *Guillaume Tell*.

UN SAPHIR SERTI DANS LES NEIGES ÉTERNELLES

Le village de Brunnen, situé sur le lac de Lucerne, est très fréquenté des villégiateurs pendant
l'été. Beaucoup considèrent ce lac, aussi appelé lac des Quatre-Cantons, comme le plus beaux des
lacs suisses. Il s'étend sur une longueur de vingt-quatre milles dans un décor féerique de montagnes.
Malgré sa haute altitude, il ne gèle jamais en hiver.

UN POTEAU INDICATEUR ARTISTIQUE EN SUISSE

Des poteaux indicateurs artistiques comme celui-ci, sont exécutés à Brienz, centre de sculpture sur bois de l'Oberland bernois. La sculpture sur bois est l'une des industries artisanales pour lesquelles la Suisse est renommée. Brienz est située sur la rive nord-est du lac de Brienz, au pied des Alpes bernoises; la ville est aussi un centre de villégiature.

DES JOUETS POUR LES ENFANTS

Cette jeune employée d'une fabrique de jouets en Suisse a l'air vivement intéressée dans son travail. Elle met les dernières touches à un petit âne en bois. On fabrique des jouets de toutes sortes, mais les animaux plaisent le plus aux enfants. Depuis longtemps la fabrication des jouets est une industrie importante en Suisse comme dans le sud de l'Allemagne.

provisions chez le fournisseur. Les fermiers attendent l'arrivée des neiges pour transporter leur bois de chauffage qu'ils traînent sur la croûte lisse. A certains endroits ils l'abaissent, du haut des escarpements, au moyen de fils actionnés par des cabestans. En Suisse tout le monde patine. Les premiers skis y furent apportés de la Norvège en 1883 par les moines qui s'en servaient dans leur œuvre de sauvetage.

Le gouvernement aide le fermier non seulement au moyen de subsides, mais aussi par des moyens mécaniques, comme des funiculaires pour le transport du lait de hauteurs autrement inaccessibles.

Danger des avalanches subites

Un danger qui hante perpétuellement ceux qui vivent près des montagnes est celui des avalanches, ces masses formidables de neige et de pierres qui dégringolent vers les vallées, écrasant parfois des villages entiers. Une avalanche de pierres ensevelit le village d'Elm en 1881. Ce fut le résultat de l'exploitation des couches d'ardoise sur le flanc du mont Tschingelberg. La retraite des glaciers a laissé le mont Arbino dans un état d'instabilité et depuis quelques années il est en train de s'écrouler graduellement. L'on croit généralement que les montagnes sont immobiles; mais les autorités topographiques ont pu calculer, quant au temps et quant à la direction, le mouvement du mont Arbino, ce qui leur permit d'avertir opportunément le village d'Arbedo, dans la vallée du Ticino, en 1928. Ce mouvement, bien entendu, est trop lent pour être observé par le profane, sauf pour le perpétuel roulement de tonnerre et le brouillard de poussière qu'occasionne la chute des roches.

La conservation des forêts

Les forêts sont bien policées conformément à un programme qui vise à la conservation d'une provision perpétuelle de bois. La commune permet à tous de couper le bois nécessaire pour la construction et le chauffage. Même s'il n'y avait d'autres raisons, il faudrait conserver les forêts pour retenir le sol sur les flancs de montagnes et prévenir les avalanches et les inondations destructrices. Le gouvernement s'est aussi réservé la disposition des cours d'eau, avec leur pouvoir électrique potentiel, ce qui est important, car l'électrification des chemins de fer fédéraux est presque complète. L'irrigation se fait au moyen de petits aqueducs qui, le long des précipices, mènent l'eau des glaciers aux vignobles des vallées.

La Suisse est un pays d'initiative: elle a recours aux plébiscites et rend obligatoire l'assurance contre la maladie, la vieillesse et les accidents. Elle procure du travail aux chômeurs.

L'armée de la Suisse

La Suisse s'enorgueillit de la longue période de paix dont elle a joui. Mais, quoique pacifiques, les Suisses sont toujours prêts à défendre leurs frontières. L'armée régulière comprend plusieurs corps, composés de divisions d'infanterie, des brigades de montagne, de brigades motorisées et d'une armée de l'air assez considérable.

Tous les Suisses sont astreints au service militaire. De l'âge de vingt ans à soixante ans, le citoyen peut être appelé. Jusqu'à l'âge de trente-six, il s'entraîne pour servir en première ligne, et il fait des périodes de quatre mois pendant huit ans. Les hommes plus âgés s'entraînent pendant des périodes plus courtes et ne sont appelés qu'en cas de danger. Ceux qui ne sont pas appelés pour raison de santé doivent payer une taxe spéciale d'exemption.

De tous les pays d'Europe la Suisse est à peu près la moins indépendante au point de vue économique, et son peuple tire le meilleur parti possible de son habileté manufacturière. Dans le canton d'Appenzell l'on fabrique des dentelles depuis des siècles. Sur le Lac Brienz il y a un village d'ébénistes et de fabricants de jouets. Un groupement, à Zurich, fait une spécialité du tissage des soieries. Les artisans dans les célèbres manufactures de montres peuvent faire des chronomètres aussi petits qu'une pièce de dix sous, et ayant chacun 170 parties. Il y a quatre cents ans les montres se fabriquaient à domicile, chaque famille faisant une pièce particulière. Mais aujourd'hui l'on emploie des méthodes d'usine. Heimberg fabrique de la majo-

DES CHÈVRES SE PRÉLASSENT autour de la croix d'un village dans une haute vallée de l'Appenzell. Sur l'inscription, on lit; «Que Dieu nous protège ainsi que nos biens de tout malheur».

UN PAYSAN DANS UNE RUELLE MONTANTE PRÈS DE LUGANO

Des fleurs de rocaille poussent sur le bord de ce chemin montant. La région du lac de Lugano qui se trouve partie en Suisse, partie en Italie, est une des plus belles des Alpes.

DE ZERMATT, ON VOIT LE MONT CERVIN COUVERT DE NEIGE

Cette petite ville aux chalets rustiques est bien connue des alpinistes. Elle se trouve dans une vallée de gras pâturages, à 5,315 pieds d'altitude dans les Alpes Pennines.

lique et le Valais possède des fabriques d'aluminium.

Berne, la capitale, dont le nom allemand Bären signifie ours, est située au centre de la Suisse, à un tournant de l'Aar, où elle regarde une demi-douzaine de montagnes dont les pics dépassent dix mille pieds. Dans la partie médiévale de la ville les rues sont étroites et surplombées de toits en tuile et d'arcades de magasins.

Lucerne veut dire lanterne. Il y avait en effet une immense lanterne dans la tour de son vieux pont datant du XIVe siècle. La haute muraille et les neuf tours de garde de la ville apparaissent en premier lorsqu'on traverse le lac en vapeur. Le lion de Lucerne est une magnifique sculpture. Taillé en 1821, en plein roc, il est dédié à la mémoire des Gardes Suisses qui tombèrent en défendant les Tuileries à Paris au début de la Révolution Française. La Cathédrale est célèbre pour son orgue magnifique.

L'un des meilleurs endroits pour contempler la beauté de la Suisse est Interlaken, au haut de la vallée de Grindelwald que domine le Jungfrau. La route voisine d'Interlaken est une des plus pittoresques de l'Europe. A certains endroits on longe

les bords d'un impétueux torrent de montagne ; ailleurs l'on traverse des forêts de pins ; et parfois la route serpente entre un mur en plein roc d'un côté, et de l'autre, un précipice abrupt.

Lorsque l'écrivain Mark Twain visita Interlaken au dix-neuvième siècle, il prédit qu'un jour chaque montagne serait gravie par un chemin de fer. Déjà cette prophétie n'est pas loin d'être réalisée, et la plupart des chemins de fer de la Suisse sont électrifiés grâce au courant fourni par les chutes. Le touriste peut donc atteindre les sommets par voie ferrée. Le chemin de fer du Jungfrau, dans presque toute sa longueur, parcourt un tunnel creusé dans le roc même, sous les glaciers.

Grindelwald, un village au pied du Wetterhorn, est un centre pour le ski. Lausanne a une école spéciale pour l'entraînement des chefs et des hôteliers. Zermatt est célèbre pour ses guides. De cette ville l'on aperçoit le mont Cervin dont le pic, grandiosement solitaire, se dessine contre l'azur du firmament. On ne compte plus les pertes de vie sur cette montagne, mais chaque année de nouveaux enthousiastes entreprennent la conquête de ses escarpements vertigineux.

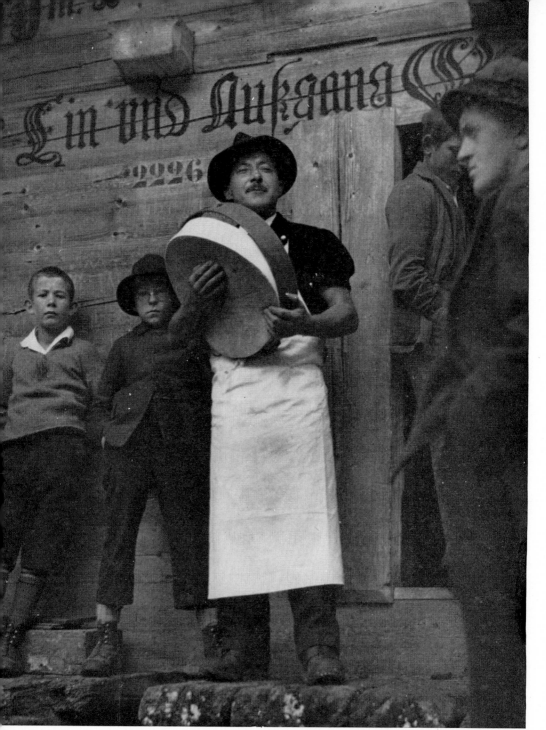

LE PARTAGE DES FROMAGES DANS L'OBERLAND BERNOIS

Bien que la Suisse soit un pays agricole, les seuls produits de ce genre qu'elle exporte sont ceux de l'industrie laitière. Les plus célèbres sont les fromages de Gruyère et d'Ementhal que l'on fabrique aujourd'hui dans toute la Suisse. Une coutume très ancienne dans la vallée de Juris est le partage des fromages. Ici, le maître-fruitier vend les fromages frais à la criée.

ZURICH S'ÉTEND SUR LE LAC DU MÊME NOM

Zurich, la plus grande ville de Suisse, est située à l'extrémité nord-est du lac de Zurich. Elle existait déjà à l'époque romaine et certains de ses édifices remontent à plusieurs siècles. Toutefois, la principale partie de Zurich est moderne et en plein essor. Zurich possède une université, plusieurs collèges et un grand nombre d'écoles professionnelles.

LA FÊTE DU PRINTEMPS À ZURICH

Ces cavaliers ouvrent le défilé du festival de Sechselauten à Zurich. Cette fête printanière traditionnelle date de l'époque féodale. Elle célèbre la sonnerie des cloches à six heures du soir (Sechselauten veut dire les cloches de six heures). Les cloches restaient silencieuses le soir en hiver, leur première sonnerie au printemps était une occasion de réjouissances.

273

LE CHÂTEAU DE CHILLON À MONTREUX, SUR LE LAC DE GENÈVE

Ce château, construit sur un rocher au bord du lac, est celui qu'a chanté Byron dans son «Prisonnier de Chillon.» Il se trouve à l'extrémité du lac de Genève, là où les Alpes suisses s'élèvent en formant un majestueux panorama et où l'air pur attire les villégiateurs de toutes les parties du monde dans les hôtels de Montreux. La construction actuelle date du XIIIᵉ siècle.

Genève, siège de la Croix rouge internationale, occupe un site charmant sur le lac de Genève ou lac Léman, au point où ses eaux bleues forment de nouveau le Rhône. Bien que ce lac, à 1230 pieds au-dessus du niveau de la mer, n'ait guère plus de dix milles de largeur et quarante-cinq milles de longueur, il a plus de mille pieds de profondeur. Il est parsemé de bateaux de plaisance.

Dans la partie ancienne de Genève, où des pâtés de maisons médiévales étaient jadis entourés de fortifications, se dresse la cathédrale protestante de St-Pierre qui date du Xᵉ siècle. Tout près est l'arsenal renfermant un musée historique. Sur deux îles respectivement, l'on voit la statue de Rousseau et le château de Chillon (où Bonivard fut détenu par le duc de Savoie).

L'on a une idée des controverses théologiques qui déchirèrent Genève quand on considère qu'elle a un monument à Calvin et un autre à Servet. En 1553 les deux hommes eurent une polémique religieuse. Servet voulut fuir en Italie mais il fut arrêté sur l'ordre de Calvin et brûlé vif sur le bûcher—l'hérétique Calvin fait mourir l'hérétique Servet pour une question de doctrine. Calvin publia son *Institution Chrétienne* à Bâle en 1536. Banni de Paris, il se réfugia à Genève. Il fonda l'Académie de Genève en 1559.

En maintes circonstances Genève a servi d'asile à des réfugiés politiques (qui n'étaient pas tous bienvenus), un centre de savoir et le point de départ de mouvements humanitaires. C'est à cette ville cosmopolite que vinrent John Knox, Dostoïevski et Andrew Melville. La Croix rouge, qui y prit naissance après les horreurs de la bataille de Solferino sous la direction de Henri Dunant, se choisit pour drapeau celui de la Suisse avec les couleurs renversée. Pendant le premier conflit mondial, de nombreux combattants des deux camps furent internés à Genève. La ville servit aussi d'intermédiaire pour l'échange de prisonniers gravement blessés. Entre autres excellentes institutions académiques il y a l'Université de Genève. Pendant la Deuxième Guerre mondiale, la neutralité de la Suisse fut de nouveau respectée.

Le visiteur, après s'être installé dans l'un des confortables hôtels qui bordent les rives du lac de Genève et du Rhône, se rendra au Palais des Nations par le quai, une promenade ombragée derrière laquelle se dresse, sur un parc gazonné, l'édifice aux lignes simples. Lorsque la Société des Nations fut dissoute en 1946, tout son actif fut transféré à l'Organisation des Nations Unies. Le Bureau International du Travail continua à tenir ses séances dans l'édifice. Depuis la Deuxième Guerre mondiale, Genève a été le siège de plusieurs conférences économiques internationales qui ont avancé la cause de la coopération économique entre les nations.

Le touriste ne devrait pas manquer de voir un Aelplifest par un dimanche matin du printemps. Ce spectacle qui représente la transhumance des troupeaux, est une occasion pour les paysans de revêtir les costumes traditionnels et de défiler dans les rues avec leurs vaches, leurs moutons, leurs chèvres et leurs charrettes chargées de chaudrons en cuivre bien polis ; tandis que des chars portent des femmes faisant du fromage ou bien des hommes maniant le pressoir.

Chaque village a sa chorale et le concours de Lucerne et d'autres villes attire des chanteurs de toute la Suisse.

LA SUISSE: RÉSUMÉ STATISTIQUE

LE PAYS
Borné au nord par l'Allemagne, à l'est par l'Italie, à l'ouest par la France, à l'est par l'Autriche. Au sud se trouve la section centrale des Alpes Pennines, comprenant quelques-unes des hauteurs les plus considérables de l'Europe. Les fleuves principaux sont le Rhin, le Rhône et l'Aar. Les lacs comprennent ceux de Genève, Constance, Majeur (ces trois lacs ne sont pas entièrement suisses), Neuchâtel, Lucerne, Zurich, Lugano, Thun, Bienne, Zug, Brienz, Morat, Wallensée et Sempach. Superficie totale, 15,944 milles carrés. La population s'élève à plus de 5,325,000 habitants.

GOUVERNEMENT
Le pouvoir législatif est exercé par le Parlement, qui consiste en deux Chambres, un Conseil d'Etat avec 44 membres (2 pour chacun des 22 cantons) et un Conseil National de 196 membres élus par représentation proportionnelle. Le pouvoir exécutif est exercé par un Conseil Fédéral, consistant en 7 membres, élus pour 4 ans par l'Assemblée Fédérale. Le président et le vice-président, lesquels sont les magistrats principaux de la Confédération Suisse, sont élus par l'Assemblée Fédérale pour un an. La Suisse est divisée en cantons et demi-cantons, unités du gouvernement local.

COMMERCE ET INDUSTRIES
Environ 22.5% du sol sont improductifs ; les forêts couvrent 32% du sol productif. Les laiteries constituent la principale industrie agricole. La Suisse est renommée pour son fromage et son chocolat. Les produits agricoles comprennent le blé, les pommes de terre, la betterave à sucre et le tabac. Il y a des gisements de sel et une certaine production de minerai de fer et de manganèse. La force électrique dépasse 10 milliards de kilowatt-heures par an. Les principales manufactures sont les produits alimentaires, l'horlogerie, les machines, la quincaillerie, les produits chimiques et les teintures, les tissus, les lainages et la broderie. Principales exportations : les machines, l'horlogerie. Principales importations : les céréales et autres produits alimentaires, le fer, les automobiles. Le franc suisse est l'unité monétaire.

COMMUNICATIONS
Réseau ferroviaire, 5,050 milles, en majorité électrifiés ; routes, 10,500 milles. Bâle est le terminus de la voie fluviale du Rhin, navigable depuis la mer du Nord. La marine marchande de la Suisse compte 23 navires. Une compagnie aérienne nationale. Téléphones, 1,294,000.

RELIGION ET ÉDUCATION
Les protestants prédominent dans 12 cantons et les catholiques dans 10. Liberté absolue de conscience. L'enseignement élémentaire est gratuit et obligatoire. Il y a 7 universités, à Bâle, Zurich, Berne, Genève, Lausanne, Fribourg, Neuchâtel ; et un institut technique.

VILLES PRINCIPALES
Berne, la capitale, 161,300 ; Zurich, 428,200 ; Bâle, 200,700 ; Genève, 168,900 ; Lausanne, 118,900 ; Saint-Gall, 68,050 ; Winterthur, 67,000 ; Lucerne, 60,600 ; Bienne, 48,400.

① LIECHTENSTEIN
② ANDORRE
③ SAINT-MARIN
④ MONACO
⑤ CITÉ DU VATICAN

①

VALLÉE
MONTAGNES
Rhin
VALLÉE
MONTAGNES
ALPES RHÉTIQUES

(A)·····(A)

5 Milles
VALLÉE DU RHIN
SUISSE · LIECHTENSTEIN · AUTRICHE

(A) **LIECHTENSTEIN** - en regardant vers le nord

②

P Y R É N É E S

Valira

③

MONT TITAN
4¾ Milles

(A) **SAINT-MARIN** - en regardant vers le nord

Saint-Marin est une montagne. Ainsi, sur la page ci-contre, **A** est la ligne du profil du Mont Titan, allant de l'est à l'ouest; **B**, la ligne du profil nord-sud.

MONT TITAN
4 Milles

(B) **SAINT-MARIN** - en regardant vers l'ouest

④

ALPES MARITIMES
F R A N C E

BLVD DU JARDIN EXOTIQUE
BOULEVARD RAINIER III
AV. LA CONDAMINE
GRIMALDI
AVENUE DE MONTE-CARLO
BLVD DES MOULINS D'ANGLETERRE
MONTE CARLO
MONACO
Méditerranée

Parfums
Produits pharmaceu...
Produits de beauté
Rues

ÉCHELLE EN PIEDS
0   400   800

0   ⅛
ÉCHELLE EN MILLES

A - Jardin Exotique
B - Palais
C - Musée d'Anthropologie
D - Cathédrale
E - Musée d'Océanographie
F - Casino

⑤

Observatoire astronomique
ROME
Gare
Galerie de Peintures
Basilique de Saint-Pierre
Chapelle Sixtine
Musées
ROME
ROME
Palais pontificaux
Place de Saint-Pierre
Rues
ROME

N

ÉCHELLE EN PIEDS
0   400   800   1200

0   ⅛   ¼
ÉCHELLE EN MILLES

La Petite Europe

LES Etats miniatures de l'Europe (Liechtenstein, Andorre, Monaco, Saint-Marin et la Cité du Vatican) diffèrent les uns des autres sous plusieurs aspects. Alors que certains de ces pays sont des unités économiques prospères, d'autres ont beaucoup de difficultés à survivre d'une année à l'autre. Saint-Marin et la Cité du Vatican dirigent leur propre politique étrangère. L'Andorre, Monaco et le Liechtenstein, au contraire, sont sous la protection des puissances voisines, qui non seulement dirigent leur politique étrangère, mais administrent aussi certaines de leurs activités nationales. Ces derniers Etats sont tellement restreints par leurs obligations qu'ils peuvent à

②

ÉCHELLE EN MILLES
0 2 4 6

1°25'E
42°40'N ▶

FRANCE

1°45'E
42°40 N ◀

9°30'E
.5'N ▶   9°38'E
        ▼ ◀ 47°15'N

• Bendern

• Soldeu

ESPAGNE

N

Valira

• Andorre • Les Escaldes

FRANCE

• Schaan

AUTRICHE

★ Vaduz

ESPAGNE

• San Julian
  de Loria

42°25'
N
1°25'E

42°25'
N 1°45'E

SUISSE

Rhin

Seo de Urgel
6 milles

Avoine   Tabac

Orge   Moutons

Fruits   Fer

Forêts   Route

'5'N ▶   ◀ 47°5'N
9°30'E   9°38'E

ÉCHELLE EN MILLES
0   2   4   6

③

ÉCHELLE EN MILLES
0   1   2   3

43°59'N ▶ 12°25'E

12°30'E
◀ 43°59'N

B

• Serravalle

ITALIE

ITALIE

Maïs   Vin

N

A   A

Pommes   Vaches laitières
de terre

Saint-
Marin

Faetano •

Blé   Parfums

Chiesanuova

Monte
Giardino

Forêts   Dents postiches

Régions urbaines

Maïs

Blé

Raisin

Porcs

Bovins

Pierre de
construction

Tourisme

Timbres-postes

ITALIE

43°54'N ▶ • 12°25'E

B

12°30'E
◀ 43°54'N

... petits pays, peuples indépendants

peine être appelés des nations. Cependant, tous ont une chose en commun : ils attachent beaucoup d'importance à leur indépendance, quelle qu'elle soit, et ils offrent un attrait irrésistible aux voyageurs qui recherchent l'inédit.

Ce sont ces deux traits qui ont mené à la création du «Petit Sommet», groupe qui se réunit annuellement dans un des Etats membres. Les représentants de la Petite Europe, y compris ceux du Luxembourg, qui est comparativement beaucoup plus grand, discutent des questions d'intérêt commun, la plupart se rapportant à l'industrie touristique. Un de leurs principaux projets est l'organisation de voyages qui feraient visiter tous ces petits pays.

Le Liechtenstein et Monaco servent de siège social à de grosses sociétés internationales qui cherchent à éviter les taxes. Le Liechtenstein ne prélève pour ainsi dire pas d'impôts mais touche une redevance des sociétés qui y sont incorporées. A Monaco, il n'existe pas d'impôt sur le revenu.

En ce qui concerne leur rôle dans les affaires internationales, les Etats miniatures se tournent vers l'Occident. Les affaires étrangères du Liechtenstein sont dirigées par la Suisse. L'Andorre et Monaco, grâce à leurs liens étroits avec la France, sont aussi fermement liés à l'Occident. Au cours d'une guerre civile, sans effusion de sang, Saint-Marin a en-

SAINT-MARIN s'étend sur trois pics rocheux du mont Titane. De la place de la ville, où l'on aperçoit les enfants, la ville semble se retenir au bord d'un abîme. La pierre de construction est un des principaux produits de cette petite république.

levé au parti communiste le contrôle qu'il détenait dans la législature en 1957 ; il reçoit aujourd'hui de l'aide américaine. La Cité du Vatican est naturellement entièrement anti-communiste. Dernièrement, le gouvernement italien lui a fait don de 1,335 acres aux abords de Rome pour construire une puissante station de radio. Elle radiodiffusera les messages du Vatican en vingt-trois langues.

Les conditions économiques des petits Etats sont très semblables, bien que leur degré de prospérité diffère. Ils dépendent de l'agriculture et de l'élevage du bétail et d'une ou deux petites industries spécialisées ; une bonne part des revenus provient de la vente des timbres-poste et du tourisme. L'Andorre, par exemple, possède d'excellents pâturages pour l'élevage des moutons et des bovins. Ses principales manufactures sont celles du tabac et du gros lainage. Le Liechtenstein fabrique aussi des instruments de précision et des accessoires de machines. Saint-Marin est surtout un pays agricole. Monaco, naturellement, est différent. Son étendue d'un demi-mille urbain laisse peu de place pour l'agriculture. Monaco exporte des parfums et des produits de beauté ; ses industries locales fabriquent de l'équipement électrique, des radios et des produits pharmaceutiques. Ces activités, ajoutées à la vente des timbres-poste, aux revenus de l'industrie touristique et à ceux de son célèbre Casino, assurent la prospérité de Monaco.

De nombreuses singularités légales et politiques pèsent sur ces petits Etats. Une de celles-ci affecte Monaco. Un traité signé avec la France en 1918 prévoit qu'au cas où la famille régnante actuelle disparaîtrait, le pays serait absorbé par la France. Pour les habitants de Monaco, cela signifierait la fin d'une existence exempte d'impôts et de conscription. C'est donc avec une grande joie que le prince Rainier III et sa femme, l'ancienne actrice Grace Kelly, accueillirent la naissance d'une fille en 1957 et d'un fils en 1958.

L'attrait qu'exerce Monaco a toujours été très grand. Grâce à sa situation sur la Méditerranée, Monaco est depuis longtemps une des stations touristiques les plus à la mode de la Riviera française. Bien que Monte Carlo ne soit pas la capitale de ce minuscule Etat, c'est la ville qui attire le plus de visiteurs. De nombreux facteurs contribuent à cet attrait particulier : climat ensoleillé de la Riviera, beauté féerique du paysage. L'homme a également fait beaucoup pour attirer les touristes cosmopolites ; on s'en rend compte par ses restaurants de luxe, ses boulevards, la gaieté de ses boîtes de nuit, ses théâtres, ses salles de concert, pour ne pas parler de son célèbre Casino, ouvert depuis 1862.

Plusieurs superstitions curieuses guident les joueurs, parmi lesquels on compte autant de femmes que d'hommes. On croit par exemple que c'est un signe de chance que de poser la main sur la bosse d'un bossu. Certains joueurs croient aussi qu'un mauvais esprit préside au-dessus de la table de la roulette et guide la boule contrairement aux lois de la chance. Cependant, les jours de gloire du Casino,

PAR UNE MATINÉE de l'hiver peu rigoureux de Monaco, les habitants de cette petite principauté sont plus nombreux que les étrangers à faire leur marché.

LES MACHINES les plus modernes sont employées à l'imprimerie de l'Osservatore Romano, le journal du Vatican. Le journal a une grande circulation dans le monde entier.

LE PALAIS DU SOUVERAIN DE LA PRINCIPAUTÉ DE MONACO

Ce vaste palais, qui remonte au seizième et au dix-septième siècles, est un mélange de styles. Une de ses caractéristiques sont ses porches ouverts aux brises de la mer. Le palais couronne une falaise en saillie, qui forme une petite anse. Là, des yachts et d'autres petites embarcations à l'ancre se laissent bercer dans les eaux scintillantes de la Méditerranée.

LE CÉLÈBRE MUSÉE OCÉANOGRAPHIQUE SURPLOMBE LA MER

Ce musée est sans aucun doute le plus remarquable de son genre. Il renferme des collections uniques de la vie marine et d'autres aspects de la mer. Il fut fondé en 1910 par le prince Albert Ier dans la ville de Monaco, qui fait partie de la principauté du même nom. Ce promontoire rocheux fut le site d'un ancien temple phénicien et grec au dieu mythologique Hercule.

VADUZ, LA CAPITALE DU LIECHTENSTEIN

Le château de Liechtenstein surplombe la ville de Vaduz d'un haut promontoire; au fond, on aperçoit les sommets imposants des Alpes. Le Liechtenstein, un des plus petits Etats indépendants de l'Europe, n'a que soixante-cinq milles carrés de superficie. Il est borné à l'ouest et à l'est par l'Autriche. Economiquement, le Liechtenstein se rattache à la Suisse.

au temps où il était le rendez-vous des crésus et des gens du dernier cri, n'existent plus.

Monaco a une superficie d'environ 368 acres et a une largeur moyenne de 650 verges. Sa population est d'environ 25,000 habitants. Monaco frappe sa monnaie et imprime ses timbres-poste. Ses habitants sont virtuellement exempts de tout impôt; le prince régnant et son conseil dirigent les affaires de l'Etat. La constitution de Monaco existe depuis 1911; la ville possède une force de police semi-militaire.

Feu le Prince Albert Ier de Monaco qui mourut en 1922 ne possédait pas les qualités nécessaires au gouvernement d'un Etat tel que Monaco. Il s'intéressait beaucoup à tout ce qui concerne la mer. A bord de son yacht, il faisait souvent des expéditions scientifiques et océanographiques. Son musée océanographique à Monaco est un des plus beaux au monde.

Son fils, Louis II, lui succéda. A la mort de Louis en 1949, Rainier III, son petit-fils, monta sur le trône. A plusieurs reprises, Rainier s'est opposé aux décisions prises par la législature populaire (le Conseil national) et son règne a été marqué par l'affermissement du pouvoir. Beaucoup de Monégasques, de même que Rainier, seraient en faveur d'une nouvelle constitution.

Liechtenstein

Si l'on se rend en Autriche en traversant la Suisse, on arrive à une autre des principautés indépendantes de l'Europe, le Liechtenstein, situé au milieu des hauts sommets du Vorarlberg autrichien et du Rhin. Elle est plus étendue que Monaco; sa superficie est d'environ 65 milles carrés. Ses habitants ne font pas de service militaire et poursuivent la vie pastorale de leurs ancêtres.

Le Liechstenstein, ancien camp romain sis sur l'emplacement de Triesen, faisait jadis partie de la Confédération des Etats germaniques ; mais dans le Conseil de la Diète, il conservait une indépendance virtuelle en votant séparément. Lorsque la Confédération fut dissoute, le Liechstenstein devint indépendant (bien qu'allié économiquement à la Suisse). Le franc suisse est la monnaie du pays, et le Liechtenstein a une union douanière avec la Suisse.

Dans la personne du prince Jean II, qui mourut en 1929, le Liechtenstein avait un monarque bienveillant. Il ne leva aucun impôt et dépensa même une partie de sa fortune personnelle pour apporter des améliorations dans son pays. Son propre palais et ses jardins étaient ouverts au public. Il possédait un palais à Vienne et une collection de tableaux incomparable. Une ligne téléphonique le reliait à la capitale de sa petite principauté sur le Rhin.

Il paya aussi de sa propre poche l'installation de l'électricité à Vaduz et dans les villages ; il créa également des scieries électriques et des filatures de lin et de coton. En 1921, il donna au Liechtenstein une constitution, ayant un parlement ou landtag de 15 membres. Depuis 1938, le prince Francois-Joseph II en est souverain. Deux partis politiques sont représentés au parlement.

LA STATION de Radio-Andorre. Inaugurée en 1939, c'est une des stations de radio-diffusion les plus puissantes d'Europe.

THREE LIONS

CE CHOIX de timbres-poste fascine les visiteurs du Liechtenstein. Ces vignettes sont une importante source de revenus pour le pays.

WAAGENAAR, PIX

LES ESCALDES, ANDORRE, DANS UNE VALLÉE PYRÉNÉENNE

D'anciennes maisons en pierre, des gerbes de blé et des peupliers d'Italie dans une vallée pyrénéenne. En regardant cette photo, on comprend pourquoi l'Andorre a pu préserver son indépendance, protégée comme elle l'a été depuis des siècles par les hautes montagnes qui l'entourent. En
plus de cela, le pays posséde trop peu de richesses pour tenter les ravisseurs.

DES CHAMPS DE BLÉ AVEC LE ROCHER DE SAINT-MARIN AU FOND

Comme plusieurs autres pays, Saint-Marin tire une grande partie de ses revenus de la production du blé et d'autres produits agricoles. C'est toutefois la seule nation au monde qui dépende sur la vente des timbres-postes comme principale source de revenu. Le gouvernement émet de nombreuses séries de timbres-postes, sachant qu'ils seront achetés par les philatélistes du monde entier.

VUE AÉRIENNE DE LA RÉPUBLIQUE INDÉPENDANTE DE SAINT-MARIN

Saint-Marin, la plus petite république du monde, a moins de 40 milles carrés. Elle aurait été fondée au IVe siècle par saint Marin, un tailleur de pierre dalmatien, qui fuyait la persécution religieuse. Sa capitale se dresse sur le mont Titano; ses quelques villages s'accrochent au flanc de la montagne. Elle est administrée par deux régents et par un conseil de 60 membres.

Vaduz est un village typique du vieux monde, à travers les rues duquel des jeunes filles conduisent leurs troupeaux d'oies. Le château sur la colline a des murs de vingt pieds d'épaisseur et renferme une magnifique collection d'armures. Bien que l'on voie des bicyclettes et même des automobiles dans ce pays qui a un mille d'altitude, ce sont toujours les bœufs qui tirent voitures et charrues.

Saint-Marin passe pour le plus vieil état de l'Europe. Situé sur des projections des Apennins, à environ douze milles de l'A-driatique, il confine à plusieurs provinces italiennes. Ses coutumes et sa constitution remontent au moyen-âge. Ce minuscule pays s'est placé sous la protection italienne en 1862. D'après la tradition il aurait été fondé au IIIe siècle par St-Martin au cours des persécutions de Dioclétien. Son indépendance fut confirmée par le Pape en 1631, et c'est le seul des états italiens qui ait conservé son autonomie. La ville surmonte le Mont Titano dont chacune des cimes est fortifiée et don't l'altitude est de 2,437 pieds. Les fortifications nationales consistent en trois pics couronnés chacun d'une tour. A la base est Borgo,

BLACK STAR

UN BERGER DE L'ANDORRE AVEC SON TROUPEAU DE MOUTONS

Ce jeune berger d'un village de l'Andorre mène ses moutons le long d'une falaise rocheuse jusqu'au pâturage. Des gorges escarpées, des hivers rigoureux, une irrigation défectueuse et un sol ingrat font de l'agriculture et de l'élevage des occupations hasardeuses. Cependant le peuple de l'Andorre, tenace et industrieux, demeure fidèle à son petit pays isolé dans les Pyrénées.

SAINT-MARIN: LA STATUE DE LA LIBERTÉ

Cette statue dresse sa masse imposante devant les édifices du gouvernement. La ville de Saint-Marin est blottie sur le flanc ouest du mont Titano, à l'ombre des trois pics qui en forment la cime. Chaque pic porte une tour que relient des remparts. Ces derniers sont les témoins d'une résistance séculaire contre des ennemis divers: Hongrois, Sarrasins et Normands.

où les bœufs fournissent le principal moyen de transport. Le gouvernement est démocratique.

Le Grand Conseil de soixante membres est élu par le vote populaire, et deux Régents, désignés pour six mois parmi les Conseillers, exercent le pouvoir exécutif.

Le premier avril, à San Marino, il faut être debout au lever du soleil, sinon l'on s'expose à être tiré du lit et amené dehors en costume de nuit, monté sur une mule et promené dans les rues, avec un tintamare de cloches et d'instruments, au grand amusement de la foule. San Marino émet ses propres timbres-poste. Conformément à une convention internationale, la culture du tabac est interdite dans les limites du pays, mais chaque année l'Italie en fournit une provision ainsi qu'une quantité considérable de sel blanc.

UN PONT COUVERT franchit le courant paisible du Rhin de la rive suisse jusqu'à Bendern dans le Liechtenstein. Derrière le clocher du village, on aperçoit les sommets des Alpes.

La principauté d'Andorre—la Vallée Cachée—est située bien haut dans les Pyrénées, entre la France et l'Espagne. Il y a douze cents ans, lorsque les Sarrasins s'abattirent sur les Visigoths qui depuis trois cents ans étaient maîtres de l'Ibérie (l'Espagne actuelle), un groupe de paysans catalans se sauvèrent d'Urgel et remontèrent la Sègre et la Valire, pour se réfugier dans une vallée retirée au milieu des montagnes. Ils s'y établirent définitivement, et c'est là que Charlemagne les trouva lorsque, se dirigeant vers le sud, il se portait à l'attaque des hordes musulmanes. L'Andorre conserve encore un document signé par lui qui accordait à cet état son indépendance. La capitale actuelle fut le théâtre d'une bataille où le fils de Charlemagne, Louis le Pieux, remporta sur les Sarrasins une victoire difficile.

Louis plaça l'Andorre sous la protection des évêques espagnols d'Urgel. Trois cents ans plus tard, les comtes français des environs et l'évêque espagnol se disputèrent ce territoire. En 1282, la suzeraineté fut divisée entre eux et l'évêque. C'est pour cette raison que cet état minuscule est aujourd'hui sous la suzeraineté conjointe du président de la République française et de l'évêque d'Urgel. La France dirige la politique étrangère de l'Andorre et administre les services publics tels que l'éducation, la poste et le télégraphe.

L'Andorre ne compte que quelque 6,500 habitants répartis dans une demi douzaine de villages. Ils parlent le catalan, et peu d'entre eux ont jamais franchi sa frontière rocheuse. Bien que l'Andorre soit un pays peu développé, sa station de radio est une des plus puissantes d'Europe. Elle a été inaugurée en 1939.

Le gouvernement est dirigé par un conseil de vingt-quatre membres. Ceux-ci se réunissent pour délibérer dans une salle de Conseil qui ressemble au grenier de l'écurie où ils laissent leurs mulets pendant les délibérations. Personne ne peut être conseiller à moins d'être marié et chef de famille. Le Conseil élit un Premier syndic pour servir de chef du gouvernement et un Second syndic pour lui servir d'adjoint.

L'Andorre est juchée sur la crête qui sépare les eaux coulant vers l'Atlantique à l'ouest et vers la Méditerranée à l'est. Les défilés qui mènent en France sont inaccessibles durant plus de six mois de l'année à cause des neiges. Cependant, une grand-route moderne reliant la France et l'Espagne passe par l'Andorre.

Jusqu'à ces derniers temps, l'industrie principale était la culture du tabac. Les plantations des vallées sont arrosées par un système d'irrigation primitif qui consiste en de petits canaux creusés dans des troncs d'arbres. Le tabac qu'on y cultive est passé en contrebande de l'autre côté de la frontière. La contrebande est même considérée comme une profession honorable. Le contrebandier doit éviter les agents du gouvernement et il lui faut une grande robustesse physique pour escalader les montagnes avec sa charge.

La Cité du Vatican

Dans la ville de Rome se trouve un territoire de moins de 110 acres qui constitue cependant un Etat indépendant et très

important: la Cité du Vatican. Il possède son propre gouvernement, son drapeau jaune et blanc, ses services diplomatiques, enfin tout ce qui en fait un Etat souverain. Aux 500,000,000 de catholiques de la chrétienté, il représente le siège de leur chef spirituel, le pape. Pour le touriste, le Vatican est un véritable musée d'art. Le palais du Vatican et la Basilique de Saint-Pierre datent de la Renaissance italienne et sont des exemples remarquables de l'architecture de cette époque. Ils renferment les chefs-d'œuvre des plus grands maîtres—Michel-Ange, Raphaël, Botticelli, Titien—ainsi qu'une magnifique collection de sculptures grecques et romaines. Le Vatican a son propre observatoire; sa bibliothèque, très riche en manuscrits, est une des plus célèbres du monde.

LA PETITE EUROPE: RÉSUMÉ STATISTIQUE

ANDORRE

Se trouve dans une vallée des Pyrénées entre la France et l'Espagne; sous la souveraineté conjointe du chef d'Etat français et de l'évêque espagnol d'Urgel. Superficie totale, 191 milles carrés; population, 6,500, répartie en 6 villages. Le pays est gouverné par un conseil de 24 membres, élus pour 4 ans. Les occupations principales sont la culture du tabac et l'élevage des moutons. La France représente l'Andorre à l'étranger. Le franc français et la peseta espagnole ont cours.

LIECHTENSTEIN

Principauté située sur la rive orientale du Rhin, entre la Suisse et l'Autriche. Superficie, 62 milles carrés; population, 15,750. La couronne est transmise à la descendance mâle de la maison de Liechtenstein. Une constitution démocratique adoptée en 1921 accorde le droit de vote à tous les citoyens pour élire une diète de 15 membres. Capitale et principale ville, Vaduz (population, 3,000). Religion prédominante, catholicisme; 14 écoles élémentaires et 3 écoles supérieures. Principaux produits—maïs, vin, fruits et bois d'œuvre. Petite industrie de cotonnades, de poterie et de maroquinerie. Le pays a de bonnes routes. Membre de l'union douanière suisse; se sert de la monnaie suisse ainsi que de ses services postaux. Le Liechtenstein émet ses propres timbres-poste.

MONACO

Petite principauté sur la Méditerranée, près de la frontière italienne, entourée par le département français des Alpes-Maritimes. Le pouvoir

législatif est exercé par le prince et le Conseil national de 18 membres, élus pour un mandat de quatre ans, par le suffrage universel; le pouvoir exécutif, par le ministère assisté d'un Conseil d'Etat. Superficie, 368 acres; population, 20,400. Fait partie de l'union douanière française. L'unité monétaire est le franc français.

SAINT-MARIN

Situé dans les limites de l'Italie, sur la frontière Emilia-Marches près de l'Adriatique. Superficie, 38 milles carrés; population, 14,500. La république est gouvernée par le Grand Conseil de 60 membres, élus par le suffrage populaire. Deux des membres du Conseil sont nommés à la Régence; ils servent 6 mois. Les exportations principales sont le vin et le bétail. Il y a plusieurs écoles élémentaires et une école secondaire. Unité monétaire: la lire.

CITÉ DU VATICAN

Etat papal indépendant sur la rive droite du Tibre, enclavé dans Rome, la capitale de l'Italie. Les pouvoirs exécutifs, législatifs et l'autorité judiciaire sont entre les mains du pape, chef spirituel de l'Eglise catholique romaine. Les pouvoirs temporels sont délégués par le pape aux dignitaires de l'Eglise et au collège des cardinaux qui fonctionne comme un sénat et qui se réunit à la mort du pape pour désigner son successeur. Le Vatican a sa propre gare, sa station de radiodiffusion et son journal officiel; il émet ses timbres-poste. Superficie, 108.7 acres; population, environ 1,000. L'unité monétaire est la lire du Vatican.

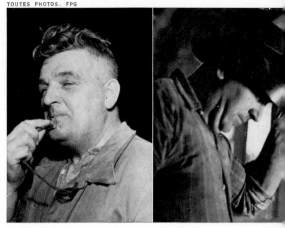

Le Luxembourg

Bien que petit, le Luxembourg est un Etat relativement étendu si on le compare aux pays miniatures de l'Europe, tels Monaco ou Saint-Martin. Le Luxembourg est non seulement plus grand mais aussi plus peuplé que tous ces Etats réunis. De plus, il est un lien vital de l'OTAN et du Marché commun. En bref, le Luxembourg est un Etat dont l'importance n'est pas du tout en rapport avec son étendue. A un certain point de vue, cette importance est due à un caprice de la nature. Les riches gisements de minerai de fer lorrains, situés principalement en France, se prolongent dans l'extrémité sud du Luxembourg. A cause de ces gisements, le grand-duché luxembourgeois se classe sixième parmi les producteurs européens de lingots de fer et huitième pour l'acier. La situation géographique du Luxembourg présente aussi un avantage. Il peut importer économiquement de l'Allemagne et de la Belgique le coke et le charbon nécessaires à ses industries lourdes. D'autre part, une union économique avec la Belgique créée en 1922, assure au Luxembourg un accès facile aux ports de mer belges, sans droit de péage.

Depuis 1948, la Belgique, la Hollande et le Luxembourg maintiennent d'étroites relations économiques. Cette coopération est entrée dans une nouvelle phase en 1959. Cette année-là, un traité fut signé, constituant l'Union économique du Benelux, prévoyant des liens encore plus étroits : facilité d'accès d'un pays à l'autre en ce qui concerne les gens, les marchandises et les capitaux ; coordination des politiques économique et sociale et unification des tarifs commerciaux. Cette dernière est pour ainsi dire achevée. Aujourd'hui, l'Union du Benelux constitue la quatrième unité commerçante du monde.

Au Luxembourg, la révolution industrielle s'est fait sentir plus tard que dans les autres pays d'Europe. Ses riches gisements de minerai de fer ne furent découverts que dans les années 1870. L'industrie a fait des pas de géants depuis. En 1871, environ 40 pour cent de la population s'occupaient d'agriculture, 20 pour cent étaient employés dans les manufactures. Aujourd'hui, ce pourcentage est presque renversé. La main-d'œuvre pour les nouvelles industries commença à affluer de presque tous les pays d'Europe, vers le début du siècle. En 1910, 15 pour cent de la population du Luxembourg étaient d'origine étrangère. Cette immigration a plus que comblé le vide apporté par l'émigration considérable qui s'était produite au cours des années 1880–90, lorsque des familles allaient chercher ailleurs le travail que leur pays ne pouvait leur offrir.

L'ACIER—la principale industrie du Luxembourg. De gauche à droite: l'aciérie, où l'acier fondu est déversé dans un bac; les hommes: un contremaître, un soudeur, un ingénieur et un fondeur.

.. grand-duché démocratique

Cette situation n'existe plus. Aujourd'hui, le Luxembourg participe à l'étonnant redressement économique de l'Europe d'après-guerre. Le revenu national du Luxembourg et le revenu par tête sont plus élevés que jamais. La région méridionale est en plein essor commercial et industriel.

La production agricole du Luxembourg n'a pas souffert de la révolution industrielle; sa campagne n'a pas été abimée comme dans tant d'autres pays. En fait, les aciéries semblent avoir sauvé beaucoup de fermiers de l'extinction éventuelle. Pendant des générations, les régions vallonnées du nord produisaient peu. Les usines du sud fabriquent aujourd'hui un engrais qui a remis les agriculteurs sur pied. Bien que le nombre d'agriculteurs ait considérablement diminué, la production a augmenté. Les principaux produits agricoles sont: le blé, le seigle, l'avoine, l'orge et les pommes de terre; on pratique aussi l'élevage du bétail. Les Luxembourgeois exportent également une grande quantité de semences de luzerne et leurs roseraies sont célèbres.

Certes, il s'est produit des changements dans l'aspect général de la campagne. En 1800, les trois quarts du Luxembourg étaient boisés. Aujourd'hui, les forêts ne couvrent plus qu'un tiers du pays. Toutefois, celui-ci possède proportionellement plus de terres forestières que tous les autres pays de l'Europe. Une partie est employée pour l'ancienne industrie de la tannerie dans le nord. Cependant, il reste encore assez de forêts pour offrir des sites agréables aux touristes.

L'invitation au voyage

La façon la plus agréable de voir le Luxembourg est de voyager en auto, car les routes, autre bienfait de l'industrialisation, sont très modernes. On peut, sans se presser, traverser le pays en un seul jour. Le paysage le long des routes est très varié. Dans les hautes terres des Ardennes méridionales, au nord du Luxembourg, le paysage est plutôt escarpé; les montagnes s'élèvent de 1,300 à 1,700 pieds. Entre les montagnes s'étalent des vallons pittoresques qui présentent un ravissant coup d'œil au printemps. La campagne dans le centre du Luxembourg est plus riante. Pâturages et fermes s'étendent sur des collines vallonnées. La charmante vallée de l'Alzette se trouve plus au sud. En route, on peut s'arrêter dans les anciennes villes, dont un grand nombre possèdent des châteaux historiques et des hôtels confortables.

Le sud-est du Luxembourg est surtout un pays de vignobles; le sud-ouest est

LE CHÂTEAU de Vianden, château historique du Luxembourg, dans la vallée d'Our.

LA MAISON EN PAIN D'ÉPICES de Hansel et Gretel se trouve non loin de la capitale.

surtout industriel. Là, le pays qui est un prolongement du plateau lorrain est plus plat. Les températures extrêmes sont rares, bien que cette région soit plutôt pluvieuse. A part cela, le climat est doux et salubre.

Les habitants sont comme le pays, gais, travailleurs, affables et gentils. Leur politique et leur langage reflètent l'esprit conservateur des Luxembourgeois. Peu de communistes obtiennent des sièges à la législature. Les habitants demeurent attachés à leur langue natale, le letzeburgesch, un mélange d'allemand, de français et de hollandais. On le parle partout, bien que l'allemand et le français soient demeurés longtemps les langues officielles. Finalement, en 1939, les autorités capitulèrent et déclarèrent le letzeburgesch la troisième langue du grand-duché. La majorité des Luxembourgeois apprennent le français et l'allemand à l'école et sont ainsi trilingues.

L'histoire du Luxembourg commence au dixième siècle, lorsqu'il devint une terre du Saint-Empire romain. Plusieurs de ses nobles furent élus empereurs ; un de ceux-ci fut l'aventureux roi Jean de

Bohême, aujourd'hui considéré comme héros national. Son fils, Charles, devint empereur du Saint-Empire en 1347 et plus tard éleva le Luxembourg au rang de duché. Au quinzième siècle, le duché passa aux mains de la maison de Bourgogne. Puis, il passa entre plusieurs autres mains avant d'appartenir à la Hollande en 1815. Le Luxembourg devint éventuellement libre, grâce au traité de Londres de 1867. En 1890, le roi de Hollande abandonna ses droits au trône du Luxembourg. Le duc de Nassau et ses descendants ont occupé la souveraineté ducale depuis lors.

La place du duché dans le monde

La situation géographique importante du Luxembourg le force presque à jouer un rôle dans la politique internationale. Le traité de 1867, signé par la Prusse, la France et la Hollande, entre autres, plaça le Luxembourg sous leur protection et lui accorda un statut de neutralité perpétuelle. Le Luxembourg essaya de s'y tenir, mais au cours des deux conflits mondiaux, le pays fut occupé par les Allemands. La première fois, le Luxembourg se soumit.

La deuxième fois, en 1940, il entra en guerre.

C'est pourquoi, lorsque la guerre froide succéda à la Deuxième Guerre mondiale, le Luxembourg décida de s'aligner. En 1948, une révision de la constitution mit fin au statut de neutralité et en 1949, le Luxembourg se joignit à l'OTAN. Aujourd'hui, il participe aux frais de la défense de l'Europe occidentale.

Le Luxembourg est aussi membre de l'ONU, et participe à presque toutes ses activités. En bref, le grand-duché n'est plus un pays de calme pastoral. Il est en fait, un exemple rare dans le monde moderne : un Etat actif, prenant part à toutes les activités internationales, et conservant néanmoins tout son charme traditionnel au milieu du progrès industriel.

Douglas M. Davis

LUXEMBOURG: RÉSUMÉ STATISTIQUE

LE PAYS

Borné au nord et à l'ouest par la Belgique, à l'est par l'Allemagne, et au sud par la France. Sup., 999 m. c ; pop., 318,000.

GOUVERNEMENT

Un grand duché, régi comme une monarchie constitutionnelle, la souveraineté héréditaire appartenant à la maison de Nassau. La constitution revisée de 1868 accorde le suffrage universel et prévoit une chambre de 52 membres élus pour un mandat de 5 ans. Le souverain désigne 15 membres pour le Conseil d'Etat, nommés à vie. Les pouvoirs exécutifs sont aux mains du premier ministre et d'un cabinet. Le pays est divisé en régions administratives appelées communes.

COMMERCE ET INDUSTRIES

Une partie des riches gisements de minerai de fer de la Lorraine en France s'étendent dans le sud du Luxembourg. Le fer et l'acier comptent pour 75 pour cent de la production industrielle, et 90 pour cent des exportations. Autres produits : cuir, gants, ciment, porcelaine. Environ 20 pour cent de la population s'occupent d'agri-culture ; produits : bétails, céréales, pommes de terre, raisin. Etalon monétaire, le franc luxembourgeois ; le franc belge a aussi cours.

COMMUNICATIONS

Réseau ferroviaire, 350 m. ; réseau routier, 2,800 milles ; 45,000 véhicules motorisés ; 89,000 radios ; 1,600 télévisions ; 3 stations de radio et 1 de télévision.

RELIGION ET ÉDUCATION

Environ 97 pour cent de la population sont catholiques ; le reste luthérien ou juif. Liberté absolue des cultes. Le gouvernement et les communes administrent le système scolaire ; 30,000 élèves dans les écoles élémentaires ; 8,000 dans les 22 écoles secondaires, 6 écoles classiques, 2 écoles commerciales et 4 techniques, 2 écoles de femmes et 2 écoles normales. Ceux qui veulent suivre des cours universitaires doivent aller à l'étranger.

VILLES PRINCIPALES

Luxembourg, la capitale, 69,000 ; Esch-sur-Alzette, 30,000 ; Differdange, 17,000.

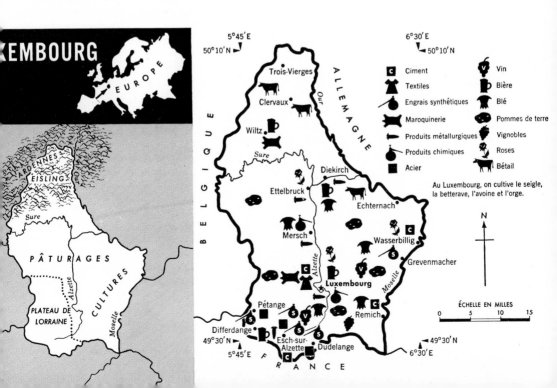

L'Italie

... *son peuple énergique et sa terre*

L'INDUSTRIALISATION est venue tard en Italie. Alors que la révolution industrielle pénétrait en Europe au dix-neuvième siècle, l'Italie demeurait en arrière, handicapée par une pénurie de matières premières. Elle manque de charbon, de lignite, de pétrole et de minerai de fer. Aujourd'hui, aidée par les conditions d'un monde évolué et par la vitalité de son peuple, l'Italie traverse une renaissance économique remarquable.

Aujourd'hui, l'Italie souffre moins de ces désavantages industriels qu'au siècle dernier. Les raisons en sont simples : tout d'abord, dans les pays très développés, les méthodes modernes nécessitent une main-d'œuvre spécialisée qui représente une part bien plus importante du prix de revient que les matières premières elles-mêmes. D'autre part, les ressources naturelles des pays même les mieux fournis s'épuisent rapidement. L'Italie peut donc concurrencer ses voisins européens dans tous les domaines. En fait son industrie de l'acier progresse plus rapidement que dans tout autre pays du continent. Par ailleurs, on exploite en Italie de vastes gisements de gaz naturel.

L'Italie souffre d'un autre handicap : il y a trop peu de terres pour le nombre d'habitants. Cependant, on a réalisé d'immenses progrès, surtout dans le sud du pays, là où les terres improductives ont souvent maintenu le peuple dans la misère. Comme on devait s'y attendre, cette région est l'endroit de prédilection pour le recrutement communiste.

Vers la fin des années 1950, le gouvernement a entrepris dans le sud un vaste programme de développement, programme qui commence à porter ses fruits. Feu le premier ministre Alcide de Gaspieri institua un Fonds pour l'Italie mé-

ridionale, auquel la Banque mondiale a fait des avances considérables. Quelque 8,700,000 acres de terres incultes sont actuellement en train d'être asséchées et amendées. On améliore en même temps 5,000,000 d'acres de terrain montagneux. Le Fonds est en train d'établir également 2,800 centres agricoles et construit présentement 50,000 fermes et 6,000 milles d'aqueducs.

Un des principaux projets de ce genre est celui de Flumendosa en Sardaigne. Là, le Fonds installe des barrages destinés à irriguer 250,000 acres de terrain afin de fournir de l'eau potable à 100,000 habitants et de donner 90,000,000 de kilowattheures de force motrice annuellement.

Naturellement, ces projets ne peuvent à eux seuls apporter tout le secours nécessaire. Il faut également créer de nouvelles industries. Plusieurs industries italiennes ont installé des usines dans cette région peu favorisée. Tous ces efforts, de même que les activités entreprises par le Fonds, ont fourni du travail à 100,000 personnes et pourront en assurer davantage à l'avenir.

C'est dans le nord que se trouve une grande partie des industries italiennes. Une force hydroélectrique abondante et des ressources considérables de soufre et de mercure ont permis de développer une importante industrie de produits chimiques. L'Italie est le plus important producteur de superphosphates en Europe et un des premiers pour l'acide sulfurique. Une main-d'œuvre abondante travaille dans l'industrie textile, fabriquant des tissus de laine, de coton, de soie et de fibres synthétiques. L'Italie possède plus de métiers mécaniques que tout autre pays d'Europe. La vente croissante des automobiles Fiat a donné à l'industrie automobile, longtemps célèbre pour ses voitures de course, une nouvelle place au soleil.

Un autre facteur encourageant est l'essor de la mode italienne. Les chaussures, les sacs de dames et les ceintures étaient connus depuis longtemps pour leur excellente qualité. Toutefois, ce ne fut pas avant le début des années 1950 que les couturiers italiens ont fait un effort concerté pour attirer la clientèle qui, jusque-là, n'achetait qu'à Paris. Le résultat a été surprenant.

L'industrie cinématographique italienne a aussi étendu le prestige de l'Italie dans le monde, en même temps qu'elle a fait rentrer les dollars et les livres sterling, dont le pays a tellement besoin. Peu après la Deuxième Guerre mondiale, plusieurs jeunes metteurs en scène, opérant adroitement avec de faibles budgets, se firent connaître par des films réalistes sur la vie des classes pauvres en Italie. Ces films néo-réalistes, entre autres *Le voleur de bicyclette*, *Le riz amer* et *La Strada* ont remporté de nombreux prix à New-York, à Londres et au Festival de Cannes.

L'Italie est étroitement alliée à l'Occident. Elle est à la fois membre de l'OTAN et du Marché commun. Dans ce dernier, l'Italie est un partenaire assez prudent, étant donné qu'elle est encore économiquement plus faible que l'Allemagne ou la France. Elle ne se montre guère en faveur d'une diminution de tarifs qui pourrait affecter l'essor de ses industries.

Politiquement, l'Italie a un fort parti communiste, qui se recrute surtout dans les régions pauvres. Cependant, le parti communiste a été fortement secoué par la révolte hongroise de 1956. Il perd aussi du terrain partout où s'améliore le niveau de vie. Le parti le plus important, le parti démocrate chrétien, en s'alignant avec d'autres partis, a réussi à se maintenir au pouvoir. Toutefois, depuis la Deuxième Guerre mondiale, aucun d'entre eux n'est parvenu à gouverner d'une poigne ferme.

La Communauté de culture des ouvriers et des paysans est un point lumineux du ciel politique. Cette communauté fut fondée par Adriano Olivetti (mort en 1960), industriel éclairé, et devint un parti en 1957–58. Ses buts sont de faire disparaître le chômage et la misère. A cette fin, la compagnie Olivetti subventionne l'installation de petites usines dans les régions rurales afin de consolider l'économie locale. Cette compagnie assure aussi d'importants avantages sociaux à ses ouvriers. Jusqu'à présent, cependant, son succès politique a été de faible importance.

CES MAISONS TRADITIONNELLES dans le sud le l'Italie s'appellent des trulli. Leurs toits sont en pierre en forme de cône. La pierre dans cette région se travaille facilement et les toits protègent contre la chaleur et la pluie.

UN SITE GRANDIOSE sur le lac Majeur, des cyprès et des statues classiques sur les terrasses d'Isola Bella. Autrefois dénudé, l'îlot fut transformé en un merveilleux jardin au dix-septième siècle.

UNE FERME en Ombrie, dans le centre de l'Italie. A côté des énormes meules de foin, on voit un attelage de bœufs blancs aux longues cornes. Cette race est connue en Ombrie depuis les temps reculés.

TIVOLI se trouve sur une crête, à dix-sept
milles au nord-est de Rome. Villégiature à la
mode au temps des Romains, ce site est toujours
réputé pour ses chutes d'eau.

ITALIE

FRANCE

ALLEMAGNE

LIECHTENSTEIN

AUTRICHE

HONGRIE

SUISSE

BRENNER

YOUGOSLAVIE

Adige

Monza Brescia

Milan

Vérone

Po

Mantoue

Padoue

Venise

TRIESTE

Turin

Plaisance

Ferrare

Golfe de Venise

Fiume

Parme

Modène

Gênes

Bologna

Golfe de Gênes

La Spezia

Nice

Rimini

St MARIN

MONACO

Pise

Florence

Livourne

Arno

A

P

E

MER LIGURIENNE

Tibre

N

MER ADRIATIQUE

Bastia

I. ELBE

CORSE

N

Ajaccio

ÉTAT DU VATICAN

Rome

I

Detr. de Bonifacio

Terracina

N

Naples

Bari

Sassari

MER TYRRHÉNIENNE

Mt. Vésuve

I. CAPRI

Tarente

S

Golfe de Tarente

SARDAIGNE

Cagliari

Messine

Reggio de Calabre

Palerme

Trapani

SICILE

Mt. Etna

Detr. de Messine

MER

Caltanissetta

Catane

MÉDITERRANÉE

Syracuse

AFRIQUE

MALTE

JEDS

298

Le charme de l'Italie

Mais qu'est-ce qui fait le charme de l'Italie ? De tous temps, il semble que la beauté des paysages, la fertilité du sol et la douceur du climat aient attiré les vagues d'envahisseurs qui descendaient du nord. Puis, aux attraits de la nature vinrent s'ajouter ceux de l'esprit et du cœur. L'Italie ne tarda pas à jouir de la suprématie dans le domaine des arts, de la littérature et de la religion. Au temps de l'empire, sous le règne d'Auguste, quand Rome eut hérité de la civilisation de la Grèce antique, l'Italie devint le centre intellectuel du monde. A l'avènement de Constantin qui, au quatrième siècle, fit de l'empire une nation chrétienne, Rome et l'Italie devinrent le centre du christianisme. A l'apogée du moyen âge, deux grands hommes dominèrent le monde de l'esprit : saint Thomas d'Aquin, qui interpréta toutes les connaissances chrétiennes, et Dante Alighieri, le poète florentin, qui écrivit la Divine Comédie; il devint à la fois l'interprète et le prophète de son époque. Plus tard vinrent les géants de la Renaissance : Léonard de Vinci, Michel-Ange, Machiavel et d'autres ; après eux, une lignée ininterrompue de grands esprits se sont suivis jusqu'à nos jours : Ignazio Silone, Enrico Fermi, Moravia. C'est pourquoi les érudits et les artistes qui prennent le chemin de l'Italie le font aussi bien dans un but culturel que pour jouir de la beauté de ses paysages.

Rivières, montagnes et régions

La péninsule italienne n'est pas très étendue et elle est très peuplée. Elle s'étend vers le sud et l'est de l'Europe centrale sur une distance de 700 milles dans la Méditerranée. Elle a la forme d'une grande botte, bornée au nord par les Alpes, au sud par la Méditerranée, à l'est par l'Adriatique et à l'ouest par la mer Tyrrhénienne. Sa largeur ne dépasse jamais 150 milles. On compte 389 habitants par mille carré—deux fois le taux de la France. En dehors de son long littoral irrégulier, les particularités frappantes de sa topographie sont la chaîne des Apennins et les bassins du Pô, du Tibre et de l'Arno. Les Apennins s'étendent du golfe de Gênes, vers l'Adriatique jusqu'aux environs de Ravenne, d'où ils se dirigent vers le sud et forment l'épine dorsale de toute la péninsule.

Le pays peut se diviser en trois zones géographiques principales : le nord, le centre et le sud. Chacune de ces zones a ses régions distinctes. Certes, elles débordent un peu l'une sur l'autre, mais dans l'ensemble chacune a son identité propre.

L'Italie septentrionale se trouve au nord, à l'est et à l'ouest de la chaîne des Apennins ; elle comprend le Piémont, la Lombardie et la Vénétie. L'Italie centrale s'étend des contreforts sud des Apennins jusqu'à Rome. L'Emilie, la Ligurie, la Toscane, l'Ombrie, le Latium et les Marches en font partie. La Campanie, les Abruzzes, la Molise, la Lucanie, les Pouilles et la Calabre forment l'Italie du sud. A l'exception de Naples, toutes les villes importantes se trouvent au nord de Rome. Sienne, Florence, Pise, Bologne et Ravenne sont dans le centre. Gênes, Turin, Milan, Venise sont dans le nord.

Un climat tempéré par la mer

L'Italie est un des pays les plus chauds de l'Europe. Toutefois, la chaleur est tempérée par les mers qui se trouvent à l'est et à l'ouest, par la chaîne des Apennins et par les Alpes au nord. Il en résulte une grande diversité de climats. Au nord, le bassin du Pô est rafraîchi par les vents des Alpes, ce qui donne des hivers généralement froids et des étés chauds. Ainsi, dans toute la région au nord des Apennins, aucune plante ne pousse qui ne puisse supporter un hiver rigoureux. D'autre part, le littoral entre les Apennins et la mer qui s'étend de Gênes vers le sud, jouit d'un climat semi-tropical où croissent les oliviers, la vigne, les orangers et les citronniers.

Dans l'Italie centrale, le climat est généralement tempéré et favorable à la culture de l'olivier, du mûrier et de la vigne. Cependant, lorsqu'on arrive à la chaîne centrale des Apennins, on y rencontre les régions les plus froides de la

MC LEISH

SAN GIULIO ressemble à une île enchantée posée sur les eaux turquoise du lac d'Orta ou lac de Cusio, à sept milles à l'ouest du lac Majeur. Les édifices sur cet îlot rocheux sont ceux d'un séminaire et de l'ancienne basilique de San Giulio. L'église fut fondée au quatrième siècle par saint Jules, qui était venu dans la région pour convertir les habitants d'Orta.

MC LEISH

JOUR DE LESSIVE À OMEGNA, petite ville au nord du lac Orta. Là, jaillit un ruisseau qui coule vers le lac Majeur, ce qui fait que les eaux du petit lac se déversent dans le plus grand. Le lac Orta et le ruisseau fournissent l'eau nécessaire aux diverses industries d'Omegna—des aciéries, une fabrique d'aluminium, des tanneries, des filatures et des papeteries.

péninsule. Dans les hautes vallées des Abruzzes, sur le versant oriental des montagnes, la neige commence à tomber au début de novembre et il y a de grandes chutes de neige aussi tard qu'en mai. Dans la région de l'ancien lac Fucino, directement à l'est de Rome, il y a de fortes tempêtes de neige jusqu'en juin. A environ quarante milles, sur les bords de l'Adriatique, d'Ortona à Vasto, le figuier, l'olivier et les orangers poussent en abondance. A Naples et aux environs, le thermomètre descend rarement à la gelée, mais à vingt milles à l'est, dans la vallée d'Avellino, entourée de hautes montagnes, le gel n'est pas rare même en juin. Plus au sud et à l'est, au cœur de la Lucanie, Potenza a la température la plus froide de l'été de toute l'Italie.

Toutefois, nulle part l'influence des montagnes et de la mer ne se fait autant sentir qu'en Calabre, à l'extrémité de la botte, qui s'étend dans la partie sud de la mer Tyrrhénienne et coudoie la Sicile. Son littoral est un véritable jardin d'oliviers, d'orangers et de citronniers qui se développent comme nulle part ailleurs en Italie. Là aussi croissent la canne à sucre, le cotonnier, le palmier dattier, le grenadier et le figuier de Barbarie. Cependant, si l'on va à quelques milles vers l'intérieur, on se trouve dans les contreforts des Apennins, sur lesquels poussent chênes et châtaigniers. Plus haut, où la neige commence à tomber vers la fin septembre, c'est la zone des conifères.

L'Italie n'est pas et n'a jamais été une nation industrielle. Bien qu'elle possède la main-d'œuvre spécialisée et de grandes ressources naturelles d'eau pour développer ses installations hydro-électriques, elle manque de carburants solides et liquides ainsi que des matières premières de base pour une économie industrielle. Malgré cela, elle a accompli des prodiges industriels, surtout dans les villes du nord, et ses produits sont réputés pour leur qualité. Là où les matières premières manquent, on ne peut faire de la production en série ; mais on ne peut empê-

TRANS WORLD AIRLINES

LA PLACE DES FRÈRES CAIROLI à Milan. Au fond, on aperçoit la tour à horloge du château de Sforzesco, aujourd'hui un musée. Au premier plan se dresse la statue de Garibaldi.

LA CATHÉDRALE DE MILAN marque l'apogée de l'architecture gothique italienne. A certains endroits, la dentelle de marbre est si délicate qu'elle doit être soutenue par des barres de fer.

LES FONTAINES ET LES JARDINS de la villa Lante, une magnifique demeure Renaissance à Bagnaia. Passés maîtres dans la création des jardins, les Italiens ont conservé le goût exquis de la brillante époque de la Renaissance.

DANSE dans une cour à Scanno, village dans les montagnes escarpées de la région des Abruzzes. Les ravissants costumes remontent au quinzième siècle.

304

cher un peuple possédant des qualités inventives et artistiques de produire une automobile, une machine à coudre ou une machine à écrire d'aussi bonne qualité que celles manufacturées dans les plus grands centres industriels du monde. Pour la même raison, l'Italie se distingue depuis des siècles dans les diverses industries artisanales—dans n'importe quel métier qui exige de l'imagination, de la patience et de l'adresse. L'ameublement de la Lombardie, les œuvres en marbre et en albâtre de Carrare, la poterie de Faenza, la maroquinerie de Florence, la bijouterie de Venise, la verrerie et les glaces de Murano—ces produits artisanaux et bien d'autres sont connus des personnes de goût dans le monde entier.

L'agriculture prédomine

En fait, l'activité industrielle de l'Italie s'étend à tous les domaines, de la construction des navires à la fabrication des harmonicas. Cependant, l'agriculture demeure la base de l'économie. La moitié de la population travaille la terre. Plus d'un tiers du revenu national provient de l'agriculture. Presque la moitié de la superficie du pays est en culture. A l'exception du blé, l'Italie se suffit à elle-même. Plusieurs réformes entreprises en 1950 promettent un avenir meilleur. Quand ces réformes, qui comprennent la mise en valeur de terres nouvelles et l'emploi de méthodes modernes de culture, seront devenues une réalité, le pays produira encore plus qu'il n'a pu le faire jusqu'à présent.

La diversité des cultures

La diversité des climats, comme nous l'avons dit, permet une variété infinie de cultures. Les principaux produits agricoles sont les céréales, les olives, le raisin, les fruits, les noix et les légumes. Il y a aussi d'importantes cultures industrielles. Le chanvre et le lin sont cultivés en grande quantité. On récolte assez de tabac pour la consommation domestique. Le coton, les graines oléagineuses et la betterave à sucre sont également cultivés, mais en quantité moindre.

Parmi les céréales, le blé, le maïs et le riz sont les plus importantes. Des deux premières sont tirés les principaux aliments du pays—le pain, les pâtes et la polenta. Le riz est surtout cultivé dans la vallée du Pô, bien qu'on en cultive aussi dans les vallées profondes et humides du centre de l'Italie. On cultive le blé et le maïs partout où le sol s'y prête, bien que la moitié de la récolte du blé vienne du nord des Apennins.

L'olivier et la vigne poussent abondamment dans toute la péninsule. Le raisin qui donne les meilleurs vins est cultivé principalement dans le Piémont et la Toscane. La meilleure huile d'olive vient de la Toscane près de Lucques. Les agrumes viennent bien sur la côte ligurienne au sud-est de Gênes, mais la récolte la plus importante vient du littoral de la Calabre sur la mer Tyrrhénienne. Cette région forme le pied de la péninsule.

Le nord industriel

Quand on examine l'économie totale de l'Italie, tant industrielle qu'agricole, on ne peut s'empêcher de remarquer le rôle prépondérant que joue le nord de l'Italie. Le bassin du Pô, qui est la clef géographique et économique de l'Italie du nord, est un des plus vastes et des plus fertiles de l'Europe. Environ la moitié des ouvriers agricoles et industriels du pays se trouvent dans le nord. Le nord produit la majeure partie des céréales. Les principales industries—textiles, lainages, automobiles —se trouvent dans le nord. Ainsi, on ne se trompe pas en affirmant que l'Italie est principalement un pays agricole, riche dans le nord, assez prospère dans le centre et pauvre dans le sud. Il n'y a pas de grandes rivières dans le sud; la péninsule y est étroite et, à l'exception de quelques régions fertiles sur le littoral, l'intérieur est dominé par la chaîne des Apennins, aride et rocheuse.

Avant de nous occuper du peuple et de ses occupations, il existe une autre chose importante à noter : le grand nombre des touristes. Ce que les Italiens nomment *turismo,* le tourisme, est une industrie majeure, ou comme l'on dit une exportation invisible.

L'Italie doit importer son carburant,

SUR LE GOLFE DE SALERNE. La corniche d'Amalfi passe au-dessus des maisons de pêcheurs. Cette route serpente le long des falaises de la péninsule de Sorrente, qui sépare le golfe de la baie de Naples. Tantôt, la route longe les eaux d'azur; tantôt, elle plonge dans les plantations d'orangers qui se trouvent sur des terrasses.

CES RUINES sont les vestiges d'un temple grec à Pæstum, au sud de Naples. Minuscule village aujourd'hui, Pæstum était une colonie grecque vers l'an 600 av. J.-C.

STALACTITES et stalagmites forment un autel naturel dans une grotte près de Bari. L'eau et la mer ont créé de nombreuses grottes de ce genre en Italie.

307

LES PICS DÉCHIQUETÉS des Dolomites, un prolongement des Alpes, ont un aspect d'une sauvage grandeur. A certaines heures du jour, les rochers présentent une symphonie de couleurs.

PIPE-LINE à Savone, sur le golfe de Gênes. Par ce moyen, le pétrole brut est écoulé sur une distance de 97 milles jusqu'aux raffineries de Milan, cœur industriel de l'Italie.

LA GARE MARITIME de Gênes où viennent accoster les paquebots. Depuis des siècles, Gênes est un grand port et un centre commercial où convergent les navires du monde entier.

ses matières premières et certains produits alimentaires. Elle ne peut survivre sans ces importations. Pour les solder, elle exporte d'autres produits alimentaires ainsi que des objets manufacturés et semi-ouvrés. Cependant, comme elle doit acheter plus qu'elle ne vend, elle souffre toujours d'une balance commerciale déficitaire. Pour remédier à ce déficit, elle compte sur les revenus de sa marine marchande, sur l'argent envoyé par ses émigrants et surtout sur l'argent dépensé en Italie par les touristes. Examinons les faits suivants :

Pendant la période allant de 1931 à 1940, le tourisme a rapporté environ 1,374,000,000 de lires annuellement. Pour la même période, la moyenne du déficit commercial s'élevait à environ 2,606,000,-000 de lires. Ainsi, l'argent apporté par le tourisme pendant cette décade diminuait de moitié le déficit. En 1937, une des meilleures années touristiques, plus de 5,000,000 de visiteurs vinrent en Italie. Depuis 1949, le nombre des touristes n'a cessé d'augmenter. Au cours d'une des dernières années, 7,000,000 de touristes ont apporté 154,000,000,000 de lires au pays. Aussi l'on peut dire que les principales exportations de l'Italie sont le soleil, les fleurs, les trésors historiques et artistiques et le charme du pays lui-même. C'est ainsi que sa beauté et son charme sont les bases principales de son économie !

Connaissons le peuple italien

Etudions son peuple maintenant. Un voyageur a remarqué qu'on ne peut vraiment jouir de l'Italie qu'après avoir oublié ses monuments. Voulait-il dire qu'on ne peut jouir entièrement du paysage romain ou du *fettucine* d'Alfredo si l'on est hanté par la pensée qu'il faut visiter le Colisée ou admirer dans le plus profond recueillement le Moïse de Michel-Ange et qu'il faut prendre des photos des antiquités ? S'il a fait cette observation, c'est un conseil excellent. Si vous ne vous intéressez pas aux trésors artistiques, oubliez-les et mêlez-vous au peuple. Vous y trouverez plus de plaisir que vous ne pourrez en accumuler au cours de toute

LES ARBRES en fleurs donnent une note de gaieté
aux fermes bâties de pierres
sèches que l'on voit dans
le sud de l'Italie.

AU LARGE DE SCILLA,
on pêche l'espadon au harpon. La ville est perchée sur
un rocher dans le détroit de
Messine.

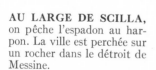

310

UNE SKIEUSE contemple les Dolomites, chaîne escarpée de la partie orientale des Alpes. Cette masse rocheuse se dresse comme la muraille d'une gigantesque forteresse médiévale.

TRAUI, entre Florence et Rome. Presque partout en Italie, les villes s'accrochent aux montagnes plutôt qu'elles ne sont dans les vallées. En cas de conflits, leur position les rendait plus sûres.

PHOTOS, J. BARNELL

LA BASILIQUE DE ST-ANTOINE à Padoue. L'église renferme le tombeau du saint. C'est à Padoue que Petruchio vient faire sa cour à Katharine dans la Mégère apprivoisée.

une vie. Et vous n'aurez rien manqué, parce que le peuple se chargera de vous faire connaître les monuments.

Et tout d'abord un mot d'avertissement. Vous serez souvent supris par les contradictions, par le désordre apparent d'un peuple connu pour la souplesse de son esprit, pour ses qualités artistiques et son affabilité. Attendez pour le juger que vous soyez arrivé à la fin de votre séjour et réfléchissez à ce que vous avez vu dans la perspective de l'histoire du peuple italien.

Le voyageur éveillé aura tôt fait de s'apercevoir qu'il se trouve au milieu d'un peuple qui a le don de jouir de la vie. Si l'on peut dire que les Américains ont le don d'amasser de l'argent, les Anglais celui de gouverner, les Français celui de l'ordre, alors on peut sûrement dire que les Italiens ont le don de vivre pleinement. Peut-être serait-il plus exact de dire que c'est un peuple qui vit intensément et sans retenue. Jeunes ou vieux, au travail ou au plaisir, ils jouissent de chaque instant. C'est là sûrement leur génie. Ils ont le don pour les larmes et pour le rire, pour la haine et pour l'amour. Ils pleurent leurs morts sans retenue; ils haïssent, et ils se disputent avec passion. Ils ne font aucun compromis; ils vivent leur vie pleinement.

A chaque événement important de la vie—naissance, baptême, première communion, mariage—il y a de grandes réjouissances pleines de décorum. Amis et voisins se réunissent; on partage le meilleur pain et le meilleur vin. On chante, on danse, on pleure et on rit. Et lorsque l'un d'eux meurt, les survivants le pleurent longuement et généreusement, étalant leur chagrin sur des épitaphes éloquentes:

Ici reposent les restes mortels du
Chevalier professeur Alfredo Mori,
Connu pour ses vertus exemplaires,
Son dévouement à l'éducation et aux arts,
Dont le zèle au service de son prochain n'était surpassé
Que par sa vénération pour le Père Eternel.
C'est à sa mémoire que son épouse inconsolable
Elève ce monument dans un amour sans fin.

Un peuple aussi compatissant, qui se passionne pour tant de choses, ne peut laisser passer un seul événement de sa vie sans le commémorer et le célébrer. Il peut donc paraître excessivement curieux et touche-à-tout. Le fait est qu'il s'intéresse vraiment à tout. Le moindre accident de la rue attire les Italiens sur les lieux, non pas en spectateurs mais comme acteurs. Ils n'apportent aucun ordre à la scène de l'accident mais la vie même. Ils posent des questions, donnent leur avis ; ils se disputent et prennent parti.

On a souvent dit que les Italiens sont un peuple d'artistes. C'est vrai, mais peut-être le mot *créateur* est-il celui qui leur convient le mieux. En dehors de ce qu'ils ont accompli dans tous les domaines des arts, leur esprit créateur, c'est-à-dire l'amour de créer, est évident dans chacun de leurs gestes. Regardez les artisans au travail et l'intérêt passionné qu'ils y apportent. Surveillez les paysans aux champs, taillant, labourant, semant, récoltant. Voyez les terrasses qu'ils ont élevées sur les montagnes. Chaque petit

UNE MARCHANDE d'Arezzo vend des cierges pour la carême. Pendant le carême, toutes les églises de l'Italie sont illuminées de l'éclat des cierges, dont certains sont très décoratifs.

313

« **VOIR NAPLES ET MOURIR** », dit un proverbe italien. Et le proverbe a raison. Située dans le sud de l'Italie, bâtie en amphithéâtre au bord d'une baie magnifique, dominée par le cône du Vésuve, Naples jouit d'un site tout à fait exceptionnel. Malheureusement, il y a des quartiers très sales. Dans le port, on voit des bateaux de tous genres—navires de guerre, paquebots, cargos, bateaux de plaisance et bateaux de pêche. Ce sont ces derniers que l'on voit sur notre photo. Ces bateaux ont des voiles latines, aux couleurs brillantes. Ils vont pêcher dans la Méditerranée.

314

LE CHÂTEAU D'ARCO, perché sur un rocher de 930 pieds d'altitude, surplombe la vallée de Sarca. Il fut presque entièrement détruit par les Français en 1703, pendant la guerre de la Succession d'Espagne. Ses ruines couronnent le pic escarpé. La ville d'Arco s'étend en demi-cercle sur la plaine, au milieu de jardins d'oliviers. Grâce à la douceur de son climat, la ville est aujourd'hui une station de villégiature d'hiver. La rivière Sarca se jette dans le lac de Garde au nord pour former, ensuite, au sud, la rivière Mincio, qui sépare la Lombardie de la Vénétie.

lopin de terre est soutenu par un mur de pierre, et la terre sur laquelle pousse la vigne a été transportée sur la hauteur dans des paniers. Observez la ménagère dans sa cuisine ; avec quelques fines herbes, un petit morceau de viande, avec presque rien, elle prépare un plat appétissant. Ils ont de l'ordre dans leur travail, une économie rurale méticuleuse, mais avant tout, ils y apportent un soin passionné. Qu'on appelle cela l'instinct artistique ou créateur, cela importe peu.

On peut dire qu'ils ont avant tout le don de survivre. Bien qu'ils soient très nombreux dans un pays peu gâté par la nature et où la terre est partagée si injustement, ils réussissent à survivre. Dans la Calabre, dans la Lucanie, à Naples, où règne la plus grande misère, il faut du talent pour survivre, mais il faut surtout avoir l'amour de la vie.

Le don de survie des Italiens

Un conte ancien, bien connu des Italiens, fait ressortir non seulement leur don de survivre, mais aussi l'humour avec lequel ils font face à la misère. C'est l'histoire de *Bertolo,* écrite vers la fin du quinzième siècle par Giulio Cesare della Croce. Le héros en est le fou du roi lombard Alboïn. Il est condamné à mort pour un méfait. Il demande et on lui accorde une seule faveur, celle de choisir l'arbre auquel il sera pendu. Pendant vingt ans, il parcourt tout le pays aux frais du roi, cherchant l'arbre qui lui servira de gibet. Naturellement, il ne le trouve pas.

Cependant, un peuple qui aime tellement la vie et qui sait vivre ne possède pas le don de vivre en groupe. Les Italiens connaissent toutes les finesses pour survivre en tant qu'individus, mais il leur reste beaucoup à apprendre de la politique pratique pour survivre en tant que nation. On a vu une vingtaine de partis politiques se disputer le pouvoir. Aujourd'hui encore, dans les premières années de la république, et après les effets calmants du fascisme et de la guerre, on voit une douzaine de partis se disputant l'un contre l'autre.

Les Italiens aiment la rhétorique—l'art de discourir—autant qu'ils aiment l'opéra.

Chaque homme éloquent se voit chef de parti. S'il ne peut devenir chef du parti auquel il appartient, il démissionne avec éloquence, traverse la rue, loue une salle et se met à la tête d'un nouveau parti. Les Italiens sont susceptibles de posséder l'idéal le plus exalté de la liberté et personne ne peut le proclamer plus effectivement qu'eux-mêmes. Malheureusement, ils prennent position sans vouloir faire de concessions. C'est pourquoi ils ne font pas de progrès comme les Anglais dans l'art de gouverner.

Une rencontre à Rome

Pendant que je me promenais un dimanche matin sur le Corso, à Rome, lorsque les rues étaient encore désertes, un Italien fort aimable s'approcha de moi et engagea la conversation ; il cherchait évidemment un auditoire. Avant que je m'en sois rendu compte, il était lancé dans un réquisitoire violent contre le gouvernement. Son discours était débité avec feu, accompagné de gestes et d'expressions faciales dominées par des yeux flamboyants et de tels mouvements des lèvres qu'un sourd aurait pu le comprendre. Il se tenait près du trottoir et moi j'étais appuyé contre un mur, écoutant avec intérêt. Lorsqu'il eut fini, il s'approcha et me dit : « Admettez que je parle rudement bien ». Je lui dis qu'il avait en effet très bien parlé. Là-dessus, il me souhaita le bonjour, partit et je poursuivis mon chemin.

Trop de partis en Italie

L'état confus de la politique italienne peut être attribué dans une certaine mesure à l'individualisme excessif des Italiens. L'Italien tient à affirmer sa propre personnalité. Il veut diriger et non pas être dirigé. Un homme qui aime tellement la vie ne veut pas être laissé dans l'ombre. Observez un groupe d'Italiens en conversation. Ils sont rouges de surexcitation. Ils gesticulent violemment ; leurs voix montent et éclatent. Ils ont l'air d'être prêts à se sauter à la gorge. Cependant, ils ne sont pas fâchés, ni vraiment surexcités ; ce sont des individus qui luttent désespérément pour survivre.

Chez le peuple italien, les liens de

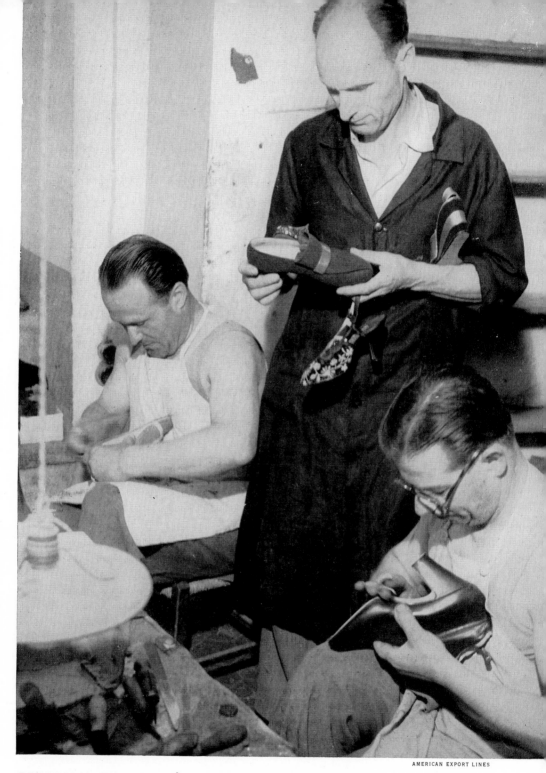

DES CHAUSSURES FAITES À LA MAIN pour les élégantes du monde entier. Les modellistes et les artisans italiens créent des chaussures inégalées du point de vue de la qualité.

LA PIAZZA VECCHIA à Bergame, cité lombarde près de Milan. Cette place se trouve au centre de l'ancien quartier entouré de murs qui couronne un haut sommet. Lorsque le visiteur se trouve là, entouré d'édifices de style roman, il se croit reporté au moyen âge.

UNE MAROQUINERIE à Florence. La ville n'est pas seulement un centre d'art universellement connu, mais elle est aussi réputée pour ses articles en cuir exécutés par des maîtres artisans.

LE PONTE VECCHIO à Florence. Au-dessus des vieilles échoppes et des édifices qui encombrent le pont, il y a un passage couvert—le couloir Vasari, qui mène du Palais des Offices sur la rive nord de l'Arno au Palais Pitti au sud.

famille et les obligations qui en découlent priment toute autre considération. Cela ne veut pas dire que leur vie de famille soit sans nuages, ni que l'on trouve dans une famille italienne un degré inusité d'affection et de bonne entente. Cependant, quels que soient les sentiments entre ses membres, la famille italienne est liée par la conviction qu'une injure faite à l'un de ses membres est une injure faite à tous.

Dans un roman d'Ignazio Silone, une mère fait parfaitement voir le rôle que tient la famille chez les Italiens. Un de ses petits-fils a commis des fautes et elle demande à l'un de ses fils, l'oncle du jeune homme, de lui venir en aide: «Tu as raison de dire qu'il a commis des fautes, mais toi, mon fils, tu dois admettre que j'ai raison quand je dis que malgré tous tes reproches, il n'en reste pas moins un des nôtres. Aucune loi humaine ne peut changer son sang. Ce qui nous lie ensemble se trouve dans nos os, notre sang, nos entrailles».

Cependant, dans un pays où le cœur tient une telle place, où il existe une telle gentillesse, une telle amabilité, une telle humanité, le voyageur verra beaucoup de choses qu'il lui sera difficile de comprendre. Comme dans tant d'autres pays dont l'histoire est tout aussi longue, l'Italie comprend deux mondes, la classe privilégiée et la classe pauvre. Depuis la fin de la Deuxième Guerre mondiale, certaines réformes donnent lieu d'espérer que les deux classes sont sur le point de se rapprocher.

Les mendiants en Italie

En attendant, l'étranger qui parcourt l'Italie doit s'attendre à être accosté par des mendiants et des parasites, comme cela se produit partout où règnent la misère et la faim. Les pauvres ne sont pas violents. Ils implorent, ils supplient, ils vous assiègent avec des histoires pathétiques de misère et ils savent vous tromper. Ils apportent dans leur mendicité une finesse et une roublardise acquises au cours de siècles de lutte pour survivre. Ils

CHARLES MAY

UNE COPIE DU DAVID de Michel-Ange (au premier plan) se dresse entre les ailes du palais des Offices à Florence. L'original se trouve à l'intérieur du musée, un des plus célèbres du monde.

UN SOUHAIT DE BON VOYAGE pour les pêcheurs. A Portofino, petite ville sur la Riviera italienne, on bénit la flottille de pêche. Sous le dais, le prêtre porte l'ostensoire.

que le nord a surtout fourni des hommes d'Etat et des hommes d'affaires, tels que Garibaldi et Cavour. Le centre est la patrie des arts : Dante et Michel-Ange. Le sud est la terre des philosophes : Giordano Bruno et Giambattista Vico. Il y a naturellement des exceptions, mais dans l'ensemble c'est la règle.

Les différents dialectes ont enrichi la langue et la littérature de toute la péninsule. Ils n'empêchent pas cependant les Italiens de se comprendre. Il y a la langue nationale, l'italien littéraire, que l'on parle partout et qui est enseigné dans les écoles. Cette langue est originaire de la Toscane et fut cultivée au début du treizième siècle à la cour de Frédéric II, roi de l'Italie du sud, alors appelée la Sicile. Plus tard, Dante et les autres écrivains de la Renaissance la perfectionnèrent.

Lorsqu'on se rend de la plaine du Pô en Calabre, le changement le plus frappant est la différence de la cuisine.

Un mot avant tout sur la cuisine italienne ; elle est considérée comme une des meilleures d'Europe. Beaucoup de voyageurs soutiennent qu'elle occupe le

ON CROIT que Christophe Colomb est né dans cette vieille maison à Gênes.

ne vous attaqueront pas, mais soyez prudents et surveillez vos objets personnels. Souvenez-vous aussi que là où un vous trompera, un autre se montrera des plus honnêtes. Un ami avec lequel je me promenais dans Florence fut volé de $300 par un changeur. Le jour suivant, il s'arrêta à un kiosque pour acheter un journal. Il était déjà assez loin, lorsque le vendeur le rejoignit en courant. «Vous m'avez donné trop, Monsieur», dit-il. Et il lui rendit trente-cinq lires. C'est ainsi qu'ils sont : bons ou mauvais.

A cause du climat, de la topographie et du sol les cultures sont diverses. Le nord, le sud et le centre correspondent à trois cultures distinctes en même temps qu'aux trois divisions géographiques de l'Italie. On parle d'innombrables dialectes dans la péninsule. Cependant, il est plus facile pour un homme de la Calabre et un autre des Abruzzes (deux provinces du sud) de se comprendre que de se faire comprendre par un Génois. Il est aussi curieux de noter

PHILIP GENDREAU

UNE POSE CLASSIQUE sur l'ancienne voie Appienne, qui va de Rome à Naples.

UNE MÉNAGERIE EN CÉRAMIQUE attend sa sortie du four dans une fabrique de Florence.
Ces animaux ainsi que vases, plats et tasses sont exportés à l'étranger.

LE JOUR DES DRAPEAUX est une ancienne fête à Sienne. Les jeunes gens portent des costumes Renaissance, rappelant les jours de gloire de Sienne quand elle était un centre d'art.

premier rang. C'est une cuisine bien équilibrée, qui comprend beaucoup de légumes, des fruits, des noix, beaucoup de fromage, toujours des soupes savoureuses, du pain excellent et du bon vin. A l'exception de quelques plats régionaux exceptionnels, c'est une cuisine qui plaît aussitôt au voyageur comme s'il y avait été habitué dès l'enfance.

Commençant par l'Italie du nord, il faut se rappeler que c'est le pays du riz, des produits laitiers, des truffes et du bon vin. La truffe est un champignon souterrain.

On se sert de beurre plutôt que d'huile d'olive. *Risotto alla Milanese,* du riz cuit dans du beurre, du bouillon, des oignons, assaisonné de safran et servi avec du fromage râpé, est un des plats caractéristiques du nord. De même, la *fonduta,* qui est un mélange de fromage de Fontina fondu, de beurre, de lait, de jaunes d'œufs et de truffes blanches d'Albe. Il y a aussi la *bagna cauda,* une sauce faite de beurre, d'anchois, d'ail et de truffes, dans laquelle on trempe des cœurs de céleri et de cardon (une sorte d'artichaut). *Osso bucco,*

PARTOUT EN ITALIE, on voit des paniers à provisions, des chapeaux de plage et autres articles tressés en paille. Ces souvenirs peu coûteux sont très appréciés des touristes.

UN BLOC DE MARBRE pour une future œuvre d'art. Les carrières de marbre, surtout celles de Carrare, sont exploitées depuis plus de deux mille ans et ne sont pas encore épuisées.

LES VENDANGES dans les monts Chianti, en Toscane. La région produit le chianti.

un jarret de veau et des courgettes, cuits avec du riz, est une spécialité de la Lombardie; de même que la *busecca*, une soupe faite de tripes et de légumes, assaisonnée de fines herbes et servie avec du fromage râpé.

Produits du nord

Dans le nord, on fabrique trois des fromages réputés de l'Italie—le bel paese, le gorgonzola et le stracchino, ainsi que la plupart des grands vins de la péninsule. Les Italiens du nord sont grands et blonds, très travailleurs, énergiques et gros mangeurs; ils ne plaisantent pas avec la cuisine. Ils soutiennent que les truffes blanches d'Albe sont supérieures aux truffes noires de France. Avez-vous jamais entendu parler des *grissini*, les longues baguettes de pain croustillant? C'est un Italien du nord, Antonio Brunero, qui les créa en 1679.

L'Italie du centre est le paradis des gourmets. Sur la côte ligurienne, de Gênes à Livourne, on trouve une grande variété de poissons. Sur toute la côte, mais surtout à Spezia, on goûte une *boiabesa,* soupe faite des meilleurs poissons de la mer, avec des fines herbes et du vin blanc. Sur l'Adriatique, à Ancône, la même soupe s'appelle *brodetto. Buridda,* un poisson cuit à l'huile avec plusieurs légumes, et *scabeccio,* un poisson mariné au goût exquis, sont deux autres spécialités de la côte ligurienne.

Charcuterie, pâtes, fromage . . .

L'Emilie est réputée pour sa charcuterie—*prosciutto, salcicce, mortadella;* pour ses pâtes (*paste*) faites à la maison, ses raviolis et ses *tortellini;* et pour son parmesan, un des fromages italiens les plus connus. Nulle part ailleurs en Italie l'art de préparer les pâtes n'est aussi perfectionné qu'en Emilie. En une demi-heure, une ménagère prépare un plat de *taglierini* pour une douzaine de personnes. Avec des œufs, de la farine et un peu d'eau, elle prépare sa pâte et la travaille jusqu'à ce qu'elle soit assez ferme pour être roulée. Puis, avec un rouleau de pâtissier d'une verge, ou plus, de longueur, elle aplatit la pâte en feuille circulaire, de

LA PLAGE MARINA PICCOLA à Capri. Cette île rocheuse possède les plus beaux sites du monde. Couverte de végétation elle est comme une émeraude dans la baie de Naples.

LA GROTTE BLEUE DE CAPRI, la plus célèbre des grottes creusée par la mer. Lorsque le soleil brille à l'extérieur, les eaux semblent éclairées d'une lumière bleue.

CES TRACTEURS DIESEL fabriqués chez Fiat sont en train de révolutionner l'agriculture en Italie. Le pays est un des principaux producteurs d'automobiles de l'Europe.

l'épaisseur d'une feuille de papier. On la découpe alors en rubans d'un quart de pouce de largeur. A Rome, on appelle ces pâtes *fettuccine*. On les fait cuire dans l'eau bouillante comme les spaghettis et on les sert avec du beurre et du fromage râpé. En Emilie, on les sert avec une sauce de viande, de tomates, de fines herbes et de champignons. A Gênes, la même *pasta*, préparée de la même manière, est servie *al pesto*—avec une sauce froide d'ail, de basilic frais et d'huile d'olive. Quel que soit l'endroit où vous goûterez ce plat, ce sera un souvenir inoubliable. C'est la qualité de la *pasta* elle-même qui compte ; sa fabrication est une des spécialités du pays.

La cuisine toscane

En Toscane, le voyageur trouve la meilleure cuisine de toute l'Italie. Elle est légère, simple, savoureuse et bien équilibrée. Là, l'huile d'olive est la meilleure de la péninsule. Elle est légère et fruitée. Les sauces sont plutôt maigres que trop grasses. On fait une grande consommation de soupes et de légumes verts. Les carottes, les haricots, les petits pois, les laitues, les artichauts, le fenouil sont cueillis jeunes et sont servis avec un léger assaisonnement d'huile d'olive. *Bistecca alla Fiorentina,* le bifteck tel qu'il est préparé à Florence, est fait sur le gril et assaisonné seulement au sel, au poivre et avec quelques gouttes d'huile d'olive. Un autre plat de la cuisine toscane est le *fritto misto alla Fiorentina*. C'est un mélange de cervelles, de ris de veau, d'artichauts, de courgettes et de très petites côtelettes d'agneau, le tout enrobé de pâte et trempé dans de l'huile d'olive bouillante, puis arrosé de jus de citron.

La cuisine napolitaine

La cuisine du sud de l'Italie est connue pour l'usage excessif de tomates, de piments et de pâtes. En fait, les macaronis et les spaghettis sont l'aliment principal des Napolitains. Au sud de Rome, les aubergines, les piments de toutes sortes, les tomates, les asperges, les artichauts, les olives et la chicorée croissent en abondance. Les Italiens du sud savent très bien les préparer, mais le voyageur les trouvera peut-être trop épicés à son goût. Sur les deux côtes, on trouve une grande variété de poissons, surtout du thon, des anguilles, des truites et des huîtres sur le golfe de Tarente. Le gibier est abondant, notamment le sanglier, la bécassine et d'autres oiseaux. On trouvera ces mets dans tous les restaurants du sud. Et naturellement, au sud de Naples, on se trouve dans la région des oranges, des citrons, des noix, des figues et d'excellent raisin de table.

Dans le domaine de la cuisine, des vins, une grande rivalité existe entre les dif-

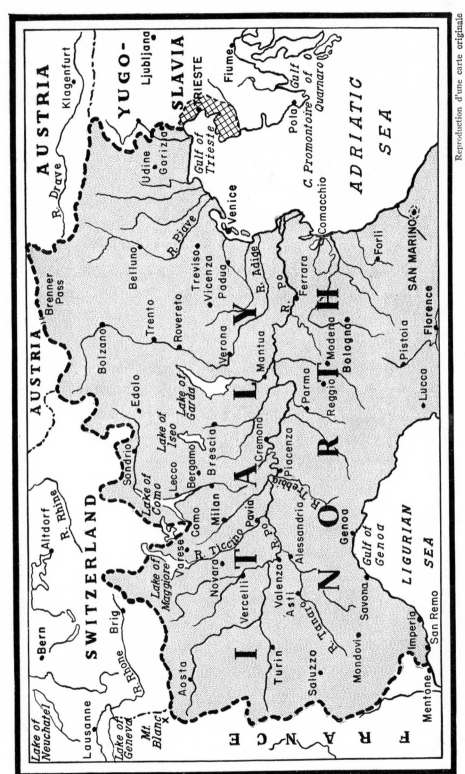

DEUX MERS ET LES ALPES SERTIES DE LACS PROTÈGENT LA PLAINE DE L'ITALIE SEPTENTRIONALE

UNE CENTRALE ÉLECTRIQUE est installée en Calabre, à l'extrémité sud de l'Italie. Ces installations transforment le sud, région qui avait été longtemps négligée.

férentes régions. L'Italien est fier de sa région, de sa province, de son campanile, ou clocher. Le voyageur n'a pas à prendre parti. Partout où il ira, il n'aura qu'à demander les plats régionaux. Il sera rarement déçu et il sera bien vu des habitants.

Lorsque le voyageur passe en revue les impressions qu'il rapporte d'Italie, il est probablement surpris qu'un peuple qui sait si bien vivre soit si mal gouverné. C'est un paradoxe, mais qui n'est pas difficile à expliquer. Ce que nous appelons la culture italienne, s'est développée depuis le temps des Etrusques, au moins cinq cents ans avant la venue du Christ. Cependant, en tant que nation, l'Italie a moins d'un siècle d'existence. Avant 1870, l'Italie formait un assemblage de villes en lutte entre elles, ou qui étaient la proie de souverains étrangers. C'est un fait des plus curieux que les Italiens aient tellement contribué à l'art de la politique, à l'idée de la liberté et à l'art de gouverner six cents ans avant d'avoir pu s'unir en une nation. Finalement, inspirés par Mazzini, l'écrivain, dirigés par Cavour, l'homme d'Etat, et menés par Garibaldi, le soldat, ils chassèrent l'étranger et créè-

PIX

DANS LES VIEUX QUARTIERS pauvres de Naples, toute la vie se déroule en plein air.

PHILIP GENDREAU

ON CONSTRUIT BEAUCOUP À NAPLES. La plupart des quartiers nouveaux se trouvent sur la baie. On y voit une succession d'hôtels et d'édifices des plus modernes.

UN COIN DE NAPLES.
L'odeur des marrons rôtis
attire les clients dans
cette ruelle. Le marchand
les fait rôtir sur sa
charrette à âne.

MÉTHODES modernes.
La ligne d'assemblage
d'une usine à Gênes, où
l'on fabrique les scooters
italiens. Quelques ou-
vriers suffisent, l'automa-
tion faisant presque tout
le travail.

EN ITALIE où l'on aime bavarder, les cafés sont de véritables salons en plein air.

rent en 1870 une Italie unie, bien qu'une monarchie.

Après la Deuxième Guerre mondiale, ils firent un nouveau pas vers la démocratie; ils votèrent contre la monarchie et établirent la république. Le premier parlement, sous la nouvelle constitution, fut élu en 1948. En 1953, de nouvelles élections générales eurent lieu. Il y a eu beaucoup à faire dans un pays marqué par vingt ans de fascisme et par environ dix années de guerre. Les députés se sont livrés à un travail acharné. Il y a eu de grandes rivalités. Les problèmes qui se posent sont angoissants. Des progrès ont déjà été réalisés et il y a toute raison de croire que les Italiens, avec le temps, apprendront à se gouverner. Avec un peuple si intelligent, il ne peut en être autrement.

Angelo M. Pellegrini

ITALIE: RÉSUMÉ STATISTIQUE

LE PAYS

Péninsule centrale du sud de l'Europe, bornée à l'est par l'Adriatique; au sud par la mer Ionienne; à l'ouest par les mers Tyrrhénienne et Ligurienne; au nord par la barrière naturelle des Alpes. Superficie, 116,305 milles carrés; population, environ 50,000,000. Il y a 19 régions (divisées en 91 provinces). Ces régions sont: le Piémont, la Vallée d'Aoste, la Lombardie, le Trentin, la Vénétie, la Vénétie julienne, la Ligurie, l'Emilie, la Toscane, l'Ombrie, la Marche, le Latium, l'Abruzze et Molise, la Campanie, la Pouille, la Lucanie, la Calabre, la Sicile et la Sardaigne.

GOUVERNEMENT

L'Italie est devenue une république en 1946, à la suite d'un vote populaire. L'assemblée a voté une nouvelle constitution en 1947 et celle-ci est entrée en vigueur le 1er janvier 1948. Elle prévoit un gouvernement central, un parlement de deux chambres, un président élu pour sept ans et le suffrage populaire aux citoyens des deux sexes au-dessus de 21 ans. La Cité du Vatican est un état indépendant depuis 1929.

COMMERCE ET INDUSTRIES

Environ 43 p.c. de la terre sont consacrés aux cultures, 22 p.c. aux prairies et aux pâturages, 10 p.c. à l'horticulture, 19 p.c. aux forêts et 8 p.c. ne se prêtent pas à la culture. On produit des fruits, du blé, du maïs, des pommes de terre, des olives, et des betteraves à sucre. Industrie principale, textile (soie, rayonne, laine, coton). La laiterie et la fromagerie sont aussi importantes. Produits industriels: la dentelle, les machines, produits alimentaires, le bois à construction, les objets d'art, le vin, et les automobiles. Minéraux: le soufre, le granit et le marbre, le zinc, le fer, le mercure et le plomb. On a découvert du pétrole, mais on ne l'a pas encore exploité. Exportations principales: légumes et fruits, rayonne, fromage, chapeaux de feutre, riz, huile d'olive, gants, marbre et albâtre. Importations: viande, blé, café, poisson, laine, coton, charbon, machines, caoutchouc.

COMMUNICATIONS

Environ 13,000 milles de chemins de fer, dont 10,000 appartiennent à l'Etat. Lignes télégraphiques, environ 37,000 milles. Bureaux de télégraphe: 10,150. Routes nationales: 105,938 milles. Deux compagnies aériennes desservent les villes de Tunis, Tripoli, Athènes, le Caire, Beïrout, Istanbul, New-York et Buenos Aires.

RELIGION ET ÉDUCATION

Le catholicisme est la religion nationale, mais les autres croyances sont tolérées. Le système scolaire comprend des écoles publiques de tous genres; seule l'instruction élémentaire est obligatoire. Il y a 27 universités publiques ou privées, des écoles techniques, des écoles de hautes études et une institution nationale de cours pour les adultes illettrés.

VILLES PRINCIPALES

La capitale de l'Italie est Rome (surnommée, la Ville Eternelle), 2,100,000; Milan, 1,500,000; Naples, 1,500,000; Turin, 920,800; Gênes, 740,000; Palerme, 582,000; Florence, 421,000; Bologne, 418,000; Venise, 341,000.

CES DEUX ÉDIFICES ont été érigés pour les Jeux olympiques de 1960 à Rome. Ci-contre, les piliers massifs du Palais des sports. En bas, le stade principal qui peut accommoder des milliers de spectateurs. Les deux édifices sont l'œuvre de Pier Luigi Nervi, un des meilleurs architectes que possède aujourd'hui l'Italie.

Rome

ROME est une ville encore tout imprégnée de son passé. C'est l'une des raisons pour lesquelles les nombreux changements qui ont transformé cette ville au cours des dernières années sont souvent passé inaperçus. La splendeur des anciens trésors artistiques légués à Rome éblouit souvent le touriste, le journaliste et même le Romain blasé, les laissant inconscients des transformations qui s'y opèrent chaque jour. Sous le rayonnement de Raphaël et de Michel-Ange, Rome bourdonne de l'activité du

BLACK STAR

... *la ville éternelle*

vingtième siècle. Les usines poussent comme des champignons à la suite de la révolution industrielle qui est venue tard en Italie. Les architectes italiens sont en train de laisser leur empreinte sur nombre d'édifices modernes, dont les stades érigés pour les Jeux olympiques de 1960.

Cette Rome nouvelle s'agite aussi d'une grande activité culturelle. La ville est le centre de l'importante industrie cinématographique de l'Italie. Elle est aussi le siège de la fameuse revue littéraire internationale *Botteghe Oscure*. Cette revue est publiée dans la rue même qui lui a donné son nom, la Via delle Botteghe Oscure, ou rue des Boutiques obscures. Fondée et subventionnée par une princesse romaine, elle publie les ouvrages de jeunes écrivains en cinq langues: anglais, allemand, français, espagnol et italien. De plus, Rome suit Paris comme lieu de prédilection des artistes-peintres. Plusieurs nations y ont des académies de peinture, subventionnées par les gouvernements, par des fondations ou des particuliers, afin de permettre aux jeunes peintres d'y perfectionner leurs talents.

La lutte pour l'existence n'est pas facile à Rome. En 1956, on comptait 500,-000 chômeurs, mais le nombre a diminué graduellement depuis. Les services des transports et des communications fournissent un grand nombre d'emplois. Parmi les autres industries romaines, citons celles de la construction, du vêtement, le génie civil, diverses industries de l'alimentation, de la confiserie, des fabriques de beurre et de pâtes et des imprimeries.

Rome se transforme

Ce n'est que depuis 1920 que Rome est devenue un centre industriel et commercial. Au cours des siècles précédents, la vie économique avait été dominée par les activités de l'Eglise et du gouvernement. Mais l'arrivée d'un grand nombre d'immigrants venant du sud de l'Italie a changé les coutumes et l'aspect général de la ville qui compte aujourd'hui 2,000,-000 d'âmes. Ces transformations n'ont pas toujours été heureuses. Un grand nombre d'édifices anciens, dont certains auraient dû être conservés, ont été démolis pour faire place à de nouvelles usines et à des immeubles d'appartements. Ceux-ci semblent jaillir de partout, au grand dam des amateurs d'antiquités et des urbanistes.

Par contre, les nouvelles constructions préparées pour les Olympiades de 1960 ont été soigneusement étudiées par le ministère des Travaux publics. Lorsqu'il fallut, par exemple, abattre des arbres anciens sur les rives du Tibre pour construire une nouvelle route, les autorités compensèrent en inaugurant le Plan vert,

LA FONTAINE DES NAÏADES
(nymphes des eaux) sur la place Esedra.
Rome est une ville de fontaines,
ornées de figures mythologiques.

LE COLISÉE. Bien qu'usé
par le temps et les intem-
péries, cet édifice demeure
un symbole imposant de la
grandeur de Rome.

LE CHÂTEAU SAINT-ANGE (à droite) et le pont Saint-Ange sur le Tibre. Au fond, le dôme de Saint-Pierre.

LE MONUMENT de Victor-Emmanuel II, le premier roi de l'Italie unie. Le monument se dresse sur le Capitole.

337

plan qui prévoit la création de nouveaux parcs ainsi que la plantation de jeunes arbres dans la périphérie de la ville. D'autres projets comprennent l'installation d'un parc archéologique sur la Voie Appienne, comprenant huit milles de routes secondaires menant aux points d'intérêt, le vaste parc de Castellani Romani, situé à une quinzaine de milles au sud-est de la ville, ainsi que plusieurs autostrades et routes nouvelles reliant la ville aux parcs voisins et aux stations balnéaires.

Mais les travaux les plus intéressants des dernières années sont sans contredit les stades construits autour de la ville pour les Olympiques de 1960. Trois de ceux-ci, œuvres de l'architecte Pier Luigi Nervi, ont provoqué l'admiration des architectes du monde entier. On compte un stade pouvant accommoder 50,000 personnes pour les matches de football-association, couvert en partie par un toit en forme de coquillage, situé sur le Foro Italico, au nord de la ville, et deux plus petites arènes couvertes, au sud de Rome. Les stades de Nervi, admirablement conçus, sont entièrement construits en béton armé.

Parmi les autres édifices nouveaux, mentionnons un stade de 100,000 places et une piscine ouverte entourée d'un stade pouvant abriter 16,000 spectateurs.

Les environs de Rome

En approchant de Rome, on traverse la campagne romaine. C'est une plaine marécageuse, mais assez aride à certaines saisons. Elle s'étend comme une mer jusqu'aux murs de Rome. Au vingtième siècle, on a asséché les marécages et on a amélioré la terre dans une certaine mesure.

Rome s'étend sur dix collines, dont l'une, la Janicule, est située à l'ouest du Tibre. C'est au sud, sur l'autre rive du Tibre, que se trouve le quartier de Trastevere. Les habitants de ce quartier se considèrent comme les seuls vrais Romains. Depuis que ce quartier a été construit, au moyen âge, ses habitants, farouchement indépendants, se sont tenus à l'écart des autres citoyens de Rome, même si bon nombre d'entre eux travaillent dans d'autres quartiers de la ville.

Cependant, à l'exception du Vatican également situé à l'ouest du Tibre, la partie principale de Rome s'étend à l'est du fleuve qui serpente à travers la ville. La ville ancienne se concentre près de la colline Palatine au pied de laquelle se trouve le Forum. Au nord-ouest se trouve le Capitole, colline surmontée d'un énorme monument au roi Victor-Emmanuel II. Ce monument fait face à la Piazza Venezia, au cœur de la ville moderne. D'un côté se trouve le Palazzo Venezia, dont le petit balcon fut le théâtre de plusieurs discours prononcés par Mussolini.

Points de curiosité de la ville

La rue qui est probablement la plus familière au visiteur d'aujourd'hui est la Via Veneto. Cette rue débouche sur l'une des plus belles places de Rome, la Piazza Barberini, où se trouve une fontaine dont le motif représente un triton assis sur une coquille. Les gens s'y rendent vers la fin de l'après-midi pour voir et être vus. La Via Veneto mène aux magnifiques jardins Borghèse, dont les promenades sont à l'ombre de grands chênes verts.

Au faîte d'une autre colline, le Quirinal, s'élève le magnifique palais du même nom. Sa construction fut commencée par le pape Grégoire XIII en 1574. Plus tard, il devint le palais du roi et il est aujourd'hui la résidence des présidents de la république italienne. Tout près se trouve la Fontaine de Trevi. L'eau cascade sur des rochers et tombe dans un bassin sur lequel règnent Neptune et d'autres dieux. La légende veut que si l'on jette une pièce de monnaie dans la fontaine, l'on soit certain de revenir à Rome.

Un autre rendez-vous favori des Romains comme des touristes est l'Escalier des Espagnols où se tient un marché aux fleurs. Cet escalier monte à l'église de la Trinita dei Monti. Au pied de l'escalier se trouve la Piazza di Spagna (Place des Espagnols), entourée du quartier des artistes.

LA BASILIQUE DE SAINT-PIERRE, JOYAU DE LA RENAISSANCE ITALIENNE

La basilique de Saint-Pierre domine la rive droite du Tibre. Une petite chapelle et une basilique construites par Constantin précédèrent Saint-Pierre sur son site actuel. La façade resplendit d'ornements de style baroque. Surmontant le tout, est le dôme majestueux, commencé par Michel-Ange, rendu encore plus imposant par ses lignes simples et pures.

LA PLACE DE SAINT-PIERRE ET L'AVENUE MENANT AU TIBRE

Des statues du Christ, de saint Jean-Baptiste et des apôtres dominent cette place, le chef d'œuvre de Bernini. Au centre, se dresse un obélisque entouré de deux gigantesques fontaines. Des colonnes doriques, 370 en tout, forment les gracieux demi-cercles des colonnades entourant la place. La Via della Conciliazione mène au Tibre et au tombeau d'Adrien.

MCLEISH

DES JARDINS DU PINCIO, on aperçoit, au delà d'un quartier moderne de Rome, l'éclatante masse blanche de Saint-Pierre sur l'autre côté du Tibre. A gauche de la Basilique, on peut voir le Palais de Justice. Le Pincio, rendez-vous favori des Romains par les chaudes soirées, fut transformé au début du dix-neuvième siècle d'un vignoble en un jardin d'agrément. Déjà à l'époque de la Rome antique, le Pincio était une colline de jardins, où des Romains célèbres, tels que l'épicurien Lucullus, possédaient des villas somptueuses.

340

LE TEMPLE DE SATURNE, dont il ne reste plus que huit colonnes, domine l'arc de triomphe de l'empereur Septime-Sévère, sur le mont Capitole. Dans les temps anciens, le trésor public était gardé dans ce temple qui, à en juger par ce qui en reste, devait être magnifique. On y accédait par un escalier élevé. L'église de Santi Martina e Luca, qui fut d'abord construite au septième siècle sur les ruines de la salle où le Sénat romain tenait ses assemblées, fait face au temple. Ce site grandiose est très visité par les touristes.

341

LA GALERIE DU VATICAN RENFERME DES ŒUVRES DES GRANDS MAÎTRES

La Pinacothèque du Vatican, sa galerie de peinture, renferme des chefs-d'œuvre de Raphaël, de Léonard de Vinci, de Fra Angelico, de Murillo et de plusieurs autres maîtres italiens et espagnols. C'est un des rendez-vous favoris des amateurs d'art. En faisant des copies des tableaux, les élèves espèrent retrouver les secrets et la technique des maîtres anciens.

Si à notre arrivée à Rome le temps est clair, nous apercevons à l'horizon ce qui nous semble être un nuage : c'est le dôme de St-Pierre dans la Ville Eternelle de l'empire des Césars, du domaine des Papes, et aujourd'hui de la république d'Italie.

Cette ville, sur le Tibre, présente un extraordinaire mélange d'antique et de moderne. La rue qui aboutit à la gare pourrait être celle de toute ville moderne. Les tramways y roulent bruyamment et les marchands de journaux offrent leurs gazettes à grands cris—et il y a plus de journaux à Rome qu'à New-York. Les vendeuses de fleurs égaient la scène. De nombreux prêtres et religieux circulent au milieu de la foule pressée.

Un peu partout on rencontre des piazze, ou places publiques, avec des obélisques, des colonnes, des fontaines et quelquefois des arbres. L'on est impressionné par les nombreux squares, les obélisques, les balcons des palais, les magnifiques églises, les colonnades et les ruines, non moins que par les jardins éclatants de mille couleurs, les cafés, les librairies et les grands magasins. Tout cela est dominé par le dôme de St-Pierre, et les colonnes des Césars se dressant encore

BUREAU ITALIEN DU TOURISME

LES MERVEILLEUX JARDINS DU PALAIS DES COLONNA

Le Palais Colonna, imposant édifice qui rappelle l'ancienne grandeur de la famille Colonna, se trouve sur la large avenue Umberto, près du centre de Rome. Sa construction fut commencée au 15e siècle par le pape Martin V, un membre de cette famille. Le palais contient une célèbre galerie de tableaux et il est entouré de jardins féeriques que nous voyons ci-dessus.

MC LEISH

LES GARDES SUISSES DU PAPE sont toujours de faction au Vatican et font partie de la suite du Saint-Père dans les processions. Leur uniforme a beaucoup changé au cours des siècles, et il était devenu réellement laid. En 1914–15 on leur dessina le costume ci-dessus, qui est plus élégant et reproduit exactement celui que portaient les gardes il y a plus de 300 ans.

BAS-RELIEF RÉCEMMENT DÉTERRÉ PARMI LES RUINES DU FORUM DE TRAJAN

La splendeur ensevelie de la Rome impériale réapparaît dans cette sculpture en haut-relief qui fut trouvée parmi les ruines du Forum de Trajan. Le dernier et le plus magnifique des forums de l'ancienne Rome, il fut construit au début du IIe siècle de notre ère. Le griffon était préposé à la garde d'un trésor caché. Ce forum était consacré au soleil.

avec une grandeur mélancolique.

Le Mont Palatin (Palatium) surplombe le Forum. C'est sur cette colline que Romulus établit la Rome primitive. L'endroit n'est plus aujourd'hui qu'une masse de débris, mais l'on peut retracer le mur de Servius (probablement l'œuvre de Servius Tullius), mis à jour par des excavations allant du Tibre au Mont Capitolin, et de là au Quirinal, et l'on voit comment il fut construit avec des blocs de tuf de deux pieds, taillés sur place. L'on peut même voir la caverne—appelée Lupercal—dans laquelle les fondateurs jumeaux de la cité auraient été allaités par une louve.

Le Forum Romanum, qui commence dans le creux de la pente est du Mont Capitole, était le cœur de l'ancienne Rome, et le lieu d'assemblée des premiers citoyens. Avec le temps il devint le centre de la vie civique et politique de la ville. C'est là qu'on élevait des monuments aux héros romains, des temples aux dieux et des tribunaux de justice.

Les envahisseurs barbares brûlèrent et pillèrent la ville; les artisans de la Rome chrétienne en prirent les pierres pour construire les églises; le temps et la négligence le vouèrent à la ruine, si bien que pendant des siècles la plus grande partie du Forum resta ensevelie sous quarante pieds de déchets, dont la surface servait de marché à bestiaux, et où les blanchisseuses faisaient sécher leur linge.

Aujourd'hui, grâce aux excavations, une bonne partie de l'antique Forum est dégagée, et nous pouvons y contempler les restes de temples, de prisons, de tombeaux et de basiliques. Nous y verrons ce qui reste du vieux Sénat, et cette dépression qu'on appelle le Lac de Curtius. D'après une légende, un gouffre se serait ouvert en 362 av. J.-C. sur l'emplacement du Forum, et les augures avaient déclaré qu'il ne pourrait être comblé que par la possession la plus précieuse de Rome. Marcus Curtius, convaincu que la possession la plus précieuse de la ville était un bon citoyen, monta à cheval, et portant son armure complète, s'élança dans le gouffre

LE QUIRINAL S'ÉLÈVE SUR LA PLUS HAUTE COLLINE DE ROME

Jadis, la résidence d'été des papes, le palais du Quirinal fut ensuite la demeure de la famille royale d'Italie de 1870 à 1946. En face, se dressent deux groupes de dompteurs de chevaux.

LES CORAZZIERI, UN DES VESTIGES DE LA MONARCHIE

Les Corazzieri, au magnifique costume, gardent aujourd'hui le président de l'Italie. A l'origine, ce groupe de cent hommes triés sur le volet servait de garde d'honneur royale.

SEULES TROIS COLONNES DEMEURENT DE LA SPLENDEUR PASSÉE

Au cœur de Rome, non loin de l'antique Forum, on voit les ruines du temple de Castor et de Pollux, les jumeaux guerriers qui figurent dans la mythologie grecque at romaine.

DES IMMEUBLES MODERNES ENVAHISSENT UNE TRÈS ANCIENNE CITÉ

Les nouveaux immeubles de Rome ont toujours des balcons pour contenter ceux qui ont des goûts romantiques. Les peuples latins ont de tous temps aimé s'installer en plein air.

LA COLONNE DE TRAJAN COMMÉMORE UNE VICTOIRE ROMAINE

Les bas-reliefs de la colonne rappellent les exploits de l'armée romaine qui vainquit les Daces. Les colonnes tronquées et des morceaux de marbre sont tout ce qui reste de l'ancien forum.

qui aussitôt se referma sur lui.

La saison de tourisme commence à Noël. De Noël à l'Epiphanie tout Rome est en fête. Le Jour de l'An, tout le monde reçoit un pourboire, à partir du facteur jusqu'à l'homme qui répare votre dactylographe, et en retour les marchands font des cadeaux à leurs clients. La coutume remonte à Janus, d'après qui la colline de Janicule fut nommée, et auquel on éleva un temple et des arcs. Le premier mois de l'année fut également nommé après lui. L'on prétend que c'est Janus qui introduisit la coutume de donner des présents, qui au début consistaient surtout en bouquets. Mais avec la splendeur grandissante de Rome, la pratique prit de telles pro-

portions que, au temps d'Auguste, des familles s'appauvrissaient à faire des cadeaux qui dépassaient leurs moyens. Aujourd'hui le Vatican et le Quirinal passent la journée du Jour de l'An à recevoir des visites officielles.

Le fashionable Corso est la promenade de la Rome moderne. De la Piazza del Popolo l'on peut gagner la fraîche retraite des Jardins du Pincio, sur le Mont Pincio. Vers les cinq heures la fanfare joue et toute la ville se promène.

Le long du Corso, l'une des principales artères de Rome, les amis se rencontrent pour déguster une tasse de café à un restaurant voisin, disons au Colonna ou au Fagiano, sur la grouillante Piazza Co-

AMERICAN EXPORT LINES

LES BŒUFS ET L'AQUEDUC RAPPELLENT LA ROME ANTIQUE

L'aqueduc auquel ces bœufs se désaltèrent remonte au quatrième siècle av. J.-C. Les aqueducs des Romains étaient si solides que plusieurs d'entre eux sont encore en usage de nos jours.

lonna où tout le monde semble s'être donné rendez-vous.

Le Forum a été le centre de la vie publique ; les cris des gladiateurs et les rugissements des lions faisaient trembler le Colisée. Malgré leur âge, ces monuments sont encore imposants et bien caractéristiques de la ville qui a donné ses lois au monde. Les colonnes du Forum, les ruines de tant de monuments rappellent les jours où Rome était la maîtresse d'un puissant empire et le centre d'une civilisation.

Une chose qui frappe lorsqu'on se promène dans Rome, c'est le nombre incalculable des églises dont la plupart sont fort belles et qui contiennent le plus souvent des tableaux et des sculptures du plus grand intérêt.

Saint-Pierre est probablement la plus belle église du monde. La longue colonnade qui borde la place, les fontaines, les tons chauds de la pierre forment un ensemble inoubliable. L'intérieur est une véritable débauche d'or et de marbre. On y voit les statues monumentales de saints, de prélats, de grands rois chrétiens. Le dôme, haut de plus de 404 pieds forme un dais au-dessus du tombeau de saint Pierre. Les quatre piliers qui le soutiennent sont l'œuvre de Bernini ainsi que la colonnade de la place, la chaire et le ciel de marbre qui surmonte l'autel papal.

Le palais du Vatican

Près de la Basilique se trouve le palais du Vatican qui devint la résidence des papes en 1377. Ses galeries contiennent les plus riches collections de sculpture grecque ou gréco-romaine qui soient au monde. Le palais a été construit sur une échelle dont il est difficile de se faire une idée. Il contient vingt cours, deux cents escaliers et plus de mille chambres, y compris les galeries de peinture, les musées, les chapelles, les bibliothèques et l'appartement personnel du pape.

Les plus grands artistes du monde ont contribué à décorer le Vatican. Dans la chapelle Sixtine, les fresques de Michel-Ange sont une des merveilles de la Renaissance. On peut y voir également des œuvres de Botticelli, de Domenico Ghirlandajo et autres artistes de la même époque.

Les Loges sont riches en tapisseries et en décorations exécutées soit par Raphaël, soit d'après ses cartons ; le musée du Vatican possède sa «Transfiguration» et le palais renferme beaucoup d'autres de ses œuvres. Dans la chapelle de Nicolas V, on peut voir des tapisseries d'après Fra Angelico. Au musée se trouve également le groupe de «Laocoon» que l'on attribue au premier siècle avant notre ère, ainsi que de nombreuses répliques de la statuaire grecque : la Vénus de Cnide, l'Apollon du Belvédère et un «Torse» célèbre, également au Belvédère du Vatican.

Le royaume temporel du pape

Le Vatican, le Latran (résidence des papes avant 1377), d'autres édifices à Rome et le palais d'été de Castelgandolfo, sis à dix milles du Vatican, forment un état indépendant du reste de l'Italie depuis 1929, dont le chef est le pape. (Voir page 289 du même volume).

Si, en quittant le Vatican, on traverse le Tibre et l'on se dirige vers le Colisée, on rencontre le mont Capitole, centre religieux de l'ancienne Rome, où se groupent de nombreux vestiges de l'antiquité : églises et monuments divers. Le centre de la ville moderne est la place de Venise. Le Palais de Venise contient des œuvres du Titien et de Fra Filippo Lippi. Non loin de là, on peut voir la statue élevée au XXe siècle à la mémoire du roi Emmanuel II et le tombeau du Soldat inconnu.

La place du Capitole, toute proche du mont Capitole, est en grande partie l'œuvre de Michel-Ange. Au centre se dresse la statue équestre de Marc-Aurèle, sculpture romaine du IIe siècle de notre ère, mais dont le socle a été dessiné par Michel-Ange, ainsi, d'ailleurs, que le palais du Sénat, également proche, devenu, de nos jours, l'hôtel de ville.

Après avoir admiré les monuments les plus célèbres de Rome, devant la variété inouïe des choses intéressantes qui s'offrent de toutes part à la vue, on réalise que la ville entière est un immense musée du passé, musée tout aussi vivant aujourd'hui, d'ailleurs, qu'il l'était il y a deux mille ans et qui mérite pleinement son appellation de «la Ville éternelle».

LA VOIE APPIENNE A VU DÉFILER LES SIÈCLES

Partant du centre de Rome vers le sud jusqu'à Capoue, et puis obliquant au sud-ouest jusqu'à Brindisi, la Via Appia emmène l'automobiliste à travers les ruines de sa grandeur passée.

UN MONUMENT DURABLE À UN ANCIEN TRIBUN DE ROME

La pyramide de Caïus Cestius, un tribun du peuple au temps des Césars, a survécu au passage des siècles. Ses murs épais sont en briques encastrées dans des blocs de marbre.

Venise ...*reine de*
l'Adriatique

V ENISE est une ville unique au
monde. Son existence même est un mi-
racle, car elle s'étend sur 118 îlots qui ne
se trouvent qu'à quelques pieds au-dessus
du niveau de la mer. Entre les îlots
coulent 160 canaux, traversés par quelque 400 ponts. Les édifices qui se dressent
au bord des canaux ont des fondations
peu ordinaires. Ils reposent sur des pilotis
enfoncés profondément dans la boue et
ancrés sur de lourds blocs de pierre.
Toute la circulation se fait sur des gondoles et encore plus sur des *vaporetti*, ou
bateaux à vapeur. C'est pour cette raison
que Venise paraît extraordinairement
calme au visiteur habitué au vacarme des
autos.

Mais l'attention de ce dernier est bientôt attirée par autre chose. De même que
Rome, Venise a conservé ses monuments
anciens. Contrairement à Rome, cependant, nul programme d'urbanisme ne remplit ses rues d'architecture moderne.
La population de Venise n'a guère changé
depuis le seizième siècle. En 1548, la
population s'élevait à 158,000 habitants ;
aujourd'hui, elle se chiffre à 175,000. La
Venise du vingtième siècle diffère néanmoins de l'ancienne reine de l'Adriatique
pour deux raisons. Grande puissance il y
a quatre siècles, Venise n'est plus le port
le plus actif de la Méditerranée ; elle n'est
même plus le port le plus important de
l'Italie. C'est Gênes qui occupe cette
place. Deuxièmement, les édifices et vestiges qui la relient au passé servent à
un but auquel ils n'étaient pas destinés.

AU CRÉPUSCULE, sur la place Saint-Marc,
le soleil couchant, comme un puissant projec-
teur, illumine l'église de San Giorgio Maggiore
située de l'autre côté de la lagune.

354

355

CET OUVRIER façonne la proue d'une gondole. Aujourd'hui, on construit peu de nouvelles gondoles. Les chantiers maritimes s'occupent surtout de travaux de réparations.

Ils sont là non pas comme symbole de l'ancienne richesse de Venise, mais ils lui assurent sa richesse actuelle.

Cependant, Venise demeure encore un port important. Elle domine la navigation de la côte orientale de l'Italie. Des cargos britanniques, yougoslaves, grecs et italiens y déchargent des matières premières, telles que charbon, pétrole, engrais, coton, céréales et vin. D'autre part, Venise est reliée par rail à Milan, Bologne, Tarvisio et Trieste et, par cette dernière, à la Yougoslavie et à l'Autriche. Elle domine toujours l'Adriatique. Cependant, le déclin de ses marchés commerciaux à l'est, dont ceux de la Yougoslavie, la Grèce et la Turquie, ainsi que l'avènement de l'Atlantique comme principale artère commerciale du monde, ont fait du tort à la ville.

Venise a essayé de remédier à cet état de choses en développant ses industries locales. Les perles de verre ont longtemps constitué un important article d'exportation. On y a maintenant ajouté les miroirs, les lampes électriques, les candélabres et la mosaïque. La pêche, l'ébénisterie, l'imprimerie, les travaux de génie civil, les matériaux de construction, les tissus et les produits chimiques constituent les autres industries locales. La Venise moderne est loin d'être pauvre. Soutenue par l'industrie touristique, elle se classe, de par sa richesse, au huitième rang des villes italiennes. Mais elle n'est plus depuis longtemps la reine de la Méditerranée. La reine n'est plus qu'une princesse, mais une princesse belle et très animée.

Les historiens croient que Venise fut colonisée à l'origine par des réfugiés fuyant devant des envahisseurs, dont le Hun Attila. A la fin du sixième siècle, douze communes s'étaient établies sur les petits îlots.

La république de Venise

A la chute de l'Empire romain, Venise passa sous la domination de l'empire de l'Est, ou Empire byzantin. Cette domination était plus théorique que réelle. Dès l'an 697, les Vénitiens élirent leur premier doge (le principal magistrat). A partir de ce moment-là, jusqu'en 1797, Venise fut vraiment une république.

Au début du moyen âge, Venise fut constamment attaquée par des pirates dalmates. On fit construire des châteaux fortifiés, et on protégea les canaux contre les navires ennemis en plaçant des chaînes à leur entrée. Les maisons étaient groupées autour des églises. On approfondit les canaux, on assécha certains endroits jusqu'alors recouverts par la mer et on planta des vignes et des vergers.

La plupart des ponts étaient de simples constructions en bois mais le premier pont construit sur le Grand Canal fut un pont de bateaux. Le premier pont en pierre fut celui de San Zaccaria, qui date d'un peu avant 1170. Celui du Rialto fut, à l'origine, un pont flottant. Pont en bois, il fut reconstruit deux fois au cours du treizième siècle. L'actuel pont du Rialto, conçu par l'architecte du pont des Soupirs, ne fut terminé qu'en 1591. Les premiers ponts n'avaient pas de marches, mais formaient des plans inclinés que les chevaux pouvaient franchir sans difficulté. Une loi de 1392, relative à la circulation routière, prescrivait que les chevaux et les mules devaient porter des clochettes pour avertir les piétons. Dès le XIII⁰ siècle, on vit apparaître des trottoirs en briques et des bateaux reliant la terre ferme aux îles voisines.

Avec le temps, la ville devint une puissante république, avec une flotte qu'enrichissait un commerce mondial. De grands chênes furent abattus dans les forêts du territoire principal pour la construction de navires. Ces navires allaient en Angleterre chercher de la laine, ainsi qu'aux Indes et en Chine, dont ils rapportaient des marchandises pour l'Italie. Ils pénétraient dans la mer Noire à la recherche de fourrures. En prenant part aux croisades, ils en vinrent à établir des postes commerciaux même en Terre Sainte.

A mesure que l'Empire d'Orient s'affaiblissait, Venise réussit à se procurer des colonies à Chypre et en Crète et à s'emparer des îles grecques. Lorsque Gênes, de concours avec la Grèce, commença à disputer les routes commerciales, Venise établit un empire latin à Constantinople (1204–61). En 1379, les Génois firent le blocus de Venise; la république insulaire, à son tour, fit le blocus de la flotte génoise et la força à se rendre. Constantinople tomba en 1453, et dès lors Venise eut à défendre ses colonies contres les Turcs, conflit qui dura plus de 250 ans. Un coup mortel pour sa suprématie économique lui fut porté en 1498 par la découverte d'une route maritime vers l'Inde.

Venise fit alors l'acquisition de Padoue, d'où étaient venus une partie de ses habitants plusieurs siècles auparavant, ainsi que de Crémone (connue pour ses violons), de Vérone et de certaines autres villes et provinces. Elle les gouverna avec sagesse. A cause de sa puissance croissante, elle fut attaquée par la Ligue de Cambrai (appuyée par les rois de France et d'Espagne), et en 1509, elle perdit la plus grande partie de son territoire sur le continent. Après 1797, son gouvernement était devenu une oligarchie de familles riches agissant par l'entremise du Grand Conseil, et un conseil moindre, celui des Dix. Ce Conseil des Dix réduisit le rôle du Doge à celui d'une figure. Napoléon détruisit la république en 1797; elle fut cédée à l'Autriche par le traité de Campo Formio. Une révolte en 1848–49 la libéra pour un temps, mais, affaiblie par le choléra résultant des mauvaises conditions d'hygiène, elle retomba sous la domination autrichienne, dont elle réussit à se soustraire en 1866. A compter de cette date, son sort fut uni à celui de l'Italie.

Essayons d'imaginer le monde à l'époque de la grandeur de Venise. Lorsque les orfèvres Nicolo Polo et son frère Maffeo revinrent de leur première expédition en Chine, l'empire de Kublaï Khan s'étendait des steppes de la Sibérie au Punjab de l'Inde. Marco n'était qu'un adolescent de

L'ÉGLISE SANTA MARIA DELLA SALUTE domine l'extrémité du Grand Canal.

BLACK STAR

VENISE ÉMERGE DES EAUX BLEUES DE LA LAGUNE

De ses 120 îles, Venise se mire dans les eaux bleues de la lagune de l'Adriatique. La plupart des rues sont des canaux et un grand nombre d'édifices sont construits sur pilotis.

dix-sept ans lorsqu'en 1271 il se décida à accompagner son père et son oncle dans leur deuxième voyage. Il ne se doutait guère alors de toutes les merveilles que ses yeux contempleraient pendant les vingt-trois années qui suivirent.

Kublai Khan avait demandé qu'on lui apportât de l'huile de la lampe du Saint-Sépulcre à Jérusalem. Les trois voyageurs transportèrent un vase de cette huile à travers ce qui est aujourd'hui la Turquie orientale, la Géorgie et le désert de Gobi. Il est intéressant de noter qu'ils passèrent le mont Ararat, mais le dirent infranchissable; que, faisant allusion au pétrole, ils rapportent qu'il y avait en Géorgie «une fontaine d'où jaillissait de l'huile bonne à brûler mais non à assaisonner une salade.» (Le pétrole y est devenu par la suite un produit important.) Ils furent témoins des méthodes de recrutement des chefs musulmans qui administraient du hashish à leurs victimes. Pénétrant dans la région qui est aujourd'hui la Perse, ils palpèrent les châles duveteux de Kerman. Ils furent étonnés de voir la grosseur des queues des moutons arméniens, dont l'appendice caudal pesait souvent jusqu'à trente livres. Ils avancèrent

hardiment dans les profondeurs du Badakhshan inexploré où l'on exploitait des mines de sel-gemme, et où l'on extrayait des rubis des flancs des montagnes. Ils traversèrent le désert de Gobi avec ses mirages et ses dangereuses tempêtes de sable. Cette grande Mer de sable, comme l'appellent les Chinois, est décrite par Marco Polo avec des détails précis.

A Kanchow ils se trouvaient dans la patrie des tribus mongoles qui à ce moment-là faisaient des incursions en Russie et pénétraient même jusqu'à Budapest. Ce n'est qu'après quatre ans de trajet pénible que nos voyageurs arrivèrent à Shanadou. Le dôme imposant du palais du Khan étincelait de violet, de vert et de vermeil au-dessus de murs plaqués d'or et gravés de figures de dragons et de bouddhas. Dans la grande salle le monarque de toute l'Asie et de l'Europe orientale pouvait recevoir six mille personnes à dîner. On dit qu'il avait un million de serviteurs. A l'intérieur des murs de sa résidence d'été il gardait dix mille chevaux blancs. Son cortège du Jour de l'An comprenait cinq mille éléphants dont chacun portait deux coffres remplis de trésors.

Marco plut à Kublai Khan qui aimait

358

ses contes. Le souverain facilita ses voyages, et pendant dix-sept ans Marco parcourut le Cathay. A la fin il revint avec une petite flotte, la doublure de ses vêtements remplie de bijoux d'une valeur inestimable. On le surnomma «Marco Millions.» Comme les Mongols avaient pour le moment repoussé l'invasion musulmane, les marchands de soie vénitiens pouvaient se servir de la route que Marco avait ouverte à travers l'Asie. Les rapports de ses voyages, qui avaient grandement augmenté les connaissances de l'Europe au sujet des pays étrangers visités par lui, furent ainsi perpétués. Au cours d'une bataille entre Venise et Gênes, sa rivale, en 1298, Marco fut fait prisonnier et passa le temps de sa détention à

MONKMEYER, PHOTO MEERKAMYER

LA PLACE ST-MARC À VENISE

La place St-Marc, à Venise, est unique au monde par la somptuosité des édifices qui l'entourent: la cathédrale St-Marc, le palais ducal, les musées et les maisons à arcades. Les milliers de pigeons qui couvrent la place sont aussi une attraction pour les touristes qui leur jettent du grain, acheté d'un vendeur empressé. Aucun véhicule n'est autorisé à circuler sur la place.

dicter ses mémoires à un autre prisonnier qui était doué de talent littéraire. L'ouvrage fut traduit en un grand nombre de langues; il fut imprimé en 1447.

Gondoles Peintes en Noir

Venise est aujourd'hui très aimée des touristes. Quittant le continent, le train paraît s'avancer en pleine mer. Tout à coup nous apercevons des dômes et des tours qui s'élèvent de l'eau, sans aucune trace de terrain aussi loin que porte la vue. A la gare il n'y a pas de taxis ou de voitures, mais seulement des gondoles ballottant sur les eaux noires. Une loi, promulguée au XVe siècle, exigeait que les gondoles fussent peintes en noir. Par les nuits d'été sous la constellation des cieux, les lumières se reflètent sur l'eau et l'on peut entendre le moindre murmure.

L'on pourrait passer un mois à Venise et à peine y mettre le pied à terre, car un réseau de 150 canaux mène presque à chaque porte. Mais derrière les voies d'eau il y a un labyrinthe d'étroites rues et de places pavées, reliées entre elles par des ponts arqués ressemblant à ceux dont parla Marco Polo à son retour de Chine. Il est assez difficile cependant de trouver son chemin à pied, lorsque tant de voies se ferment abruptement, quelquefois en face des murs noircis d'un vieux palais aux fenêtres grillagées. A certains endroits il serait facile de disparaître sans laisser aucune trace. Cela fait songer aux enlèvements, aux rendez-vous clandestins, aux sociétés secrètes, aux conspirations et aux machinations ténébreuses.

L'Exil pour une Mauvaise Pesée

La vieille république des Doges était cruelle à un point aujourd'hui incompréhensible. Par exemple, entre la grande cathédrale de St-Marc et le Pont du Rialto sur le Grand Canal il y a un monument portant une inscription qui menace de toute une échelle de punitions, des amendes et de la servitude pénale jusqu'à l'exil et la torture, ceux qui fabriquent et mettent en vente dans toute rue ou place publique, gondole ou bateau, un pain rond excédant un poids fixé.

La plupart des rues ont conservé leurs noms antiques. En arrière de la Place de St-Marc il y a la Rue des Assassins, un sentier étroit, avec, au milieu, une courbe où les meurtriers pouvaient guetter leurs victimes. Plusieurs rues rappellent une espèce de combat de taureaux qui avait lieu à l'époque du Carnaval. Ce combat tire son origine d'une révolte, au XIIIe siècle, d'Ulrich, patriarche d'Aquileia, contre Venise. Le Doge, chef de la république vénitienne, envoya une flotte qui le fit prisonnier avec douze de ses chanoines. Ils furent pardonnés et libérés à condition que leur ville envoyât, chaque année, le jeudi du Carnaval, un tribut de douze pourceaux et d'un beau taureau.

Une Coutume Carnavalesque

Les animaux étaient reçus en grande pompe dans l'un des salons du Doge. Ce salon était décoré de modèles en bois des forteresses d'Ulrich. Le Doge apparaissait avec ses robes d'apparat, et, solennellement, condamnait à mort le taureau et les pourceaux. Une musique martiale annonçait bientôt l'arrivée d'une procession des corps de métiers portant drapeaux et épées. Saisissant leurs victimes ils les conduisaient à la place de St-Marc aux grands applaudissements de la foule. Aussitôt que les clameurs avaient pris fin, l'on donnait le signal du sacrifice. Alors le taureau était mis en liberté partielle, c'est-à-dire qu'il était retenu par une corde qui lui permettait de foncer jusqu'à une certaine distance. Là-dessus des matadors amateurs, brandissant d'énormes coutelas, cherchaient à lui trancher la tête d'un seul coup. C'était ensuite le tour des cochons que la populace pourchassait avec des épées. A la fin le Doge menait la marche vers le Palais, et, au son de trompettes, il détruisait les forteresses de bois avec son bâton. C'était un jeu enfantin, mais qui amusait la foule.

Autrefois le Carnaval de Venise était célébré dans le monde entier, et de toute l'Europe les visiteurs affluaient à la ville. Une semaine durant, c'étaient des bals masqués dans les théâtres et les places publiques, et toutes sortes d'amusements qui se continuaient la nuit comme le jour. Il n'en reste plus grand'chose.

**PORTEURS D'ÉTEN-
DARDS** de Sienne, vêtus de
costumes médiévaux, ajou-
tent au chatoiement de couleurs de la Piazetta Saint-
Marc, la petite place qui
ouvre sur la grande.

LES GONDOLIERS ont
leur jour de fête sur le
Grand Canal pendant les
régates qui ont lieu en
avril. Les poteaux servent
à amarrer les gondoles.

361

PHOTOS, CHARLES J. BELDEN

Au XVIe siècle il n'y avait pas moins de dix mille gondoles. Leurs hautes proues, appelées dauphins (ressemblant à des chevaux de mer), étaient dorées; la petite cabine au centre était tendue de velours, et ses coussins étaient de soie ou satin brillants. Mais cet éclat finit par céder à la simplicité qui caractérise les ornements de bois et la proue d'acier de la gondole moderne. En été la cabine est remplacée par un léger auvent. La gondole prend une forme spéciale lorsqu'elle sert de corbillard ou de bateau de prison; autrement, elle est d'un dessin uniforme.

Nulle part ailleurs les funérailles sont-elles aussi impressionnantes qu'à Venise. Sous le soleil éblouissant, les eaux reflétant les palais roses, l'on voit avancer une longue file de gondoles noires. La première attire l'attention par une quantité de couronnes de fleurs attachées à la proue et une immense croix d'argent sur une tenture noire au-dessus de la cabine, où les prêtres en surplis murmurent des

LE PALAIS DES DOGES, SYMBOLE D'UN GLORIEUX PASSÉ

Le palais est un mélange de fantaisie architecturale. Entre l'étage supérieur en marbre blanc et rose et la colonnade en arcade se trouve une galerie d'arcs à lobes très déliés.

L'ÉGLISE DE SANTA MARIA DELLA SALUTE, SUR LE GRAND CANAL

Une ornementation somptueuse, très fouillée caractérise l'architecture un peu baroque de cette église octogonale. A l'intérieur, on admire des peintures du Titien et du Tintoret.

LA BASILIQUE de Saint-Marc, une merveille de l'architecture byzantine. Ci-contre, on aperçoit l'entrée principale. En bas, la galerie au-dessus de la porte principale, gardée par des chevaux de bronze à la fière allure. Au milieu de l'arche en pointe, on voit le lion ailé, symbole de l'ancienne Venise.

LE PONT DU RIALTO sur le Grand Canal. Ce pont à arche unique, construit en l'an 1590, est bordé de boutiques. Sur le quai, le long ud Canal, on peut se promener.

LE CHARME PAISIBLE de Venise. C'est sur les petits canaux de la ville plutôt que sur le Grand Canal encombré que l'on peut goûter le charme enchanteur de Venise.

DES LAGUNES PEU PRO-FONDES et des canaux étroits obligent le gondolier à se tenir à l'arrière de son embarcation pour la diriger. Un poids déposé à l'avant compense celui du batelier.

prières. Immédiatement après s'avance la gondole funèbre dirigée par quatre gondoliers en livrée noire ; cette gondole porte le cercueil sous un auvent jonché de fleurs. Une croix noire se dresse au timon, et à la proue un ange déploie ses ailes d'argent.

Aujourd'hui les gondoliers attendent aux points de stationnement, qui de temps immémorial sont fixes. Ces gondoliers forment une espèce de corps de métier qui a ses écoles, est régi par des lois strictes et comporte certains bénéfices. Tout gondolier doit faire partie d'un syndicat, auquel il verse des cotisations et dont il partage les profits.

L'on peut traverser le Grand Canal soit par le pont, soit par le vapeur. Celui qui préfère l'antique mode de transport, n'à qu'à se rendre à un point de stationnement quelconque ; ou encore il n'a qu'à crier «Poppe!» (traduction littérale : poupe), et, de l'autre côté, un bateau viendra le prendre. C'est la coutume de placer le prix du passage sur le rebord du bateau.

Œuvres de Grands Maîtres

Nous pourrions passer des semaines à visiter le palais des Doges où vivaient les chefs de l'ancienne république aux jours de sa fabuleuse richesse. Des arcades de marbre rose soutiennent les murs extérieurs, et les murs intérieurs sont enrichis de peintures par de grands maîtres vénitiens. Les piliers des arcades sont magnifiquement sculptés. L'ouvrage au haut d'une des colonnes représente, en une exquise miniature, toute la vie de l'homme. Il y a d'abord un nourrisson au berceau, puis une scène de balcon à la Roméo et Juliette, un mariage, l'arrivée d'un héritier, puis, à la fin, le lit de mort. D'autres sculptures représentent les saisons, les industries, les oiseaux, les bêtes et les poissons, les péchés et les vertus et des scènes bibliques.

Entrons, Place St-Marc, où les colporteurs juifs importunent les touristes, dans l'un des vieux cafés. En hiver nous pénétrons dans une série de pièces surchauffées dont les murs sont bordés de divans de peluche rouge. Nous y voyons ce que

dut être un café au XVIIe siècle. Mais au printemps nous pourrons nous installer à l'une des centaines de tables qui s'avancent sur la Place.

La Cathédrale Dorée

La Cathédrale de St-Marc est probablement sans égale pour la richesse de ses décorations. A l'origine chapelle privée du Doge, elle commença sa carrière en 828 sous forme d'une petite construction de bois destinée à recevoir les reliques de St-Marc qu'on avait apportées d'Alexandrie. Cette église fut incendiée en 976 au cours d'une insurrection, mais fut plus tard reconstruite et modifiée. Pour ce travail l'on employa des artisans et des artistes tant byzantins que lombards. Il en est résulté un mélange architectural unique.

La cathédrale, devenant le centre religieux de la république grandissante, fut ornée de butin rapporté de l'Orient et du continent italien par les négociants. L'église est disposée en croix grecque avec un dôme au centre et un autre sur chacun des bras. Le pavement est un ensemble de porphyres rouges et verts et de marbres, tandis que les murs et le plafond sont revêtus de délicates mosaïques sur un fond d'or. Ces mosaïques, composées de millions de petites pièces de marbre, de feuille d'or et d'émaux reproduisent brillamment des histoires bibliques : la Création, la Chute de l'Homme, le Déluge, l'Arche de Noé, l'Histoire de Moïse, la Tour de Babel, la Vie de Notre-Seigneur, la vie de St-Jean et quantité d'autres sujets. Les mosaïques au-dessus du portique de l'angle nord-ouest représentent la translation des restes de St-Marc, qui reposent actuellement sous le maître-autel.

Aventureux Chevaux de Bronze

La Pala d'oro, rétable de ce maître-autel, est un des plus magnifiques spécimens connus de l'art de l'orfèvre et du bijoutier. Elle reproduit les figures du Christ, de Saints, d'Anges et de Prophètes, et est sertie d'au moins treize cents perles, quatre cents grenats, trois cents émeraudes et un nombre égal de saphirs. L'ouvrage, commandé en 976, fut, entre cette date et 1345, à plusieurs reprises, agrandi et enrichi.

Les quatre chevaux de bronze qui surmontent les portes de St-Marc, viennent, prétend-on, d'un Arc de Néron, ou furent peut-être enlevés à Constantinople. Napoléon les fit envoyer à Paris, mais après sa chute, ils furent ramenés à Venise. Au début de la Deuxième Guerre mondiale, on les cacha jusqu'à ce que le danger fût passé.

Le haut campanile, ou tour des cloches, a eu, lui aussi, ses aventures. Les fondations, qui s'affaissaient, causaient depuis longtemps de l'anxiété; un beau jour, au mois de juillet 1902, la tour s'écroula au milieu d'une tempête épouvantable de poussière et de fragments. La reconstruction en fut complétée en 1910.

A certains jours de fête, à midi, après que les Maures de bronze ont sonné l'heure à la vénérable horloge de St-Maur, une petite porte s'ouvre, et les statues des trois Rois Mages en sortent, baissant solennellement leurs chapeaux en passant à tour de rôle devant l'image de la Ste-Vierge et de l'enfant Jésus assis sur un trône.

Venise, avec ses bâtiments de marbre luisant, change constamment d'apparence; ses couleurs ne sont jamais les mêmes. Parfois, sous un ciel de plomb, la ville prend un aspect de deuil, avec ses sombres canaux, des palais gris et des lagunes mornes. Mais par un temps ensoleillé, les lagunes, les toits et les fenêtres rutilent de feux reflétés, et les pavés sont de l'or liquéfié.

Au cours de la Guerre de 1914–18, plus de six cents bombes furent déversées sur Venise, détruisant l'église de Santa Maria Formosa, qui fut, depuis, restaurée. Par mesure de précaution, l'on avait transporté à Rome les chevaux de bronze. En

1917, le patriarche de Venise fit le vœu d'élever un temple votif à la Sainte Vierge si la ville était épargnée. Cette église, située sur le Lido, renferme dans ses fondations une brique de St-Pierre et un fragment de la grotte de Lourdes, théâtre de tant de miracles. Au cours de la Deuxième Guerre mondiale, bien que beaucoup de trésors d'autres villes italiennes aient été détruits, Venise fut épargnée.

PAT MORIN, MONKMEYER

LE PONT DES SOUPIRS est probablement l'édifice le plus connu de Venise. Il surplombe un canal entre le palais des Doges (à gauche) et la célèbre prison des Plombs. La prison n'existe plus depuis longtemps. Ceux qui franchissaient le pont devaient s'attendre à un sort terrible.

DEPUIS DES SIÈCLES, la verrerie de Venise est réputée dans le monde entier. Grâce aux méthodes modernes, l'industrie a pris un nouvel essor.

UNE VUE du palais des Doges. Au premier plan, la statue de saint Théodore sur une colonne de marbre; au fond, l'ancienne douane.

LE CŒUR DE VENISE. A gauche, l'église Santa Maria della Salute; à droite du Grand Canal, la bibliothèque de Saint-Marc.

La Sicile ... *île de soleil et de volcans*

UNE grande partie du charme de la Sicile lui vient de sa pauvreté et de la faiblesse de son gouvernement. Les huttes anciennes et misérables des villages qui pointillent le paysage sont là parce que les Siciliens ne peuvent les remplacer. Les bandits romantiques qui parcourent la campagne sont là parce que le gouvernement central de l'île est trop faible pour s'en débarrasser. La Sicile a conservé sa splendeur moyenâgeuse, mais elle a aussi conservé la fange qui l'accompagne.

La Sicile souffre du même malaise économique que l'Italie méridionale. Ses ressources industrielles sont faibles et sa main-d'œuvre est en grande partie inexpérimentée. Il y a quelques régions fertiles, surtout dans la région de Catane. Le sol de la Sicile est généralement plus fertile que celui de l'Italie méridionale. Cependant, les agriculteurs de l'île ne peuvent lutter contre la concurrence des produits alimentaires cultivés ailleurs, qui se vendent meilleur marché. Même les oranges de la Sicile sont menacées par celles d'Israël. L'avenir de l'île ne paraît guère brillant.

Cependant, le Fonds pour l'Italie méridionale travaille activement en Sicile, améliorant les terres, construisant des fermes, investissant dans les anciennes et les nouvelles industries. Les améliorations ont été considérables. Cependant, le Fonds doit faire face à des obstacles imprévus. Dans certains cas, les nouvelles fermes n'ont pas assez de terres pour assurer la subsistance des personnes qui y travaillent. D'autre part, le Fonds n'a pas réussi à attirer autant d'investissements de l'étranger qu'il l'avait espéré. Les capitaux qui sont entrés dans le pays sont demeurés dans des régions déjà industrialisées, telles que celles de Palerme et de Catane.

La contribution majeure de ce Fonds a été l'aide apportée aux industries tra-

ditionnelles de la Sicile, celles du ciment et des oranges. Il y a un marché tout prêt pour ces produits sur le continent, marché qui ne peut que se développer à mesure que les conditions s'amélioreront en Italie méridionale.

Le banditisme qui règne en Sicile est une survivance des temps anciens, alors que les conflits entre familles et groupes ethniques divisaient l'île. Aujourd'hui, les couleurs dont sont badigeonnées les maisons indiquent généralement l'origine ancestrale de l'habitant—grecque, normande, romaine ou sarrasine. La Mafia, l'organi-

LA MISÈRE et la saleté vont de pair dans les ruelles de nombreuses villes en Sicile. Malgré cela, chaque balcon a des fleurs en pots, qui sont comme un défi au délabrement général.

sation secrète de la Sicile, pour tout le mal qu'elle fait, apporte au moins une mesure d'ordre dans l'intérieur sauvage du pays. La Mafia exige un paiement de ses victimes, mais en retour, elle leur offre une protection que ne pourrait leur offrir la police. Dans certaines villes, la Mafia est si puissante que la police ne peut fonctionner qu'en coopérant avec elle. Les membres de la Mafia sont liés par un code sévère de loyauté et sont recrutés dans toutes les classes de la société.

Le plus célèbre bandit des dernières années ne faisait cependant pas partie de la Mafia. Il s'appelait Salvatore Giuliano et il terrorisa la Sicile occidentale de 1947 à 1950. De même que Robin des Bois, il kidnappait et volait les riches, donnait aux pauvres, et était extrêmement galant envers ses victimes féminines. Il laissait les corps des informateurs qu'il avait tués dans la rue avec des billets rythmés épinglés à leur personne, disant que Giuliano n'aimait pas les espions. Il fut finalement abattu en 1950. Le peuple continue à composer des ballades chantant ses exploits.

De même que la Sardaigne et plusieurs autres régions de l'Italie, la Sicile jouit d'une large mesure d'autonomie, malheureusement déléguée aux autorités locales. Les communes sont d'habitude sous la coupe des bandits locaux ou des membres de la Mafia.

Le gouvernement central est dominé par une assemblée de quatre-vingt-dix membres, élus pour un mandat de quatre ans. Ces derniers élisent un président qui représente la Sicile à Rome et vice versa. Les démocrates chrétiens remportent généralement le plus de voix aux élections, mais en nombre insuffisant pour constituer un cabinet anti-communiste, sans avoir à former des alliances destructives avec d'autres partis.

En dépit de tout cet imbroglio politique, la beauté naturelle de la Sicile demeure intacte. Ses quelque cinq millions d'habitants jouissent d'un climat extrêmement doux, traversé seulement par des vents brûlants deux mois de l'année. Sur la côte nord, il y a des falaises abruptes et d'excellents ports. Les côtes de l'ouest et du sud sont basses et plates, s'étendant entre les montagnes et la mer. A l'est, le littoral est abrupt et rocheux, à l'exception de la plaine de Catane et du mont Etna. Là, des coulées de lave durcie s'avancent en promontoires hardis dans

J. BARNELL

LA CUEILLETTE d'oranges juteuses dans une plantation située sur un versant de l'Etna.

CHARLES J. BELDEN

DE RICHES BRODE-RIES ornent l'ancien costume d'une jeune fille de Piana dei Greci, près de Palerme, où beaucoup d'Albanais sont installés.

CES CHARRETTES aux vives couleurs et à hautes roues se rencontrent en Sicile.

VANCE HENRY

VIEILLE RUE ENSOLEIL-LÉE à Taormina, dont la plage est très connue.

DE SVELTES COLONNES et des arches gracieuses d'un monastère bénédictin, fondé en 1174 à Monreale, près de Palerme.

un rayon de vingt milles. Le plateau central est couvert de champs de blé. Dans la partie nord se trouve une chaîne de montagnes qu'on croit être un prolongement des Apennins.

Les montagne sont d'origine volcanique. Le mont Etna s'élève à 10,705 pieds au-dessus de la vaste plaine de Catane, et les plus basses de ses pentes, surtout vers le sud-est, sont très peuplées et tapissées de vignobles et d'oliviers. L'on croit que l'Etna est plus ancien que le Vésuve. A un niveau plus élevé, ses flancs sont couverts de bois épais. En hiver, son pic est couronné de neige. A un millier de pieds du sommet, se trouve un observatoire auquel on accède d'ordinaire par Catane. L'histoire a enregistré plus de quatre-vingts éruptions sérieuses de l'Etna. Celle de 1928 projeta une vague de lave fondue qui dévala les flancs du mont pour se jeter à la mer. Par endroits, cette vague atteignit deux cents pieds de hauteur ensevelissant les maisons sur son passage. La population s'enfuit avec les animaux, cependant que le brasier infernal dégageait une chaleur torride.

Depuis 1669, la lave de l'Etna n'avait pas atteint la mer. Cette fois, elle pénétra dans Catane, ville qui a été dévastée à plusieurs reprises par de violents tremblements de terre. Messine fut détruite par un terrible tremblement de terre en 1908. Depuis, la ville a été reconstruite, mais elle n'a pas retrouvé son cachet d'autrefois. A l'entrée du port se trouve une gigantesque statue de la Vierge qui accueille les navires entrant à Messine.

Dans le nord de l'île, il y a d'assez bons ports. Aucun des cours d'eau de la Sicile n'est navigable sur plus d'une petite distance. La population de la Sicile souf-

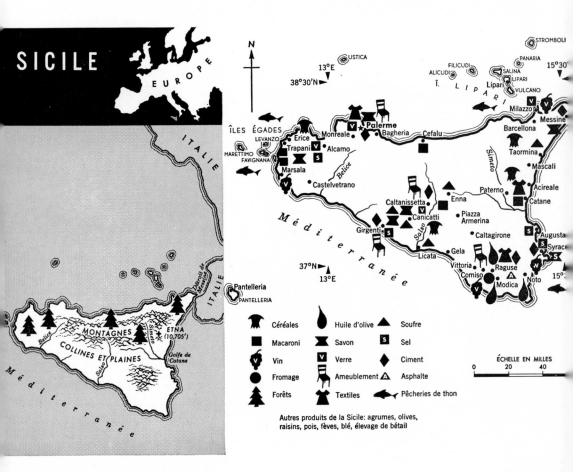

Autres produits de la Sicile: agrumes, olives, raisins, pois, fèves, blé, élevage de bétail

DES PÊCHEURS AMARRENT LEURS BATEAUX, LEUR JOURNÉE TERMINÉE

Les pêcheurs siciliens s'accompagnent souvent de chansons populaires en retirant leurs filets et en ramenant leur prise. Bien que le métier soit dur, ce sont de joyeux lurons, pleins d'énergie.

D'ANTIQUES TEMPLES GRECS de pierre dorée dressent encore leurs ruines croulantes à Girgenti. Ceci est un reste du Temple de Castor et Pollux.

fre d'inondations en hiver et de sécheresses qui, en été, tarissent souvent les rivières et brûlent la plaine. A ces causes de malheur s'ajoutent l'ignorance et la paresse du peuple. L'on ne se soucie guère de reboiser, aussi la Sicile a-t-elle perdu une bonne partie des bois pour lesquels elle était célèbre.

Malgré l'âpreté des vents qui en hiver assaillent la plupart des villes de la montagne, la Sicile reste pour le touriste une île de roses. Le sol est fertile même dans les régions les plus sèches et la végétation est luxuriante. Dans le sud-ouest il y a des palmiers nains, et plus à l'intérieur, il y a des dattiers, et des figuiers d'Inde. Même ici l'irrigation a rendue possible la culture de citronniers d'orangers, de mûriers, de grenadiers et d'excellents raisins vinifères. Vers la fin du printemps l'on exporte en Italie des quantités de fruits. Un autre produit d'exportation est le cuivre extrait de la vaste région minière de Caltanissetta au centre de la Sicile.

Coup d'Œil sur le Passé

A Palerme, sur la côte septentrionale, de vieilles constructions on ne peut plus charmantes, dressent leurs tourelles au-dessus de rues incroyablement sales. Ici et là on aperçoit un portail arqué encore en bon état, une porte ou un vitrail colorié qui méritent d'être étudiés. L'attrait de la Sicile est précisément dans ces reliques du passé dont s'exhale un parfum de légende. Cependant autrefois des mendiants d'une malpropreté repoussante, exerçant leur métier séculaire, importunaient les touristes avec leurs supplications éternellement pleurnicheuses.

Autant que les historiens peuvent le constater, les premiers habitants de la Sicile auraient été les Sicanes (probablement une race ibérique), les Sicules, qui occupaient la côte orientale, et une race plus cultivée, les Elymes, qui s'établirent dans le nord-est de l'île. Vers l'an 1000 av. J.-C. les Phéniciens y avaient fondé des stations commerçantes le long de la côte mais en furent chassés par des groupes vagabonds de colons grecs, qui au cours des 150 ans qui suivirent ont fondé des centres importants sur les côtes est et ouest et créé la véritable civilisation sicilienne. Les colonies grecques comprenaient Syracuse, Naxos, Catane, Messine (l'ancienne Zancle), Girgenti (l'ancienne Agrigente), Géla et Himère.

Une Succession de Conquérants

A cette époque lointaine la Sicile était remplie de Phéniciens et de Carthaginois, et plus tard elle fut une cause de guerre entre Rome et Carthage. Les Romains chassèrent les Carthaginois au cours de la première guerre punique (264-241 av. J.-C.), et en 210 la Sicile, où prédominait la langue grecque, se soumit à Rome, et pendant plus de six cents ans continua à faire partie de l'empire romain. D'abord le grenier de Rome, on y abandonna graduellement la culture du maïs pour la laisser retourner à l'état de pâturage. Palerme (l'ancienne Panorme), en devint la ville principale et l'est encore aujourd'hui. Au Ve siècle de notre ère les Vandales conquirent la Sicile mais la perdirent plus tard. Pendant plus de trois cents ans elle fit partie de l'empire d'Orient, à Constantinople. En 878 elle fut prise par les Sarrasins, et fut sous le joug musulman pendant près d'un siècle. En 1061 arrivèrent les Normands, d'abord comme pillards, ensuite comme conquérants. Sous Robert Guiscard et son frère Roger ils dominèrent l'île pendant les trente ans qui suivirent. Robert Guiscard conquit le sud de l'Italie et fit son frère comte de Sicile. Sous le fils de Roger les éléments ethniques hétérogènes du duché et du comté devinrent le Royaume Uni des Deux Siciles.

Quelque temps plus tard la Sicile passa par mariage à l'empereur (Hohenstaufen) Henri VI, dont le fils introduisit dans l'île un haut degré de culture. En 1264 le Pape Urbain IV, un Français, donna la Sicile au comte français d'Anjou.

Les Vêpres Siciliennes

Cette période fut la plus sinistre de l'histoire si trouble de la Sicile. Le comte d'Anjou se montra si tyrannique et pressura à tel point les Siciliens que, en 1282, le peuple massacra presque tous les hommes, femmes et enfants de la popula-

DES MARAIS SALANTS PRÈS DE TRAPANI, EN SICILE

La Sicile, qui fait partie de la république italienne, est la plus grande île de la Méditerranée. Elle est située à l'extrémité sud-ouest de la botte italienne. L'industrie du sel pour l'exportation est la principale occupation de la ville et de la province de Trapani. La ville de Trapani est le port d'expédition de ce produit sur la côte occidentale.

tion française. Le carnage eut lieu à Palerme le soir du 30 mars, le signal convenu étant le premier son de la cloche des vêpres, d'où le nom de Vêpres siciliennes.

Comme résultat du renversement de la puissance angevine la Sicile passa sous le pouvoir de la maison d'Aragon. Affamée, l'île se révolta et finit par devenir un royaume séparé. Par la suite elle appartint tour à tour à l'Espagne, à la Savoie et à l'Autriche. Elle resta unie à Naples jusqu'à l'arrivée de Garibaldi en 1860. Celui-ci défit le roi François II et traita le peuple avec tant de ménagements et de justice, que peu après les Siciliens et les Napolitains, avec qui ils étaient alliés depuis des siècles, consentirent à se joindre à l'Italie.

La Sicile produisait autrefois un fort pourcentage de la production mondiale de soufre, mais son rendement a baissé considérablement depuis quelques années à cause de la forte concurrence provenant d'autres pays. La valeur du minerai n'est pas assez élevée pour permettre la création de grandes industries. On extrait et on exporte aussi le sel, particulièrement sur les côtes où l'eau de mer est utilisée. La Sicile est avant tout une contrée agricole, et une grande partie des habitants s'occupent d'industries dépendant de l'agriculture, telles que la conserverie des fruits et des légumes, la fabrication d'huile d'olive. On s'occupe aussi de tannage, de la fabrication d'allumettes et de la manufacture de gants. Les vins de Marsala sont renommés depuis des siècles dans le monde entier et la pêche est un autre apport appréciable pour cette contrée.

CEFALU, SUR LA CÔTE NORD DE LA SICILE

Face à la mer Tyrrhénienne et accoudée à une falaise qui s'élève abruptement à 1,200 pieds, la ville de Cefalu tire peu de profit de son port, bien qu'un bon nombre de ses habitants vivent de la pêche. Près de la ville, il y a une carrière de marbre. Grâce au climat méditerranéen, la région se prête bien à la culture de la vigne et des orangers.

DES ORANGES POUR FAIRE LA MARMELADE

Milazzo, sur la côte nord-est de la Sicile, est un port d'exportation des agrumes et des vins de la région. Plusieurs villes de la Sicile, y compris Milazzo, furent autrefois des colonies grecques. L'ancien nom de Milazzo était Mylae. La Sicile avait son gouvernement propre jusqu'au milieu du XIXe siècle, alors qu'elle fut intégrée dans le royaume d'Italie.

LE STYLE ANCIEN DONNE DU CHARME À CE JARDIN DE SYRACUSE

Cette réplique d'un temple païen est nichée dans une végétation luxuriante. Ses colonnes élancées
sont de style ionique grec, mais ses guirlandes nous rappellent la Rome antique.

L'ETNA, UNE MENACE CONSTANTE DE DESTRUCTION

A quelques milles de Catania, près de la côte orientale, le volcan se dresse à une hauteur de près de 11,000 pieds. Toujours actif, il présente un danger constant aux environs.

UN VESTIGE DE L'ANCIENNE COLONIE GRECQUE DE SYRACUSE

Lorsque cet amphithéâtre fut construit, Syracuse était un avant-poste de la civilisation grecque. L'ancienne partie de la ville se trouve sur l'île d'Ortygia, dans la baie de Porto Grande.

LA CATHÉDRALE DE PALERME EST L'ŒUVRE DE PLUSIEURS GÉNÉRATIONS

La cathédrale de Palerme, commencée au douzième siècle, est un curieux mélange de styles divers.
La partie la plus belle semble être l'arcade et la porte que l'on voit au centre.

Un regard jeté sur une carte nous fera voir la proximité de la Sicile à la Grèce. L'ancienne ville sicilienne de Syracuse fut un centre de la culture grecque au moment de son apogée. De grands artistes et des hommes d'Etat y séjournèrent; des pièces célèbres y furent écrites, jouées avant même d'être présentées en Grèce. A présent, Syracuse a perdu sa grandeur de jadis; c'est une ville essentiellement italienne. Le Sicilien moderne a la peau olivâtre et les cheveux foncés. Ses traits, encore marqués de sang grec, sont délicatement modelés.

Les produits agricoles de l'île sont des plus variés. Il y a de magnifiques vergers d'orangers et de citronniers et l'on extrait le jus de leurs fruits dans les fabriques des villes. Les vignobles, qui ont autrefois souffert du phylloxera, produisent de grandes quantités de vin. Des légumes et des oliviers poussent à proximité des vil-

les. L'amandier, le figuier, le noisetier, le pêcher, le pistachier, le frêne à la manne, le sumac fustet et le figuier de Barbarie abondent dans toute la Sicile. Le principal produit laitier est le fromage.

Aujourd'hui, les gens prospères, d'ailleurs peu nombreux, préfèrent vivre dans les villes. Les fermes sont petites, sauf dans les plaines où il y a de grands champs de blé. A cause de la sécheresse en été il n'est possible d'obtenir des récoltes satisfaisantes qu'en cultivant le terrain pièce par pièce, en laissant chaque section se reposer une ou deux années pour qu'elle retrouve sa fertilité. Dans cet intervalle elle peut servir de pâturage. En effet, le sol est tellement appauvri à la fin de l'été qu'un animal a besoin de plusieurs acres pour se nourrir. Les fermiers vivent dans les villages voisins, et leurs garçons de ferme doivent marcher plusieurs milles pour se rendre à leur travail et en revenir.

Dans les villages et villes une famille occupera souvent une seule pièce, qu'elle partagera avec les pourceaux et les volailles. La fumée du foyer s'échappe par un trou dans le plafond, et le vent et la pluie pénètrent par cette rudimentaire cheminée, ce qui rend encore plus détestables les conditions à l'intérieur. La poussière, la saleté et la suie décolorent tout ce qu'il y a dans la maison. Des bandes nattées recouvrent le lit, et le seul cabinet de toilette dont disposent ces paysans est le chemin ou un carré dénudé en face de la demeure.

Les Siciliens mangent plus de légumes que de viande. Ils n'élèvent les bœufs et les vaches que comme bêtes de somme et ne les envoient chez le boucher que lorsqu'ils sont trop vieux pour travailler. Le beurre n'est employé que par les riches. Le régime du paysan consiste surtout en pain noir—son aliment principal—macaroni, haricots, légumes verts et oignons, vins légers et fromage dur. Ce dernier est fait avec du lait de chèvre. On mange peu de fruits ; ils sont strictement réservés pour l'exportation.

Les Siciliens adorent la poésie, et leur langue, qui a quelque chose de la douceur napolitaine, ajoute du charme à leurs chansons traditionnelles.

Par-delà les pics des montagnes lointaines s'évanouissent les lueurs rosées du jour ; les ombres violettes recouvrent les vallées. Des couleurs vives se dégagent encore, le jaune des citronniers, le vert des oliviers et des mûriers. Les eaux bleues de la Méditerranée sont peut-être encore visibles par-delà les champs de blé ondulant. La Sicile, arriérée si l'on veut, est malgré tout le joyau de la Méditerranée, et le touriste qui l'a une fois visitée ne l'oubliera jamais, et gardera une envie nostalgique d'y retourner.

RUINES ROMAINES PARMI LES CYPRÈS À TAORMINA

Des pierres qui s'effritent, des pans de maçonnerie en ruines, voilà ce qui reste d'un théâtre qui se dressait là jadis. Au bord de la plage, des hôtels modernes accueillent les hivernants.